RUE DES RAVISSANTES

et dix-huit autres scénarios cinématographiques

BORIS VIAN

RUE
DES RAVISSANTES

et dix-huit autres scénarios
cinématographiques

*Préface et notes
de Noël Arnaud*

CHRISTIAN BOURGOIS ÉDITEUR

ISBN 2-267-00762-2

BORIS VIAN ET LE CINÉMA

Gardons-nous du ton funèbre. Boris Vian ne l'aurait pas admis. Pourtant nous retrouvons au seuil de ce livre deux amis qui sont morts et que nous aimions.

Pierre Kast nous a quittés le 20 octobre 1984. C'est lui qui devait écrire cette préface. Christian Bourgois et moi le désirions fort. A ce choix, de bonnes raisons : Pierre Kast était un cinéaste, un réalisateur de films, un écrivain de cinéma, un homme du métier et des plus savants et habiles, un romancier aussi d'un talent indéniable; il connaissait bien Boris Vian, ils travaillèrent ensemble à plusieurs scénarios dont, sur les dix-neuf ici reproduits, les sept suivants : *Avant-Projet de scénario* (avec un léger doute), *le Cow-boy de Normandie, le Baron Annibal, l'Auto-stoppeur, Tous les Péchés de la Terre, Rue des Ravissantes, De quoi je me mêle*. Mieux que quiconque, il pouvait nous conter l'histoire des relations de Boris Vian et du cinéma; l'histoire d'un grand amour sans cesse contrarié, d'une passion indéfiniment déçue.

Pierre Kast ne fut pas seulement le collaborateur de Boris Vian et, en quelque sorte, son professeur d'enseignement technique du cinéma, il était et demeura jusqu'à l'ultime minute son ami vigilant et efficace. Grâce à leur familiarité, à leur entente sur maints aspects de la vie sociale et quotidienne, à leur mépris des fausses valeurs et de la morale de plomb qu'on tentait déjà de nous infliger, grâce aux travaux entrepris de concert, à ces scénarios édifiés sous la même lampe, revus, rectifiés, critiqués, améliorés, proposés (et refusés), Pierre savait à merveille les goûts de Vian et dans quel sens celui-ci eût souhaité qu'on oriente la conception des films et leur production. Il va sans dire, et sans fausse modestie, que la compétence de Kast en matière de cinéma dépassait la mienne de cent coudées. Nous essayons, peut-être maladroitement, et à coup sûr sans y parvenir, de compenser l'absence, hélas définitive, de Kast, au moyen de notes réunies sous le titre

Selon les textes, inévitablement plus abondantes que dans le projet initial, bien qu'il fût toujours entendu avec lui – et quasiment exigé de sa part – que le travail d'annotation me reviendrait, Pierre, malgré sa formation originelle d'historien, répugnant assez à ce labeur d'analyse et de datation des textes. Je confesserai crûment qu'il ne me fut d'aucun secours en ce domaine, alors que je pressentais le péril d'erreurs d'évaluation chronologique; certaines de mes notes montreront que j'ai bien failli y tomber et qu'elles ne purent être redressées qu'au bord du gouffre.

Il importe de préciser que le projet d'un recueil des scénarios cinématographiques de Boris Vian remonte loin. A 1978 au moins. Nous l'annoncions comme prochain en note de *Cinéma/Science-Fiction* (Christian Bourgois éd., 1978) et nous répétions cette note dans l'édition du même livre en 10/18 (1980). A la naissance du projet, et celui-ci encore dans les limbes, Christian Bourgois et moi étions décidés à confier à notre ami commun Pierre Kast l'ordonnancement (j'eus le temps de lui en soumettre le brouillon qu'il approuva) et la présentation des scénarios. Les empêchements se multiplièrent : les voyages et les séjours de Pierre au Brésil, au Portugal, en Italie, ici ou là, son travail à la télévision, tout sans cesse retardait l'accomplissement. A ce point que Christian résolut un jour de faire, à défaut d'une préface écrite, une préface parlée, un entretien à trois devant un magnétophone : on le transcrirait, on l'arrangerait afin qu'il ait un maintien correct à la lecture, et on le jetterait sous les yeux de Kast pour signature.

N'imaginez pas que nous creusions un piège. Tous ceux qui eurent la chance d'entendre Kast en sortaient médusés, conquis. Son don de la conversation ou du monologue improvisé était prodigieux, sa faculté d'élocution renversante et vous n'échappiez pas à sa séduction. C'est pourquoi, lorsqu'il vous racontait son prochain film, vous étiez convaincu que ce serait un indiscutable chef-d'œuvre, l'un des dix plus beaux films jamais tournés. En voyant le film à l'écran – combien d'amis éprouvèrent ce sentiment – vous vous sentiez un peu frustré. Il en avait trop bien parlé! En vue de l'entretien, rendez-vous était pris, ferme, et à une heure précise... et, à la dernière minute, décommandé. Là-dessus, confus et repentant car il voulait absolument préfacer l'ouvrage, Kast nous jura d'écrire lui-même, à la plume et sur du papier, et très vite, le texte si longtemps attendu.

FR3 Lyon l'occupait beaucoup depuis quelque temps. Il avait obtenu de cette chaîne la réalisation de *l'Herbe rouge*, d'après le roman de Boris Vian. Devant la minceur des ressources de cette chaîne régionale (les chaînes nationales ne sont guère mieux loties), Kast s'avisa, pour un certain nombre des scènes (le roman se prêtant admirablement à un découpage assez voisin de celui des films à sketches), de fabriquer des décors de fortune, s'inspirant vaguement des décors à la Méliès, en moins bâclés. Quelques-uns des comédiens et comédiennes préférés de Kast n'y ménagèrent pas leur talent : Alexandra Stewart, Françoise Arnoul, Jean-Claude Brialy, Jean-Pierre Léaud, Yves Robert, Jean Sorel, etc. L'apport de la science-fiction – remarqué de plusieurs bons esprits dans le roman – est ici infime, tout juste esquissé. Pour justifier, dans le raisonnement de Kast tournant son adaptation de *l'Herbe rouge*, la pauvreté des décors et le dépouillement extrême de l'action, on doit relire *Pierre Kast et Boris Vian s'entretiennent de la Science-Fiction* [1], maintes fois reproduit [2] et célébré, texte fondamental si l'on veut se former une opinion exacte des conceptions communes de Kast et de Vian en cette matière. Boris dit, à un moment de la conversation avec André S. Labarthe, au sujet du coût élevé des films de science-fiction : « Ce n'est pas une solution obligatoirement chère. C'est-à-dire que, là aussi, il y a de la part des producteurs un manque complet d'imagination. Quand on leur dit science-fiction, ils s'imaginent qu'il s'agit de construire des fusées, et de montrer quatorze planètes avec trois cent mille figurants. Ce n'est pas cela du tout. On peut très bien imaginer des films de science-fiction à trois ou quatre personnages. »

Pierre Kast, élaborant son *Herbe rouge* télévisée, s'est souvenu de la leçon. Sachant pertinemment que FR3 Lyon serait incapable de construire des vaisseaux spatiaux, des planètes à population dense et des effets spéciaux dépassant ceux de Méliès, bien loin de tenter une *Odyssée de l'Espace* ou même un téléfilm du niveau, excellent, de *Star Trek* qui n'eût peut-être pas déplu à Vian tant l'humour l'habite, il s'est confiné dans l'intimisme. Qu'on cote au degré qu'on voudra l'adaptation télévisuelle de *l'Herbe rouge*, tout de même il est beau et émouvant que Pierre Kast ait terminé sa carrière et sa vie sur une œuvre de Boris Vian.

Mais là ne gît pas la question que certainement vous vous posez : pourquoi Pierre Kast n'a-t-il pas profité de FR3 pour tourner un des scénarios de Vian ? par exemple un de ceux auxquels il collabora ? Je n'en sais rien, je l'avoue sans fard. Mais assurément – et c'est une des curiosités du présent volume – s'il avait voulu tourner un téléfilm sur un scénario de science-fiction, il n'en aurait pas découvert la queue d'un. Vian écrivit des saynètes de cabaret et même des revues entières de science-fiction dont certaines furent montrées à la scène, sans omettre une revue nue de science-fiction, la première du genre croyons-nous, il traduisit plusieurs nouvelles de science-fiction d'auteurs américains, dès 1950 il infusait un sentiment amoureux à un robot excité par *Toi et Moi* de Paul Geraldy [3], il n'a jamais construit un scénario de film de science-fiction. On nous objectera que l'entretien cité plus

1. Paru en premier dans *l'Écran*, n° 1, janvier 1958.
2. Dans *Cinéma/Science-Fiction*.
3. Voir pour les revues de science-fiction *Petits Spectacles*, Christian Bourgois éd., 1977; 10/18, 1980; pour la nouvelle « le Danger des classiques », *le Loup-garou*, Christian Bourgois éd., 1970 et 1974; 10/18, 1972.

haut date de la fin de la vie de Boris Vian. On ne retiendra pas ce
motif : il y avait beau temps que Boris prônait la science-fiction. A
s'en tenir aux seules preuves scripturaires (bonne méthode en un
temps où on nous bassine avec l'oral, au sens linguistique, et non
psychanalytique du mot), Vian, avec Stephen Spriel, augmentait
d'un coup le tirage des *Temps Modernes* (pas ceux de Chaplin,
ceux de Sartre) qui se vendaient encore gentiment, en levant un
lièvre replet dans le numéro d'octobre 1951 : *Un nouveau genre
littéraire : la Science-Fiction*. Si vous appétez avidement à un scénario ou au moins à un synopsis, ou simplement à une suggestion
de film de science-fiction, vous êtes contraint de remettre sur la
table l'entretien avec Pierre Kast de 1958. A une question d'André
S. Labarthe : « Vous avez des idées de films de science-fiction ? »,
Boris Vian répond : « J'en ferais un, bien volontiers, avec le *Kill-
dozer* de Sturgeon. Une énorme pelle mécanique sur une île est
envahie par un champ électrique intelligent, et, pour survivre,
l'homme qui reste sur l'île est obligé de s'emparer d'une autre
énorme pelle, qui est une espèce de bulldozer géant, et de livrer
un combat à mort avec la première, qui est animée par ce champ
électrique intelligent. C'est très spectaculaire. C'est une très jolie
idée. Cela ferait de belles images. »

Pas de scénarios de science-fiction, le lecteur en recevra confirmation en compulsant notre recueil. En revanche, un bon
nombre de scénarios de comédies musicales. Or, dans les propos
que j'ai recueillis de lui en 1962 [1], Kast, s'il signalait, en second
lieu du reste, l'intérêt de Vian pour la science-fiction et les films
qu'il eût été souhaitable d'en tirer, mettait l'accent sur la comédie
musicale, genre méprisé en France et que Vian eût aimé y accli-
mater. Il avait la certitude « que Boris a cherché, à plusieurs
reprises, ce que pourrait être l'équivalent français de la grande
tradition de la comédie musicale américaine ». Kast ne commit
pas l'imprudence de solliciter de FR3 Lyon la réalisation d'une
comédie musicale, même pas de *Rue des Ravissantes* à laquelle il
participa étroitement. Qu'on ne vienne pas nous opposer le caractère désuet, anachronique d'un scénario conçu en 1957 ! Maintes
comédies musicales américaines récentes nous décrivent des événements (et des voitures et des modes) situés dans les années 30.
Et c'est très agréable. Ce ne sont pas les snobs attardés de la
« mode rétro » qui nous contrediront. Non, Kast avait pleine
conscience de la médiocrité des moyens d'une télévision régionale. L'ORTF lui-même, tant honni et si regretté, qui rassemblait
les ressources dont on saupoudre aujourd'hui les télévisions
régionales, se serait probablement désisté en face d'un projet de
comédie musicale à l'américaine. Ne regrettons rien.

Quand Pierre Kast et Boris Vian se sont-ils rencontrés ? Question oiseuse aux yeux des antibiographistes impénitents, espèce
en voie de disparition depuis qu'Alain Robbe-Grillet s'est intel-

---

1. Reproduits dans toutes les éditions des *Vies parallèles de Boris Vian*.

ligemment expliqué là-dessus voici un bon moment... et maintenant Julia Kristeva, où allons-nous?! Pour d'autres, question non
négligeable, puisque, de la réponse, dépend parfois la compréhension d'un texte. Dans son long et passionnant entretien avec
Pierre Boiron [1], Kast fixe à décembre 1945 sa première rencontre
avec Vian. Date, à quelques semaines près, plausible. Boris fréquentait assidûment les ciné-clubs, Kast également. Mieux
encore, Kast au printemps de 1945 travaillera à la Cinémathèque
française avec Henri Langlois, et conservera cette fonction
jusqu'en 1948. Toutes raisons pour que Vian et Kast fissent
connaissance, et très tôt après la Libération. Le Tabou en 1947, le
Club Saint-Germain en 1948 et le Montana juste en face, autant de
lieux où, par la suite, ils purent se voir, et deviser de cinéma et
aussi de littérature car ils aimaient les mêmes auteurs : Jarry,
Queneau. Oui, mais leur collaboration à des scénarios de films, à
quand remonte-t-elle? A ce sujet, nous possédons un témoignage
irréfragable de Vian : dans une note intime du 26 février 1952
(publiée en tête de notre chapitre du cinéma des *Vies parallèles*),
Vian écrit : «... Tantôt j'ai joué une heure et demie au billard électrique à tapettes qu'on commande soi-même, des flippers qu'ils
disent, avec Pierre Kast. On va peut-être faire des films un jour
ensemble. Un jour. Et peut-être. Je crois pas que ça me tente
encore – techniquement, c'est pas assez au point. Quand ça sera
aussi simple de filmer que de regarder je m'y mettrai – mais
dépendre de trop de gens zut. Pas envie de commander aux
gens... » Il est cocasse de noter que, à l'heure où il écrit ces lignes,
Vian est déjà l'auteur de nombreux scénarios et qu'il a enclenché
son activité littéraire en écrivant des scénarios, dès 1941! Kast ral-
lumera sa flamme cinématographique; toutefois, on ne peut
s'empêcher de constater que ses craintes de 1952 seront avalisées
par l'échec de toutes ses tentatives dans un art qu'il sentait être le
sien, pareil à Queneau qui voyait dans le cinéma, plus que dans le
roman, l'art de notre temps et multipliera lui aussi des scénarios
qui n'aboutiront à rien, avec tout de même quelques faibles
consolations dont Boris sera privé de son vivant. Les adaptations
des romans de Queneau par Jean Herman (Vautrin), Louis Malle,
Michel Boisrond, Queneau les verra. L'adaptation de *J'irai cracher sur vos tombes* rendra Vian malade jusqu'à en mourir et
l'Écume des Jours apparaîtra sur les écrans plusieurs années
après sa mort. En août 1959, dans son article des *Cahiers du
Cinéma* intitulé «la Parabole de la pelle à vapeur», sans doute
l'article le plus juste de ton et de la plus exacte sensibilité qu'on
ait écrit sur la disparition de Vian, Pierre Kast émettait le vœu de
voir Alain Resnais adapter *l'Écume des Jours* au cinéma. Ce ne fut
pas Alain Resnais qui le réalisa, mais Charles Belmont. On peut

1. On le lira dans le *Pierre Kast* de Pierre Boiron, Éditions Pierre Lherminier, 1985, qui
réunit la quasi-totalité des textes de Kast sur le cinéma, Boris Vian y étant maintes fois évo-
qué, outre une analyse des films de Kast et une complètes filmographie et bibliographie.

déplorer que ce film soit, depuis plusieurs années, pratiquement invisible. Il n'était pas sans mérites, il s'en faut, et plusieurs images s'imposaient superbement : le pianocktail, la chambre de Chloé emplie de fleurs, etc. C'est toujours la même histoire : plusieurs critiques, et parmi eux des critiques intelligents et compétents, se plaignirent de « trahisons » par rapport au roman, vieil argument asséné à propos d'adaptations de Stendhal, d'Hugo, et tutti quanti francese, et qui fait sourire quand on s'aperçoit que des films américains applaudis sont, pour les trois quarts, adaptés de nouvelles et de romans non traduits en français et que les critiques ignorent, ce qui leur évite de confronter le film au livre.

En 1952, Boris n'a pas envie de se remettre à l'écriture cinématographique. Il changera d'avis l'année suivante, mais auparavant c'est par leur érudition cinématographique et pour s'amuser du cinéma que Kast et Vian écriront ensemble une revue de cabaret, *Cinémassacre* (avril 1952), qu'Yves Robert et l'extraordinaire troupe de la Rose Rouge conduiront au succès, au triomphe ne serait pas excessif, puisqu'elle y fut quatre cents fois représentée et passa ensuite en juillet 1954 au Théâtre des Trois Baudets qui la prolongera neuf mois. En tout, quatre ans de succès ininterrompu. Boris Vian ne connut pas de son existence des applaudissements d'une telle durée, et Kast, au fond, non plus. *Cinémassacre* parodiant, dans une chaleureuse rigolade, Hitchcock, Vittorio de Sica, Marcel Carné, Cecil B. de Mille, etc., serait repris de nos jours qu'il rencontrerait la même faveur, nous en mettons la main au feu. Le générique, on ne peut plus cinématographique, vous asseyait d'autorité dans un fauteuil de salle de cinéma : « *Cinémassacre* / sur une idée originale de Pierre Kast et Jean-Pierre Vivet / Scénario et dialogues de Boris Vian / Décors de Jean-Denis Malclès ». Tout bien pesé, voilà bien un scénario de Boris Vian, en réalité onze scénarios de Boris Vian d'un seul coup d'un seul, propices à une réalisation télévisuelle à bas prix.

De la note intime de Vian, on conclut sans peine qu'il n'y eut pas de collaboration Kast-Vian sur des scénarios de films avant la fin de 1952 ou le tout début de 1953. Lors de ses premiers essais cinématographiques, Boris ne sait pas très bien comment on écrit un scénario. Aussi passionné qu'on soit de cinéma et habitué des ciné-clubs, on peut tout ignorer du mode de fabrication des films. Pierre Kast l'atteste, contemporain de Vian à six mois de distance (en moins). Tous deux hantaient les salles de cinéma depuis leur première jeunesse, mais c'était, nous dit Kast, le versant du consommateur, « c'est-à-dire du type qui n'a aucune idée de ce qu'est la technique cinématographique : comment est fait un scénario, un découpage, un plan, etc., qui sait qu'un travelling c'est un mouvement de caméra, mais sans y faire attention, sans l'identifier ».

Pierre Kast ne gagnera pas l'autre versant, ne regardera pas le cinéma de façon différente avant l'automne de 1944. Et Boris avait entrepris la rédaction de scénarios en 1941-42, en toute méconnaissance de la fabrication des films et, a fortiori, du système de production et de diffusion. Mis à part quelques vagues notions acquises en 1947 et 1948 en assistant au tournage de courts métrages dans les caves de Saint-Germain-des-Prés par des réalisateurs à peine sortis de l'amateurisme, son apprentissage d'écrivain de cinéma ne débutera vraiment qu'en 1952-53 quand Pierre Kast examinera ses projets de scénarios, Pierre Kast entretemps passé par l'IDHEC, nourri de son expérience d'assistant de Jean Grémillon, et personnellement réalisateur de six courts métrages entre 1950 et 1953.

Nul n'ignore que Boris Vian se désintéressa de la politique, de manière incroyable, estimera-t-il lui-même, jusqu'à l'âge de trente ans. Peu croyable en effet de la part d'un homme de cette génération qui, d'une façon ou d'une autre, d'un côté ou de l'autre, fut plongée jusqu'au cou au cœur des événements. Kast au contraire choisit son camp très tôt, il fut un résistant d'un rare courage (malgré sa discrétion toute protestante dans l'entretien avec Pierre Boiron), un militant politique au sein de la Jeunesse communiste. Aucun passé commun entre ces deux hommes du même âge. Mais le présent les fait se rejoindre : il n'est pas beau à voir. La IVe République piétine dans un bourbier. Même exclus du gouvernement, les communistes s'obstinent à chasser sur les terres des démocrates-chrétiens : ils s'opposent à la contraception, à l'avortement, ils chantent le « redressement national », la repopulation, les bonnes mœurs, ils chipent à la droite ses « valeurs »; en art, en littérature le réalisme socialiste balaie brutalement toute autre forme, tout autre esprit de création; les peintres, les écrivains venus massivement au parti communiste durant l'Occupation et aux premiers mois de la Libération s'en éloignent. Les dernières années du stalinisme seraient risibles, tant elles apparaissent en France suicidaires, si elles n'étaient ailleurs tragiques. Nous nous étendons sur le parti communiste parce que les convictions politiques de Kast allaient dans ce sens. Ce n'est pas dire, loin de là, que les autres – les non-communistes – étaient plus seyants: ils n'avaient même pas l'excuse d'« une grande cause », ils se déchiraient pour un bout de portefeuille, ils s'accrochaient misérablement à un pouvoir que leurs querelles dérisoires affaiblissaient chaque jour, et, brochant sur le tout, les scandales financiers explosaient à tous les tournants. Les guerres coloniales n'en finissaient pas, d'autres conflits coloniaux couvaient, que les gouvernements ne prévoyaient pas et qu'ils étaient, en tout cas, incapables de résoudre honorablement. Les événements qui se succédèrent de 1950 à 1959 cimentèrent l'amitié et l'union de Kast et de Vian face à un monde piégé, redoutable où la liberté d'expression était à tout instant remise en question, voire à la question.

Kast, en 1951 et les années suivantes – et il n'abandonnera

jamais la notion de lutte des classes –, continue de raisonner en marxiste, de puiser ses références, explicites ou non, dans Marx et Engels. Il n'est pas innocent de terminer des « Remarques sur le dandysme et l'exercice du cinéma » (*Cahiers du cinéma*, mai 1951) par cette citation de Friedrich Engels définissant la fonction du romancier « qui remplit parfaitement sa tâche, quand par une peinture fidèle des rapports sociaux réels, il détruit les illusions conventionnelles sur la nature de ces rapports, ébranle l'optimisme du monde bourgeois, contraint à douter de la pérennité de l'ordre existant, même s'il n'indique pas directement de solution, même s'il ne prend pas ostensiblement parti ». Qu'on veuille bien considérer l'époque de rédaction de cet article, on comprendra que Pierre Kast ne vise pas seulement les conditions économiques de production des films en régime capitaliste, mais aussi – sa citation d'Engels est claire – la stupide dictature jdanoviste que voulait imposer à ses « intellectuels » le parti communiste français. C'est en ce temps-là que nous projetions de publier, sur l'initiative de Jean-François Chabrun, inventeur du titre : *l'Écrivain public*, une revue réunissant des personnes rétives aux dogmes desséchants du triste Jdanov et de son porte-parole en France Aragon. Clara Malraux, Jean Duvignaud, plusieurs autres, déjà réputés et maintenant quasi glorieux, participaient à l'entreprise. Pierre Kast était parmi nous, et non le moins décidé. Tous ces gens voulaient parler librement, en s'efforçant d'éviter une apostasie gueularde et rentable.

Tous deux pudiques (eh! oui), tous deux d'une entière probité, tous deux agissant selon une morale (parfaitement) qui excluait l'hypocrisie moralisatrice, ils furent en butte à toutes les censures, avouées ou non. « Toutes les variétés de puritanisme, écrira Kast [1], le calviniste, le papiste ou le stalinien, s'unissent pour transférer sur celui qui montre le blâme révulsé qu'on porte sur la chose montrée. Curieuse prestidigitation mentale, souvent accompagnée, à l'exemple du vieux crétin réactionnaire Juvénal, d'une exaltation gâteuse des vertus supposées et mythiques des vertueux ancêtres. » Contre toutes les formes d'étouffement de la vraie vie, ils menèrent une lutte que certains – qui ne se font pas de l'audace une idée bien haute – jugèrent désespérée, ils ne renoncèrent jamais. Et puis, leur soufflaient les bons apôtres, on avance à grands pas vers la tolérance. Alors taisons-nous et laissons faire.

Qui soutiendra que les choses se sont foncièrement, définitivement améliorées après ces lignes de Kast écrites en décembre 1951 [2] : « La vertu libératoire de l'athéisme est aussi peu tolérée par la morale, l'enseignement et l'art officiel qu'aux jours de la Restauration où Beyle prenait mille précautions crypto-

---

1. « La prochaine polaire », *Cahiers du Cinéma*, octobre 1964, à propos de *Bande à part* de Jean-Luc Godard.
2. « Luis Bunuel : une fonction de constat », *Cahiers du Cinéma*, décembre 1951.

graphiques pour échapper à la Congrégation... On constate aisément les résultats : le terrorisme exercé sur les distributeurs par la cote morale de l'Office catholique du cinéma, la stupidité de la censure officielle ne sont rien à côté de l'autocensure des producteurs et de celle plus subtile des réalisateurs et des auteurs. La mythologie chrétienne bénéficie d'un tabou universel et des privilèges de l'estampille artistique. »

« Minute! crieront plusieurs de nos lecteurs. Vous ne jugez pas que les œuvres de Kast et celles de Vian, un monde les sépare? » Un monde, non. Leurs mondes, leur vision du monde étaient analogues. Des nuances, oui, infinies, dans la perception et l'expression des rapports entre les êtres. Que voulez-vous, c'était des auteurs dotés chacun d'une personnalité, d'une forte individualité. L'extraordinaire est qu'ils aient pu se comprendre et s'entendre, et travailler ensemble sans rien céder de leur originalité. Au reste, ne confondons pas les situations. Auprès de Vian, fût-ce quand il corrige les scénarios ou y suggère l'insertion de nouvelles images (plans si vous aimez mieux), Kast procède en qualité de technicien rompu à la réalisation des films. Il teste les projets de Vian à la balance du réalisateur. Il ne se substitue pas à Vian au niveau de la création; il entend que Vian conserve sa place d'auteur, de scénariste. Ne croyez pas que Kast conseille à Vian la modération, qu'il cherche à éliminer ce que contiendraient de trop vianien les scénarios. Son attitude va souvent tout à l'inverse : voyez dans nos notes le cas du *Baron Annibal*; Kast ajoute, à la fin du film, une scène burlesque à laquelle ne songeait nullement Boris.

Bonheur. Le bonheur est une idée neuve en Europe et dans le monde. Seuls Kast et Vian, avec Jacques Prévert, osèrent user de ce mot, banni du vocabulaire des tenanciers de la boutique universelle. Ils luttaient contre les forces qui s'opposent au bonheur.

Leur style de vie, entre mille autres affinités, les apparentait. Et Pierre Kast dira : « Le style commence avec la manière de vivre. »

Noël ARNAUD.

SELON LES TEXTES

Les cinq premiers scénarios (ou scenari, comme se plaisait à dire Boris Vian qui, on ne sait pourquoi, répugna toujours à naturaliser français le mot d'origine italienne, pourtant passé depuis longtemps au singulier dans notre langue, ce qui nous autorise et tout le monde à mettre au pluriel le mot francisé, le pérégrinisme de Vian étant au surplus fort imparfait puisque, pour rester italien, il lui eût fallu écrire scenarii, et non scenari), ces cinq esquisses cinématographiques primitives, on peut les dater des années 1941 et 1942. Elles nous sont parvenues sous leur forme écrite, et Vian les avait numérotées à la suite en chiffres romains. Elles s'intitulent *Rencontres, le Devin, la Photo envoyée, la Semeuse d'amour, les Confessions du méchant monsieur X*. Quelques indices nous inclineraient à penser que Michelle Léglise, première épouse de Boris Vian et, autant que lui, passionnée de cinéma, ne fut pas étrangère à la confection de ces scénarios, quoiqu'elle s'en défende, ne voulant être aujourd'hui que leur dactylographe. En tout cas, une note crayonnée de sa main sur l'une des copies des cinq textes à l'instant cités nous permet d'affirmer que deux autres scénarios, numérotés VI et VII, étaient alors en projet : *Girls* et *Jeunes filles en flirt* (ô Proust!).

Le mot scénario est un tantinet emphatique pour qualifier des textes aussi courts (d'une vingtaine de lignes l'un dans l'autre), appelons-les schémas de scénarios ou, au mieux, synopsis.

Deux d'entre eux sont demeurés en cet état sommaire. Il se pourrait aussi que la bonne fortune nous ait manqué jusqu'ici de les retrouver dans leur forme amplifiée. Il en va ainsi de *Rencontres* et de *la Semeuse d'amour*. Regrettera-t-on la disparition, peut-être provisoire, de *Rencontres* ? Nous vous en proposons le synopsis. Vous y discernerez aisément la trame d'un de ces films à sketches à la française, tel *Un Carnet de bal* de Julien Duvivier, qui remonte à 1937 et que Vian incontestablement connaissait :

I. Rencontres

Un homme, d'environ cinquante à soixante ans, est atteint
d'une grave maladie de cœur et il a bien discerné dans les encou-
ragements que lui prodiguait son docteur qu'il n'en a plus pour
bien longtemps à vivre. Au plus pour une semaine. Il est seul, et
c'est avec une grande tristesse qu'il va faire le bilan de sa vie passée, et, pendant sept jours, qu'il va passer à se promener et se sortir un peu de son travail auquel il a tout sacrifié, et qui est désormais inutile, il va rencontrer toutes les personnes qui l'ont suivi et
aimé, chacune pendant une période déterminée de sa vie, puis
quitté par sa propre faute. Ce sera d'abord un ami, perdu de vue
depuis longtemps, puis sa fille avec qui il était fâché, sa femme
d'avec qui il est divorcé, sa vieille servante, son parrain, sa sœur
que son caractère emporté et injuste avait éloignés de lui... Mais il
a compris ; enfin, pour quelques jours il ne sera plus seul. Il organise une soirée pour réunir ceux qui l'aiment toujours et sont heureux de le revoir. Mais le soir de la fête, la sonnette tintera sans
que l'on vienne ouvrir la porte qui, si longtemps, resta fermée. Le
vieil homme est mort seul, comme il a toujours vécu...

Le Devin s'inscrit en numéro II des synopsis ; nous possédons
son développement en forme (rapprochée) de scénario, et ce scénario porte, lui, le numéro I. Le scénario d'*Un homme comme les
autres* affiche un II (chiffre toujours romain). Or il est patent que
ce scénario-là constitue la dilatation du synopsis numéro V intitulé *les Confessions du méchant monsieur X* : on s'en persuadera
en le lisant ci-dessous ; on verra en même temps de quelle
manière Boris Vian, sortant du synopsis pour tenter d'atteindre le
scénario, s'efforçait à « professionnaliser » ses essais cinématographiques :

V. Les Confessions du méchant monsieur X

Monsieur X... est un vieil homme bonasse, mais dont les colères
sont terribles. Il habite Paris, mais invite tous les ans une dizaine
d'enfants des rues à venir passer, dans sa villa de Provence, de
merveilleuses vacances au soleil. Un jour qu'il a laissé les enfants
seuls, ceux-ci, à l'occasion d'un jeu, découvrent la photo bien
cachée d'une très jolie femme, devant laquelle ils tombent en
admiration. Monsieur X... rentre, se met dans une grande colère,
puis se calme et finit par raconter aux enfants l'histoire de la jolie
femme qui est aussi la sienne. C'est une histoire délicieuse et triste
où chacun des deux rivalise de douceur, de bonté et... de malchance puisqu'en fin de compte ils sont séparés. Les enfants sont

émerveillés et tout tristes, c'est une bien belle histoire. Monsieur X... va se coucher. Il regarde la photo et se demande : Les enfants ont-ils cru à l'histoire? N'ont-ils pas senti tout le mensonge de cette piètre invention? N'ont-ils pas fait semblant d'y croire? N'ont-ils pas compris que l'histoire était tout autre? Hélas, point très belle, point très morale. Et l'ancienne aventure repasse en un rêve devant les yeux de Monsieur X... Elle est la contre-partie du beau conte de fées raconté aux enfants... La vie est ainsi. La vérité est multiple pour tous sauf pour les enfants qui vénèrent maintenant la photographie à l'égal de la Vierge. Et c'est là la grande punition de Monsieur X.

La ville détruite que le voyageur ne reconnaît pas tout d'abord réapparaîtra, longtemps après *le Devin*, dans l'opéra *le Mercenaire* [1], certainement l'ultime ouvrage entrepris par Vian (1959) et dont il ne nous abandonnera que des bribes, s'il n'est pas incongru de nommer ainsi le seul air complètement écrit : *le Chœur des Démineurs*, qui, mis en musique par divers compositeurs, chanté sur scène, ou dit, aura ému les nombreux spectateurs ou auditeurs des « montages » de textes vianiens. Le plan du *Mercenaire* nous fait assister, non par la baguette magique d'un Devin, mais par le seul effet de la mémoire resurgie des yeux d'une morte, autrement dit par un flash-back, à la reconstruction du village tel qu'il était avant la catastrophe (dans l'opéra, la guerre). Il est beau que, du début de sa vie créatrice jusqu'à sa mort, Vian ait été hanté des mêmes fantasmes, qui, dans *le Devin* inspirent un conte merveilleux, dans *le Mercenaire* une tragédie.

Au moment de les transformer en scénarios, il semble bien que Boris Vian ait dardé un œil critique sur ses synopsis. Nous ne jurerons pas qu'il a jeté définitivement aux oubliettes le synopsis I *(Rencontres)* et le synopsis IV *(la Semeuse d'amour)*, soyons prudent! Mais il est de fait que les scénarios correspondant à ces deux synopsis nous échappent. A la relecture, la structure de *Rencontres*, inévitable suite de sketches, a pu lui paraître assez banale, venant après *Un Carnet de bal* de Duvivier. *La Semeuse d'amour* ne souffrait pas du même défaut : elle raconte l'histoire d'une femme qui sait enseigner les sentiments, rapprocher les « âmes sœurs » (textuel), résoudre les « problèmes du cœur » (pareillement dans le texte), mais cette « doctoresse de l'amour » *(ibid.)* deviendra maladroite pour son propre compte et « regardera s'éloigner d'elle l'homme qu'elle aime, pendant qu'autour d'elle ceux qu'elle a réunis continuent d'être merveilleusement heureux ». C'est peut-être un peu cucul la praline, mais nullement eau de rose ni bibliothèque bleue, puisque, la malheureuse, pour elle, ça finit plutôt mal. Il y avait là de quoi faire un film pas plus mauvais qu'un autre, et qui, bien interprété, eût entraîné au lacrymatoire commun les dames et les messieurs.

1. Boris Vian, *Opéras*, Christian Bourgois éd., 1982.

Dans le genre « mélodrame », si nous ne craignons pas d'user d'un terme qui couvre aujourd'hui, surtout sous la plume des chroniqueurs de télévision, n'importe quelle histoire filmée, *Un homme comme les autres* dégage un fumet d'*Hirondelle du faubourg* ou des *Deux Orphelines* beaucoup plus prégnant que l'odeur de sainteté des bonnes œuvres mal récompensées de *la Semeuse d'amour*. On observera l'aspect éminemment moral d'*Un homme comme les autres* qui se termine en outre par un appel à la procréation. Y décèlera-t-on le signe d'une prochaine délivrance ou d'une récente délivrance de Michelle qui accouchera de Patrick le 12 avril 1942 ? On ne va pas fourrer de l'autobiographie partout, mais on ne peut exclure la survenance d'un événement de ce genre entre l'écriture du synopsis, nullement moralisateur, au contraire, et qui n'envisage pas un instant la réunion des parents séparés autour de l'enfant sauvé des eaux amères de l'existence, et l'écriture du scénario, à mettre entre toutes les mains, y compris celles du maréchal Pétain. A moins que Boris ait introduit délibérément cette happy end de l'enfant fondement de la famille et de la société afin d'accroître ses chances d'un bon accueil du scénario. Nous préférons l'hypothèse de la grossesse de Michelle.

Encore qu'on ne doive point se leurrer. Les scénarios de cette période ne visent pas à ébranler l'ordre établi – en l'occurrence l'ordre moral de Vichy. On les confectionne à la grosse dans le but de les commercialiser. Pas de honte à cela. De nos jours, les écrivains de littérature se vantent d'être des « pros » (comme les joueurs de football), les écrivains aristocrates de naguère, Proust ou Gide ou Valery Larbaud, en auraient vomi tripes et boyaux. L'écrivain de cinéma a toujours su quant à lui qu'il travaillait pour un art consubstantiel à une industrie exigeant de gros capitaux, infiniment plus importants, dans les années Vian, que ceux du Livre. Sans compter avec la censure rigoureuse qui pesait, pèse encore, quoique atténuée, sur la diffusion des films. On cite volontiers des œuvres cinématographiques aptes à transmettre, au passage, des opinions anarchisantes, voire révolutionnaires, sous la plume de Jacques Prévert ou d'Henri Jeanson et quelques autres ; certaines de ces œuvres connurent un vif succès et assurément elles n'ont pas conduit leurs producteurs à la ruine et au suicide. Qu'on en fasse le compte, on constatera qu'elles sont malgré tout peu nombreuses. Elles attestent néanmoins – et c'est là un bel encouragement – que, dans la production des films comme dans l'édition des livres, le courage et l'audace sont parfois payants.

Sur les cinq synopsis, trois se gonflèrent en scénarios et se succédèrent à la romaine : I. *Le Devin ;* II. *Un homme comme les autres* (ex-*Monsieur X*) ; III. *La Photo envoyée*, déjà numérotée III dans la suite des synopsis et dont le thème est resté identique, à ceci près – et qui n'est pas rien – que, au lieu de déménager sans laisser d'adresse, quand il découvre que la jeune femme de la photo est des six poursuivies la seule qu'il se sente incapable d'aimer, le jeune homme se précipite sur les traces de la première fille qui passe dans la rue, fin des plus roboratives. On remarquera le prénom de Rochelle attribué à l'une des six filles de la photo. Boris le reprendra dans *l'Automne à Pékin* : il y désignera un personnage d'une tout autre dimension.

Donc, à l'heure d'écrire les scénarios de ses synopsis, Vian décide que *Rencontres* ne rencontre plus ses faveurs, et il sème *la Semeuse d'amour*. On le déplorera, mais on n'y peut rien : l'auteur est souverain, surtout lorsqu'il se refuse à écrire. Le lecteur nous pardonnera le gommage des chiffres romains à la reproduction des scénarios, nous en avons assez parlé ci-dessus, à notre avis et au sien certainement.

Avec *le Vélo-taxi*, le quatrième scénario de notre recueil, nous en arrivons aux œuvres de poids. En face des trois premiers scénarios, enclos en 3, 4 ou 7 pages, les trente-cinq pages du *Vélo-taxi* et ses semblants de découpage nous impressionnent. L'apprenti écrivain de cinéma a fait des progrès. Et l'écrivain tout court aussi. Boris Vian naît. Le style du scénario nous rapproche de *Vercoquin et le Plancton* ou, contemporain du scénario à quelques mois près, de *Trouble dans les Andains* publié posthume. Nous entrons dans l'univers de Vian, l'un de ses univers, mais non le moindre, celui du jazz, des surprises-parties, des filles jolies et des garçons drôles. Toute la troupe de ses personnages parade dans *le Vélo-taxi* : le Major Jacques Loustalot, cohéros du film, les amis (et alliés) de la famille Vian et de l'École Centrale, Lhespitaou, Roger Spinart, les musiciens et chefs d'orchestre Aimé Barelli, Alix Combelle, André Ekian, Noël Chiboust, Hubert Rostaing, Joseph Reinhardt, Gus Viseur, Roger Chaput, le Hot Club de France et son maître à penser notre ami disparu Charles Delaunay. Les lieux : Paris certes, mais encore Saint-Jean-de-Luz, Hossegor où Boris rencontra le Major en 1940.

« Mais que nous chantez-vous là ! hurlez-vous. Le quatrième scénario ne se nomme pas *le Vélo-taxi*. » Hélas, vous avez raison. Et voilà le chiendent : il faut s'expliquer.

En matière d'édition plus ou moins savante, en tout cas honnête, de textes inédits, une tradition veut que le texte dépourvu de titre se voie annoncer par les premiers mots du manuscrit, ce qu'on appelle l'incipit.

Cette tradition a ses mérites : elle mémorise l'œuvre, elle aide à établir les sommaires d'un recueil, elle les rend plus agréables à l'œil et à l'esprit, puisqu'elle évite l'abstraction et la tristesse d'une suite de numéros d'ordre. S'y ajoute une qualité hautement morale, le recenseur-éditeur ne se substitue pas à l'auteur pour nommer l'œuvre laissée sans titre.

En règle générale, l'incipit constitue donc un moyen commode, probe et raisonnable. Et pourtant son emploi fait parfois courir un risque et qui n'est pas mince : celui de trahir le contenu, l'esprit même de l'œuvre qu'il prétend identifier. Alors, l'incipit – qui vise à l' « objectivité » – impose une interprétation erronée. Ainsi *le Vélo-taxi*, incipit du scénario ici publié, dont nous sommes personnellement responsable (Bibliographie des *Vies parallèles de Boris Vian*, p. 491 de l'édition Christian Bourgois, 1981).

Ce titre, cet incipit est horriblement réducteur. Il focalise l'attention sur un moyen de transport qui ne joue pas un rôle déterminant. Le vélo-taxi serait remplacé sans dommage par un taxi ou par la marche à pied.

Nous rappelons à nos jeunes lecteurs que le vélo-taxi était une bicyclette tirant une petite voiture à deux roues, une sorte de pousse-pousse, un vélo-pousse, ou, plus exactement, et à l'invitation de l'argot : une tire. Sur le plan technique, le vélo-taxi ne brillait pas par sa nouveauté. Dès les premiers âges de la bicyclette, on imagina d'attacher au vélo une voiturette, de préférence en osier (matière légère), dans laquelle on installait un passager (ou une passagère) avec le casse-croûte si on allait pique-niquer. On restait dans le domaine du sport, du loisir et de la galanterie.

Sous l'occupation allemande, la raréfaction puis la disparition quasi totale des automobiles à pétrole, particulières ou publiques, élevèrent la bicyclette tractant une caisse au rang de moyen de transport des personnes de qualité (crémiers, bouchers, barbeaux et les dames des uns et des autres). Les courses étaient payantes et les tarifs élevés. Le vélo-taxi apposait au front de son passager ou de sa passagère le signe de la distinction, de l'opulence, de l'autorité. Ce n'est pas par hasard que le manipulateur des événements décrits par Vian (nous hésitons à dire : le deus ex machina) circule en vélo-taxi. Nous apprendrons qu'il est un maître, un puissant. Son vélo-taxi équivaut à une Mercedes haut de gamme, à une Rolls Royce, à une voiture de grande remise.

Au demeurant, les vélos-taxis accentueront jour après jour cette impression de luxe. Peut-être les pionniers furent-ils des propriétaires indépendants de vélos-taxis. Toutefois, assez vite, les villes d'une certaine densité virent se constituer et prospérer des sociétés de vélos-taxis, à l'imitation, sans doute inconsciente, de la première société de chaises à porteurs créée en 1617 et qui fut, durant près de deux siècles, extrêmement juteuse. Bien comprise, convenablement gérée, cette parfaite exploitation de l'homme par l'homme promettait la fameuse et alléchante plus-value. Artisans et compagnies améliorèrent le véhicule, surtout son aspect, son look comme écrivent encore les journaux de province. La voiturette, avec son pare-brise en plexiglas, emprunta le profil d'une carlingue d'avion et se moula dans des lignes aérodynamiques. Des dessins bien enlevés, de gracieuses couleurs ornèrent ses flancs. On s'approchait de l'œuvre d'art; la France profonde, autrement dit la plus obtuse, découvrait le design. Pour mettre la dernière touche à chaque vélo-taxi, le « personnaliser », on y peignit, en belle anglaise, un gentil prénom : Mado, Mimi ou Juju, à la façon de Lindbergh baptisant son aéroplane *Spirit of Saint Louis*, ou la SNCF aujourd'hui, *Romorantin* l'une de ses locomotives. Des conducteurs ou des patrons plus soucieux de la performance que du lyrisme appelèrent leurs engins le Bolide, le Coupe-file, la Flèche ardente ou Pégase (réservé aux titulaires du certificat d'études).

En conséquence, l'histoire économique, politique et artistique de notre pays ne peut négliger le vélo-taxi, réalité concrète et symbole à la fois. Les auteurs en quête de sujets y trouveraient matière à un volume entier, nourri aux souvenirs des hommes de trait ou des utilisateurs survivants (dépêchons-nous!). Le vélo-taxi relève aussi de l'histoire littéraire : des poètes, des romanciers, des savants, désormais réputés, alors jeunes, inconnus et démunis, suèrent sous le harnais à transporter rombières du beurre, gros cochons du porc et sous-maxés en vogue.

Serait-il enclin à retenir un peu de notre historique et les considérations d'ordre éthique, pseudo-éthique, en réalité strictement factuelles, dont nous le parsemons, le lecteur peinerait à découvrir une condamnation par Vian de l'exploitation de la misère sous l'image du Maître du Monde transbahuté en vélo-taxi à travers les rues de Paris. D'ailleurs, son automédon est probablement un ange, doté de mollets insensibles à la fatigue.

Non, décidément, on doit en prendre son parti : le vélo-taxi n'intervient qu'en accessoire dans le film. Liquidons du même coup les trois ou quatre autres détails datés. On appelait « jours sans » les jours sans alcool. Le couvre-feu, qui se pratique encore un peu partout dans le monde dès que la police ou l'armée veulent prévenir des troubles ou s'installer au pouvoir, était sifflé tous les soirs, entre 1940 et 1945, d'abord à 21 heures, puis à 23 heures, enfin à minuit (« le dernier métro »), bien qu'au moindre attentat contre les nazis ou leurs amis français, les autorités d'occupation pussent en décréter l'heure à leur guise. Les tickets de pain durèrent jusqu'en 1947 avec d'autres coupons de distribution des denrées de première nécessité. Enfin, la saccharine était un succédané du sucre, en allemand : un ersatz, qui avait l'honnêteté de s'avouer tel, alors qu'on l'utilise abondamment aujourd'hui en maintes boissons recommandées aux enfants et aux adultes abstèmes. Somme toute, les accessoires d'époque sont peu nombreux et n'entravent pas la lecture.

Au pas de notre notice, on le sentait venir : le titre exact du *Vélo-taxi* serait *Faust*. Hélas, un plagiaire par anticipation, assez connu, quoique étranger, un dénommé Goethe s'en est emparé. Et nous épargnons au lecteur l'escalade des références qui nous hisserait jusqu'au *Faustbuch* du XVIe siècle! Un titre non galvaudé se serait adapté assez bien au *Faust* de Boris Vian : *Mon Faust*. Un certain Paul Valéry se hâtera de le dérober à Vian : en mars 1941, ce Valéry de malheur lira un texte intitulé *Mon Faust* devant un petit cercle d'amis réunis chez Adrienne Monnier, rue de l'Odéon. Comble de l'impudence : parmi les invités, on distingue Raymond Queneau, alors inconnu de Vian en dehors de ses livres. Intimidé par la réputation de ces écrivains, le lecteur de *Mon Faust* et ses auditeurs, Boris se privera du seul titre encore disponible dans la déclinaison des Faust : *Notre Faust*. On comprend mieux pourquoi nous l'adoptons : nous mettons fin à des siècles de rapines.

A vrai dire, un autre titre conviendrait, on ne peut plus cinématographique : *l'Inconnu à l'imperméable*. Certes, il est moins explicite, il ne nous éclaire pas d'emblée, mais n'est-ce pas une bonne chose, ça? Le polar et la religion aiment à nous laisser mijoter au sein du mystère. Peu à peu, le spectateur découvrira lui-même le motif, la nécessité de l'imperméable. Des indices semés çà et là le convaincront assez vite que le personnage craint l'eau par-dessus tout. Et son nom se gravera lettre à lettre dans le cerveau du spectateur : Méphistophélès.

Oui, le visiteur du soir est Satan en personne sous un de ses innombrables déguisements. On goûtera cette fois la discrétion du travesti, incomparablement moins voyant que sa peau de serpent grâce à quoi il réussit à séduire la pauvre Ève, plutôt idiote il faut le dire puisque issue d'un idiot fondamental, Adam. Supposez un instant que Satan se présente en peau de serpent et ondulant de la croupe, il peut conquérir l'Archange Gabriel, comme en témoigne Vian dans *Adam, Ève et le troisième sexe*, un sketch de 1947 [1], il ferait chou blanc devant Pat. Car Pat est Faust dont l'hétérosexualité ne soulève pas, jusqu'à présent, de discussion et le Pat du film transfigure Boris Vian, réputé également hétérosexuel, un Boris Vian se rêvant grand musicien de jazz, tandis que l'héroïne du film, Marielle, se conduit évidemment en Marguerite pour les beaux yeux de qui, et la petite cervelle, Faust-Vian se damne.

Le Vélo-taxi, désormais *Notre Faust*, en sorte qu'un thème noble chasse la dérisoire tire à pédales, *Notre Faust* donc offre aux lecteurs des nouvelles et romans de Boris Vian un intérêt exceptionnel. Il est une transposition cinématographique – l'unique à ma connaissance [2] – d'une des aventures de Jacques Loustalot, l'immortel Major, protagoniste de *Vercoquin et le Plancton* et de plusieurs récits de Vian. Entre nous, ce scénario ressemble fort à une nouvelle, et si son auteur n'avait indiqué expressément qu'il s'agissait d'un scénario, c'est comme une nouvelle qu'on le lirait (et d'ailleurs qui le lirait ainsi ne commettrait nul sacrilège).

Notre Faust ne manque pas d'audace. Audace de novice, susurreront les vieux routiers désabusés. On veut bien, encore que

---

1. Voir *Petits spectacles*, Christian Bourgois éd., 1977 ; et 10/18, 1977.
2. L'unique de cette étendue incontestablement. *Un mekton ravissant (Vies parallèles)* est très court et le Major n'y est guère qu'un figurant.

Boris Vian continuera d'écrire des scénarios invendables, même après son initiation aux ficelles du métier.

Ce scénario ancien manifeste une relative originalité : il s'attaque à une règle taboue dans tous les arts : l'unité de ton. Vian la brise et mélange ou juxtapose deux genres différents, voire opposés. Il nous propose une tragédie (celle de Faust) tramée sur une comédie musicale, imbrication souvent tentée, rarement aboutie. Il en résulte un sentiment de malaise autant que de ravissement. Vian parviendra à rendre cet effet dans ses romans les plus accomplis, il s'y essaie dans ses scénarios, et notamment dans *Notre Faust* : décider de la réussite ou de l'échec est impossible, faute d'une réalisation, dans l'acception cinématographique du mot, effective, concrète, sur pellicule et sonore. Nous nous apprêtions à insinuer (prudemment) que Boris Vian, en écrivant *Notre Faust* (ou *l'Inconnu à l'imperméable*), conservait en mémoire *le Magicien d'Oz* (1939). La première partie du film de Victor Fleming est dramatique, noire à souhait, et d'ailleurs tournée en noir et blanc. Fleming reviendra dans la partie finale au noir et blanc, à la réalité quotidienne, mais en l'égayant, suivant les bons principes du cinéma pour tous, d'un épilogue heureux. Entre ces deux parties du *Magicien d'Oz*, au cœur du film, s'illumine une séquence, au plein sens du terme merveilleuse, un conte de fées en technicolor, ce procédé inventé en 1917 par Herbert T. Kalmus et qu'utilisera et perfectionnera de 1930 à 1955 l'inégalable et inégalée Natalie Kalmus, tant admirée de Vian et à si juste titre. Seulement voilà : Vian écrivant son scénario ne pouvait connaître *le Magicien d'Oz*, retenu aux États-Unis par la guerre et qu'on ne verra pas en France avant 1946. Nous rêvions le rêve de Boris Vian, nous imaginions ce que son *Notre Faust* eût pu être. Exercice nécessaire, qu'il nous faut pratiquer sur chacun des scénarios de Vian, nul d'entre eux n'ayant accédé à la plénitude filmique.

Notre Faust n'est pas daté sur son manuscrit ni sur aucune de ses copies dactylographiées. Nous situons sa rédaction soit au tout début de 1942 soit au second semestre de cette même année. Nous y entraîne la datation précise du scénario suivant *Trop sérieux s'abstenir* commencé en février 1942 et achevé d'écrire le 15 mai 1942, à quoi s'ajoute l'archivage de *Notre Faust* dans la même chemise que *Trop sérieux s'abstenir* sur lequel nous allons dire maintenant quelques mots, une chemise cartonnée, à dos toilé, de l'École Centrale dont Vian restera l'élève jusqu'en juin 1942.

Il est temps d'aborder *Trop sérieux s'abstenir* mais nos réflexions gagneront en brièveté car ce titre est bien celui du scénario, tel que le voulut Vian. Nous cessons de débattre des incipit, et ce que nous en avons dit vaudra à distance pour *le Baron Annibal*.

Le lecteur, non cinéaste, appréciera sans doute combien un simple scénario, nous pensons à *Trop sérieux s'abstenir*, devient beaucoup plus intelligible, et accroît son agrément, dès lors que l'auteur y a prévu la distribution de son film futur et grandement potentiel. Nous avons tout loisir de mettre un visage sur les principaux protagonistes. Quand bien même les comédiens signalés, voici un demi-siècle, par le scénariste auraient perdu de leur jeunesse – et le contraire toucherait au surnaturel –, quand bien même ils seraient morts, phénomène plutôt courant, la reconstitution, la réanimation des personnages d'antan demeure possible, et assez facile, grâce aux reprises en salle ou à la télévision des films qu'ils tournèrent dans les années où Vian les choisissait pour interprètes. Son projet de distribution n'était pas aussi fou qu'il en a l'air. Certes, s'offrir Jean Tissier ou Pauline Carton ou Saturnin Fabre n'était déjà plus à la portée du premier réalisateur venu. Mais les jeunes comédiens et comédiennes « envisagés », Bernard Blier et Jacques Charron par exemple, ou, parmi les gracieuses dames, Blanchette Brunoy ou Odette Joyeux, restaient accessibles aux propositions d'un auteur de leur âge.

Le frère cadet de Vian, Alain, plus déluré et introduit que ne l'était alors Boris, fréquentait assidûment les milieux du théâtre : il cherchait à y faire carrière et, en 1942, s'occupait déjà du Théâtre populaire de la jeunesse pour lequel Boris écrivit d'ailleurs une pièce, *Notre terre ici-bas*, au titre et aux intentions bien scellés par le thème du « retour à la terre », cher à Vichy qui espérait peut-être avec ce beau bateau (il y avait autant de naïveté que de perversité chez les dirigeants pétainistes) consoler les Français de la livraison totale de notre industrie à l'armée allemande. Pour des raisons que nous ignorons, cette pièce, à tous égards médiocre, ne vit pas, fort heureusement, les feux de la rampe. Boris finit par la signer Boris Giono et par la doter d'un titre raisonnable dans son réalisme négateur : *le Bout de la biroute*. Drôle, ce titre définitif et de pompe funèbre, oui, mais plus bidonnant encore le titre premier et « sérieux ». Vous voyez d'ici Boris Vian, Parisien impénitent, demain prince de Saint-Germain-des-Prés, et, à l'instar de Queneau, d'un mépris absolu envers le monde rural (lisez *l'Écume des Jours* et, un peu plus loin dans ce livre, le scénario *Histoire Naturelle*), vous le voyez, le pauvre, s'échinant à célébrer la beauté de la bouse et de ses peuplades! Là réside l'unique gag de *Notre terre ici-bas*. Et pourtant l'honnêteté critique nous oblige à préciser que de cette pièce navrante Vian tira un scénario de film, qui n'arrangeait rien. Le scénario subit le même sort que la pièce : le reniement par l'humour, sans que pour autant Boris en détruisît les manuscrits; une fois de plus, il se comportait à la façon de Queneau : il gardait tout.

Nous ne voudrions pas désorienter le lecteur, et perdre nous-même les pédales, mais il nous pèserait sur le cœur de dissimuler que le manuscrit de la pièce est, en son entier, écrit de la main de Michelle Léglise. Qu'est-ce à dire? Qu'elle en est elle-même l'auteur? La pièce et le scénario conséquent assignent aux femmes des rôles extrêmement honorables, elles sont travailleuses, bonnes, tendres, honnêtes, sobres, et, le plus souvent, belles quel que fût leur âge, en face de bonshommes peu reluisants, hormis les époux qui se rendent aux conseils des épouses, les neveux à ceux de leur tante, etc. L'empreinte d'un féminisme militant y est flagrante, tandis que Boris maintint toujours, en ce domaine, la balance égale. A tel point que des dames bien intentionnées (à leur propre égard), voire des hommes qui n'entendaient pas se montrer rétrogrades et entonnaient le cantique d'Aragon, « la femme est l'avenir de l'homme », ce qui, bien sondé, ne veut strictement rien dire, taxèrent Vian de misogynie – Queneau reçut une palme semblable – sous le prétexte que certains de ses personnages féminins sont horribles (comme si ça n'existait pas!), en passant sous silence le comportement tout aussi affreux de nombre de ses personnages masculins (ça existe). Ira-t-on jusqu'à attribuer la maternité de *Notre terre ici-bas* à Michelle Léglise-Vian, féministe de choc? Elle savait écrire, et bien, et le style de la pièce, au sujet lamentable et ridicule, est très acceptable, supérieur estimons-nous, à celui de Boris dans les scénarios de cette époque. Évidemment, les derniers mots, destinés à étancher les larmes des paysans découpant une grosse entrecôte, et à évoquer Henry Bordeaux et les Poilus de 14-18, leur pinard et les splendeurs de Verdun, nous font péter de rire à cause de nos mœurs décadentes : « – Mes amis, buvons à notre terre de France!... (Ils lèvent leurs verres) ». En dépit des mérites de Michelle, dans la possible rédaction de *Notre terre ici-bas*, et plus tard dans son aide fidèle et efficace à Jean-Paul Sartre au cours de combats sévères, qu'elle jugeait sûrement « révolutionnaires », nous hésitons fort à lui imputer cette production édifiante. D'abord nous doutons que cela lui fît plaisir. Et surtout, trait final, Boris Vian a mis son nom, clair et net, sur cette machine, et tout texte qu'un auteur adopte et signe, fût-il écrit par un autre, lui appartient, du pire au meilleur.

Cette longue parenthèse franchie, revenons à *Trop sérieux s'abstenir*. A supposer que Boris n'eût point noué de relations personnelles avec la jeune génération de comédiens, riche en talents, les survivants nous en persuadent chaque jour, son frère Alain les lui aurait procurées. On ne risquait pas d'être rabroué en adressant la parole à Roger Blin ou à Gilbert Gil, et Micheline Presle, une des actrices favorites de Vian, se montrait d'ores et déjà intelligente et sensible. En ce temps-là, nous qui n'étions pas exactement du métier, nous fréquentions en tout bien tout honneur, mais avec une franche et gaie camaraderie, la fine et délicieuse Jacqueline Gauthier (Isabelle dans les prévisions de Vian) qui, le 18 septembre 1982, préféra la mort à ce qu'elle croyait être, bien à tort, un début de déchéance. Elle était née en 1921. Elle appartenait vraiment à la génération de Vian. Cela pour dire que les comédiens de la liste dressée par Boris étaient de bon accueil et de bonne compagnie. Ils débutaient à l'heure où le star-system battait son plein et cependant aucun d'entre eux ne joua ce jeu du caprice et de la vanité. C'était décidément une bonne couvée. On observera que plusieurs personnages du film, qui sont mieux que des utilités puisqu'ils parlent, Jacques Mareuil entre autres, l'ami d'Eric Leroy (Louis Jourdan), mais aussi Robert et René, les hommes de main de Rodolphe (Jacques Charron), n'ont pas de titulaires. Vian avait encore à fouiller sérieusement du côté du Conservatoire. Autre remarque, pour en finir avec cette bluette que de nombreux films, surtout américains (ah! les collèges aux États-Unis ça bouillonne!) imitèrent ces dernières années sans le savoir, Boris, pareil à un scénariste ou à un réalisateur confirmé, écrit des rôles spécialement voués à des comédiens de son goût.

A la fin de 1942, le point final mis à *Trop sérieux s'abstenir* et à un autre scénario (perdu ou, espérons-le, vagabond) où Jean Marais tenait imaginairement la vedette, Boris Vian pose sa plume de scénariste et emprunte celle de romancier : il écrit *Trouble dans les Andains*, achevé en mai 1943, et *Vercoquin et le Plancton*, élaboré en 1943-1944, et qui, remanié sur les conseils de Queneau, sera reçu par Gallimard en juillet 1945. La faim (Boris eut toujours bon appétit) et la rage le ramènent au cinéma. Cette fois, nous quittons les charmantes collégiennes fofolles de *Trop sérieux s'abstenir* et nous entrons, la dague au poing, au fond des antres et des ventres du marché noir. Deux titres lui viendront à l'esprit : *Histoire naturelle* et *le Marché noir*; Vian n'optera pas nettement pour l'un ou pour l'autre. C'est pourquoi nous les gardons tous les deux. *Histoire naturelle* est didactique (et l'on verra que son scénario penche, par-ci, par-là, vers le documentaire d'instruction civique). *Le Marché noir* vous impose sans fard le sujet.

Le scénario se divise en six parties (ou six exemples de trafic illicite), mais Vian aurait pu continuer et multiplier les images sordides qu'il exagère à peine. L'intérêt biographique d'*Histoire naturelle* tient à la première apparition d'un Vian polémique, combatif, furieux.

Paraphrasant Marx, on se laisserait aller à dire que Boris commet l'erreur de présenter le marché noir essentiellement comme une affaire de distribution. La distribution, nul ne le conteste, est liée aux modes de production, eux-mêmes étroitement dépendants de la situation économique et politique de la France et de l'Europe occupées. Une « économie de guerre » (et nous l'avions nous-mêmes inaugurée avant la défaite de juin 40) ne peut profiter qu'aux vainqueurs, de même qu'une économie de paix, sous la règle exclusive du profit à tout va, et par conséquent anarchique, favorise d'abord les plus forts.

Si nous rappelons ces principes, que les savants doctrinaires estimeront peut-être d'un « marxisme » peu orthodoxe, et en tout cas sommaire, c'est que justement Boris Vian, à ce moment-là, n'en possédait pas la moindre notion, juste ou fausse. Il nous confessera lui-même son indifférence absolue quant aux problèmes de la cité durant la guerre et l'Occupation. Il ne « fera pas de politique » (pour parler concierge) avant l'âge de trente ans.

On se tromperait du tout au tout si l'on croyait discerner dans son scénario l'ombre d'un acte consciemment politique, et l'on se leurrerait tout autant, et davantage encore, à y voir un acte de Résistance. Du reste, la Résistance a fait son temps : la République démocratique et, ô combien! parlementaire est rétablie. Tout nous indique en effet que Vian bâtit son scénario à la fin de 1944 ou au début de 1945, soit après la Libération de Paris. Cette période sera marquée par le maintien – et la prolongation jusqu'en 1947, mal comprise de nos concitoyens et, il faut l'avouer, assez mystérieuse! – du rationnement des produits essentiels. Évoquant ce temps, Vian le définira fort justement comme celui du « Libérationnement ». Nous poussent à dater de l'hiver 1944-45 *Histoire naturelle* la référence de Boris aux statistiques de 1944 relatives au nombre des commerçants, statistiques publiées à l'extrême bout de 1944 ou, au plus tard, aux premiers bourgeons du printemps 1945 (depuis Napoléon III, les statistiques fonctionnent excellemment dans notre pays), et également ses allusions au portefeuille du Ravitaillement qu'aucun homme politique soucieux de son avenir ne tenait à recevoir, tant la tâche était ingrate et dangereuse. Les bonnes habitudes du marché noir subsistèrent en France beaucoup plus longtemps qu'ailleurs.

Il y a une attitude spécifiquement française devant les fluctuations économiques. Ainsi, quand il n'y a pas d'inflation ou qu'elle est très faible, les prix ont tendance à augmenter, qu'on en accuse les salariés qui réclament une révision en hausse des salaires ou les agriculteurs, les industriels et les commerçants, tous, en en rejetant évidemment la responsabilité sur les autres, tous se disent : Il n'y a pas d'inflation, allons-y gaiement! Le phénomène, caricaturé par Vian dans *Histoire naturelle* (ou *le Marché noir*), ne pâtit donc pas d'une complète obsolescence. Une interrogation nous était venue à l'issue de notre étude du *Dossier de l'Affaire « J'irai cracher sur vos tombes »*[1] : La connerie est-elle française? Des actes récents de stupidité et d'intolérance inquisitoriale conservent à notre question toute sa fraîcheur. Pareillement, on note, au fil des années qui suivirent le scénario de Vian, une pérennité de l'ignorance bien française des lois économiques et, hélas, un goût bien français, lui aussi, du mercantilisme de bas étage. La célèbre chanson créée par Georges Milton au commencement des années trente continue d'exalter nos compatriotes : *J'ai ma combine*, traduction lyrique du tristement célèbre « système D » dont on se fait gloire. *Histoire naturelle* (ou *le Marché noir*) s'illusionne sur les causes profondes des exactions, non sur les faits. Ce sont choses vues : les historiens et les sociologues peuvent en confiance y puiser.

1. Christian Bourgois éd., 1974.

Nous infligeons au lecteur (qu'il nous le pardonne, Boris Vian nous y contraint) un nouveau saut de deux années. En 1945, 1946, 1947, le romancier et le nouvelliste, le chroniqueur de jazz et le musicien triment dur : c'est un roman américain qui fera du bruit, *J'irai cracher sur vos tombes* ; c'est *Vercoquin* qui sort des presses, étouffé dès sa naissance par l'amerloquissime Vernon Sullivan ; ce sont les nouvelles qui formeront *les Fourmis* et, posthume, *le Loup-garou* ; c'est la collaboration régulière à la revue *Jazz Hot* ; ce sont les prestations innombrables du trompettiste Boris Vian ; c'est la participation aux *Temps modernes* et à d'autres périodiques ; c'est enfin, et coup sur coup, *l'Écume des Jours* et *l'Automne à Pékin*. De quoi remplir à ras bord la vie d'un homme, serait-il infatigable comme Vian.

On ne lui reprocherait pas sans injustice son abandon, pendant deux ans au moins, de l'écriture cinématographique. Curieusement, c'est le Tabou qui le réorientera sur le cinéma. Le Tabou, bourré chaque soir (de même que certains de ses habitués), regorge de cinéastes en herbe, la plupart mal outillés techniquement, mais pleins d'idées cocasses. Ils se sont instruits au burlesque de Mae West, de W.C. Fields, des frères Marx, à leur immoralisme sain et ravageur. Jean Suyeux, Freddie Baume, Jacques Baratier, Alexandre Astruc ou le comédien et metteur en scène Marcel Pagliero, parvenu, lui, à un indubitable professionnalisme, sont des familiers du Tabou, et le resteront du Club Saint-Germain ouvert en juin 1948. Boris Vian leur sert d'abord de personnage. Il est un des chasseurs dans *la Chasse aux prêtres* de Suyeux, il est un prêtre mais vampire dans une bande de 120 mètres du même Jean Suyeux, il est un terroriste dans *Bouliran achète une piscine* du redit Suyeux, il est lui-même dans *Saint-Germain-des-Prés* de Jean Suyeux et Freddie Baume tourné au Tabou, aux Lorientais (la Cave de Claude Luter) et autres lieux germanopratins ou circonvoisins. De tous ces films, il ne reste rien ou presque, quelques mètres de pellicule, quelques photos. Le *Saint-Germain-des-Prés* où s'agitaient, outre Vian, Raymond Queneau, Astruc, le Major, toute la « faune », selon le mot d'époque, des caves sacrées, ce film historique fut confisqué par la police, en toute illégalité, au motif qu'une femme nue s'y laissait un petit instant admirer. De son film *Désordre* tourné dans les caves à leur apogée et qui nous exhibait au naturel, sur des chansons de Prévert et de Queneau et une musique de Claude Luter et Alain Vian, aussi bien Boris Vian et Juliette Gréco qu'Orson Welles et Jean Cocteau et un nombreux Etc., le subtil et poétique réalisateur Jacques Baratier réutilisera et insérera dans son *Désordre à vingt ans* produit en 1965 des morceaux de pellicules tournées, souvent en 8 mm, par ses confrères amateurs au beau temps des caves. Grâce à lui seront protégées de la destruction et de l'oubli des images rares dont une émouvante séquence de Boris Vian à la trompette entouré de ses musiciens.

La présence, l'activité fébrile des cinéastes des caves, sa participation physique à plusieurs de leurs films, leur goût du burlesque – qui les rend frères de l'auteur de *Trouble dans les Andains*, de *Vercoquin* et de maintes pages de *l'Écume des Jours* ou de *l'Automne à Pékin* et de plusieurs nouvelles qui prennent pour sujet le cinéma (*Ciné-Clubs et Amateurs*, *Ciné-Clubs et fanatisme*, *le Premier Rôle* [1]), tout cela réimplante aux doigts de Boris Vian la plume du scénariste. A l'usage de Jean Suyeux il écrit les *Œufs de curés* et *Un Mekton ravissant*; pour Freddie Baume *Isidore Lapalette trouve un client*, « film désopilant à sous-titres »; pour un autre, ou l'un des mêmes, *la Pissotière* : ces textes courts, mais d'une densité et intensité révulsives, ont été publiés par nos soins soit dans *les Vies parallèles de Boris Vian*, soit dans *Cinéma/ Science-Fiction* [2]. Nous prions courtoisement le lecteur de les y aller consulter s'il en a envie.

Une œuvre d'un volume supérieur, *Zoneilles*, exprimera bien, nous semble-t-il, l'inspiration germanopratine qui guide en 1947 le scénariste reconquis. Telle *la Pissotière*, c'est un film-catastrophe, par bonheur plus irritant et propre à nous ébranler le cervelet autant que l'estomac. Lisez ce bout de dialogue, vous ne pouvez vous en sortir indemne : « – Fini, les potiches! – Tu n'as pas la pétoche? – Tu me prends pour un potache! Tu vas me flanquer la pistache. – Un mot de plus, et je reprends la patache... » Normalement, le spectateur s'effondre en hurlant de douleur. Et il n'y a pas de fin heureuse : notre héros meurt, charcuté sauvagement.

L'édicule municipal destiné à l'évacuation des urates, d'une architecture fort élégante, agréable à l'œil, un peu moins à l'odorat, monument d'un style très Belle Époque et qui, à ce titre, devrait figurer sur un piédestal au Musée d'Orsay, ornement multiplié de nos trottoirs parisiens et de quelques villes d'avant-garde, la pissotière en un mot a été, à l'instigation des « moralistes » (toujours la même clique), chassée ignominieusement, malgré son évidente utilité, rasée, détruite, au profit de ce « racket de l'urine » dénoncé par François Caradec aux premiers coups de pioche. Les vandales ne sont pas encore passés sur elle quand *Zoneilles* voit le jour. Et *Zoneilles*, comme précédemment ou simultanément le scénario *la Pissotière*, honore la vespasienne, l'élit en élément de décor et, mieux, en fait un des moteurs de l'action cinématographique. Les deux scénarios n'ont pas que la pissotière en commun : ils transpirent l'inquiétude, l'angoisse, nous jettent dans un monde de tous côtés menaçant. Une différence entre eux, considérable : *la Pissotière* est conçue sans dialogue, quoique largement sonorisée, de Duke Ellington à la *Cavalerie légère* de Suppé, et bruitée avec la chute de sacs de ciment,

---

1. Parus respectivement sous les titres (de Vian) *Un métier de chien*, *Divertissement culturel* et *Une grande vedette* dans *le Ratichon baigneur*, Christian Bourgois éd., 1980; 10/18, 1982.
2. Christian Bourgois éd., 1978; 10/18, 1980.

l'éclatement d'une bombe et les hurlements de bébés chantant
Sur les grands flots bleus.

Nous parlions de spectateurs, nous parlions de film. Utopie,
vaine rêverie. Hélas, *Zoneilles* ne fut jamais réalisé. Et pourtant il
était le fruit de la collaboration de trois auteurs qu'on ne saurait
réputer nuls : Michel Arnaud, Raymond Queneau, Boris Vian. Et
pour augmenter leurs chances d'une concrétion pelliculaire de
leur ouvrage, ils avaient fondé une société de production : Arquevit, né d'ARnaud, QUEneau et VIan, le T final conférant à ce sigle
un caractère « gentiment priapique », au sentiment de Michel
Arnaud qui établit le découpage et le plan de travail du film [1].
L'histoire était de l'invention de Queneau à qui revient aussi une
part du dialogue, ainsi que peut nous en convaincre la citation de
tout à l'heure, bien que Vian ne dédaignât point ce genre d'exercices. Les images les plus puissantes : cul, pissotière, étron, fesses
sortiraient du répertoire vianesque. En quatre séances de travail
chez Boris, rue du Faubourg-Poissonnière, échelonnées du
1er juin au 13 juin 1947, *Zoneilles* naît tout armé. Vian se répand
auprès des commanditaires, techniciens, publicitaires afin de
caser la marchandise. Le 14 août, tout feu tout flamme, malgré de
vraisemblables déboires, il rédige un communiqué annonçant
que les trois associés feront des films d'amateurs, seul moyen de
rénover le film d'avant-garde. On promet d'épater la galerie dès
le mois de septembre. Au lot qu'Arquevit cherche à placer appar-
tiennent, à notre avis, en plus de *Zoneilles, la Pissotière*, quatre
scénarios pour le festival de Cannes [2] écrits en juin 1947 (et qui
convoquent toutes les comédiennes et les comédiens aimés de
Vian : Micheline Presle, Louise Carletti, Maria Casarès, Gérard
Philipe, Jean Marais, Jean Tissier) et, par-dessus le marché, des
projets de scénarios de Queneau.

Cantonnons-nous à *Zoneilles*. Michel Arnaud songeait à traiter
l'histoire successivement à la Capra, à l'Eisenstein, à la néo-
réaliste, etc. Ses deux associés l'approuvaient. C'était splendide...
et cher. Le démarcheur Vian ne rencontra pas plus de succès
avec cette version multiple qu'avec la version simple, moins
encore, on suppose, du côté des financiers pressentis. Il y eut
quelques bouts d'essai en 16 mm, puis en 35 mm, sur le scénario
publié plus loin. En définitive, le projet avorta et Arquevit ne put
s'en remettre.

Vian enregistre l'échec d'Arquevit, le refus des films tragico-
hilarants desquels il escomptait une rénovation de l' « avant-
garde ». Surpris? oui, on est toujours surpris quand les autres ne
comprennent pas ce pour quoi l'on s'enthousiasme. Déçu? un
chouïa, c'est sûr. Amer? non. De l'expérience d'Arquevit, il
conclut à l'impossibilité de fabriquer aujourd'hui des films hors

1. Témoignage de Michel Arnaud dans une lettre à Jean Ferry. Voir *Zoneilles*, Collège de Pataphysique, 1961.
2. Reproduits dans *Cinéma/Science-Fiction*.

du circuit habituel de la production. La seule ressource offerte à l'écrivain de cinéma qui se refuse à la médiocrité ambiante est de proposer des scénarios à la fois séduisants et novateurs. Comment innover en ne heurtant pas trop le goût du public (ou l'idée que se font les producteurs du goût du public)? S'appliquer à un genre neuf ou, en tout cas, peu cultivé.

Boris Vian écrit *Marie-toi*. On en détient deux versions, une version dite longue et une version dite courte. En réalité, si l'on calibre (typographiquement) les deux versions, on s'aperçoit que la différence de l'une à l'autre est mince : environ trente mille signes et caractères pour la version longue et un peu plus de vingt-six mille pour la version raccourcie. Cette seconde version, l'abrégée, étant la dernière, nous la publions de préférence, en vertu du principe selon lequel c'est toujours le texte revu par l'auteur, et donc définitif, qui prévaut. Au surplus, nous jurons sur toutes les têtes à notre portée que le fond et le développement de l'histoire sont strictement identiques. Vian améliore surtout son écriture et donne plus de vivacité aux reparties. Car – et c'est par là que le vianophile ne négligera pas ce texte – ce scénario comporte une importante partie dialoguée, présentée comme « un exemple de pré-traitement ».

La nouveauté de *Marie-toi* n'apparaît pas, de nos jours, très extraordinaire ni même évidente. Le lecteur doit savoir ou se rappeler que les studios français ne produisaient pratiquement jamais ces comédies musicales, légères, enchanteresses, qu'Hollywood nous expédiait au cours des années trente. *Marie-toi* tente de s'en rapprocher. Souvenons-nous aussi que les comédies musicales renouvelées, réinventées, de Stanley Donen et Gene Kelly, *Chantons sous la pluie* notamment, sont inconnues de Boris Vian lorsqu'il entreprend *Marie-toi*. Son projet relève de la comédie musicale à l'ancienne mode.

C'est qu'on peut fixer, à quelques mois près, la date de composition de *Marie-toi* grâce à l'adresse figurant en tête d'une pré-version longue. Vian habite encore 98, rue du Faubourg-Poissonnière, son domicile avant qu'il ne se sépare de Michelle Léglise. A l'extrême limite, nous sommes en 1950. Il émigrera ensuite, et pour quelques mois, avec Ursula, 8, boulevard de Clichy, puis ils s'installeront ensemble définitivement 6 *bis*, Cité Véron, dernier domicile de Boris à Paris et en ce monde. En 1950, le Pactole de *J'irai cracher sur vos tombes* est tari. Vian connaît alors une des plus noires saisons de son existence : il tâte du théâtre et du ballet, et le cinéma lui sourit de tout son dentier d'or. *Marie-toi* vise à fasciner le monstre et le premier clin d'œil, Vian le lance d'entrée de jeu avec le sous-titre définitoire : « projet de scénario d'un film musical gai pour orchestre de variétés ». Vous avez bien lu : orchestre de variétés. Plus question de mettre en scène un orchestre de jazz. *Notre Faust* (ou *le Vélo-taxi*), qui reposait sur cette musique et ses musiciens, n'a pas plu et un autre projet plus récent (1950) sous la forme d'une *Note sur la réalisation d'un court métrage consacré à la musique de jazz ou aux orchestres français de jazz*, et qui faisait miroiter six possibilités de réalisation (voir ce texte dans *Cinéma/Science-Fiction*) ne put ébrécher l'indifférence des producteurs : le jazz ne touche qu'une poignée d'amateurs (cela n'a guère changé), et les financiers du cinéma l'ignorent. Va donc pour les variétés, elles ne sont pas nécessairement stupides. Avouons-le cependant : muni des millions nécessaires, nous aurions choisi *Notre Faust* plutôt que *Marie-toi*, et vous de même, présumons-nous. Bizarrement, Vian qui, d'ici peu de temps s'il n'y est déjà, travaillera au catalogue jazz de la maison Philips, anticipe avec *Marie-toi* les dernières années et de sa vie et de sa carrière chez Philips (ou Fontana sa succursale) qui lui confiera, en qualité de directeur artistique, le secteur des variétés.

L'adresse du 6 *bis*, Cité Véron nous incite à dater de 1953 le texte retenu dans ce recueil. Toutes les versions vantent *in fine* la marchandise, soulignent les « caractéristiques du scénario », son coût bas (oh! pardon!) de réalisation et les moyens publicitaires commodes et peu onéreux qu'il recèle. A notre grand regret, Vian n'inclut aucune chanson dans le projet. Il faut se reporter à l'appendice pour apprendre qu'il y aura autant de chansons qu'on veut, et au goût du client. Et, ce pourquoi certaines idées télévisuelles des dernières nichées, jugées, bien entendu, et par leurs auteurs, d'abord, au minimum « géniales », exhalent un relent de moisi : Vian invente, l'air de rien, les scénarios « interactifs » dont on fera, quarante années écoulées, tout un plat... où déposer des mets insipides : il invite les spectateurs à exprimer leur avis sur le scénario, « quitte, précise Vian, à le modifier selon les suggestions reçues si elles sont bonnes ».

Les commentaires qui fleurissent au bout de *Marie-toi* ne forment pas une exception par rapport à d'autres scénarios de Vian. Il lui arrive souvent de commencer ou de terminer ses textes par des éclaircissements à l'usage des producteurs ou réalisateurs. Ils sont en général d'ordre technique et assez brefs. Pour *Marie-toi*, Boris s'étend, et les explications financières et commerciales prédominent. Le point n° 1 de son argumentaire ouvre la perspective : le film sera, Vian s'y engage, d'une rigoureuse moralité, « absolument moral, disait la première remarque de la version longue, et susceptible d'être vu par tous ». La version un soupçon réduite condense cette promesse dans une formule étrange s'agissant de cinéma, une formule de librairie, de catalogue d'éditeur : « A mettre entre toutes les mains. Sujet parfaitement *moral*. » C'est que le scénario est conçu, écrit une première fois, puis revu et repris entre les deux procès de *J'irai cracher sur vos tombes*, le premier clos en mai 1950, le second (en appel) terminé en octobre 1953. Ce livre, ses conséquences judiciaires, obsèdent visiblement Boris, et en 1953 il essaie de vendre son scénario dans les termes où il soumettrait un livre à Gallimard, il se défend de toute intention perverse, de toute arrière-pensée pornographique. Il lutte contre cette réputation de pornographe qui le précède partout. Les Sullivan lui ont rapporté des sommes coquettes, il a pu vivre trois ou quatre ans sur un grand train, mais il sait maintenant qu'ils ont nui, il pressent qu'ils nuiront pendant longtemps à ses œuvres personnelles, bien à lui, signées Vian. Au début de cette décennie qu'il quittera avant son terme, il cherche de quoi vivre, à tout bonnement subsister. Voilà le sens, pas drôle le moins du monde, de cette protestation de moralité.

Une pause (pour le lecteur et non pour Vian) entre deux gros scénarios : un *Avant-projet de scénario* sur un thème que Boris Vian caressera maintes fois, celui de l'homme victime d'une mécanique qu'il a fabriquée lui-même. Nous plaçons l'écriture de ce texte autour de 1953. La maigreur du manuscrit, un feuillet recto verso et un second feuillet recto seul, n'en est pas la principale curiosité, que voici : à ce manuscrit sont agrafées deux pages également manuscrites contenant le poème *Ile déserte*, publié (inédit jusque-là) dans *Cantilènes en gelée* [1], c'est en sous-titre du poème *Ile déserte* qu'on lit « avant-projet de scénario »; et pour aggraver notre trouble, l'avant-projet de scénario se complète d'un « projet de scénario ou roman » que nous laissons à sa place dans le présent volume. Tout cela sur la même lancée, de la même plume et de la même encre, en la circonstance verte.

Aucun essai d'explication de ces avatars ne nous libère du champ des hypothèses. On conjecturera que Vian, en veine poétique, aura débuté par *Ile déserte*. Les derniers vers du poème – autre fait mystérieux – sont notés en écriture déformée, travestie, qui dégouline en gribouillage. A croire que l'« avant-projet de scénario » éclôt à l'instant même où le poème, sa graphie, commence à patiner; l'idée cinématographique qui vient de germer provoque le dérapage de la plume. Du poème il subsiste dans l'*Avant-projet de scénario* « l'attente de l'autobus », une attente qui faisait rager Vian. Il est amusant d'imaginer que l'attente de l'autobus, symbole de la vie quotidienne minable (dans le poème comme dans le scénario), cause aussi bien la confection d'*Ile déserte* (car il n'en existe plus de naturelles et celles qu'on fabrique aujourd'hui prennent l'eau) que le refuge dans l'illégalité du héros de cinéma. Ces pages confirment en plein ce que nous avons avancé ailleurs, à savoir que Vian adaptait à son gré le même sujet au roman, au film, au théâtre, au ballet, à la chanson, selon ses caprices ou sur l'espérance d'aboutir à une concrétion en quelque genre que ce soit.

Le cinéma de Boris Vian se priverait-il d'un western? Non. Le voici : c'est *le Cow-boy de Normandie*. Une fois n'est pas coutume, la date de rédaction figure au bas du manuscrit : 20 octobre 1953.

---

1. *Cantilènes en gelée*, 10/18, 1970, Christian Bourgois éd., 1976, ces deux éditions avec *Je voudrais pas crever*; et, seules, en 10/18, 1972.

Tous les ingrédients d'un authentique western y sont réunis, y compris la fin heureuse : punition des méchants et mariage d'amour. Et c'est aussi, au départ, un faux western, un western rêvé par le héros : le jeu du décor peint en trompe-l'œil remplacé au moyen d'un travelling, par un décor « naturel » tout aussi faux puisque de cinéma, est une trouvaille de cinéaste techniquement éduqué. Pierre Kast est passé par là. Le scénario, la description des lieux où se déroule l'action du prologue américain, presque aussi long que tout le reste de l'aventure (les vieux Grecs – d'où tout nous vient, sans en excepter le western – auraient prononcé que la protase durait autant que, ensemble, l'épitase et l'exorde), ce prologue du *Cow-boy de Normandie* en appelle aux classiques du mythe westernien : Vian empruntera le même ton parodique pour écrire le dernier scénario de notre recueil, *J'irai cracher sur vos tombes*, aux causes et aux conséquences funestes.

Au contraire de celle de Queneau, essentiellement urbaine, la Normandie de Vian est bucolique. Seul dénominateur commun : le calva. La cloche qui tinte dans le Nevada se mue, une fois l'ouïe du milliardaire américain naturalisée française, en Cloches de Corneville. Aussi bien, Boris se ressouvenait de la Normandie de son enfance, de la magnifique propriété familiale de Landemer, dans le Cotentin, détruite par la guerre. Il nous retrace une Normandie en voie de disparition, rognée qu'elle est sur ses côtes par la mer et, au cœur du pays, par les autoroutes.

Le cheval parleur, Silver, ne vous étonnera pas. Beaucoup d'animaux parlent dans Vian. De même dans Queneau chez qui les chevaux parlent couramment. C'est leur côté Lewis Carroll, leur côté « enfantin » que, pour notre joie, ils conserveront toute leur vie l'un et l'autre.

Il n'est pas impossible que Vian ait envisagé de recourir à Pierre Kast pour la mise au net, et dans les règles de l'art, de son « avant-projet de scénario », nous n'en avons toutefois aucune certitude. Aux dires de Kast, *le Cow-boy* aurait chevauché jusqu'à lui. Sans conteste, *le Baron Annibal* (un incipit de notre cru) est une œuvre, infiniment plus abondante, à laquelle Kast s'est intéressé de très près. Ses exigences de technicien du film le forçaient à considérer le texte imprimé dans ce livre non comme un scénario, mais comme un synopsis. Nous, et vous, lecteurs non-spécialistes, nous l'acceptons sous la forme qu'il a bien voulu revêtir en arrivant à notre seuil. Kast le qualifie de synopsis, de sa main, sur l'une des copies ; de surcroît, il suggère un titre : *Attention aux marchands de sable* ; il aligne ses critiques et réflexions en marge du texte, une grande marge faite exprès. Pour ce qui est du manuscrit, nos recherches – et Dieu seul et Ursula Vian savent que nous n'y avons pas chômé – se sont soldées par un échec. Nous pensons que les copies dactylographiées nous présentent un texte peu éloigné d'une version définitive – laquelle eût intégré les observations de Kast. Le scénario est le résultat de plusieurs séances de travail des deux collaborateurs. Interrogé sur ce point, Pierre Kast se souvenait d'un « gros boulot » en commun. Quant au père du sujet, était-ce Kast, était-ce Boris, Pierre n'en avait plus la moindre idée, et il inférait de cet oubli que les gènes du *Baron Annibal* additionnaient peut-être les semences de deux créateurs. Blague à part, il est probable que cette histoire d'espionnage s'est tissée au fil des conversations de Boris et de Pierre autour de l'actualité immédiate.

La guerre froide atteignait son plus haut degré calorifique et l'on craignait une explosion de la chaudière. Les luttes entre espions de tous les pays s'entremêlaient et l'on ne distinguait plus très bien qui était avec qui ou contre qui. Cet imbroglio se compliquait des luttes internes entre les deux services français d'espionnage chargés de traquer les espions des autres (le SDECE ou Service de documentation extérieure et de contre-espionnage, maintenant la Direction générale de la Sécurité extérieure, ou DGSE, et la DST (Direction de la Surveillance du Territoire), la ST dans *le Baron Annibal*). Leur concurrence s'étalait au grand jour et devenait, vue sous un certain angle, si cocasse que la presse en faisait ses choux gras, outre que la Police judiciaire, les Renseignements généraux s'ingéniaient à conserver un œil sur tout le monde. Les « secrets bien gardés » suaient de toutes parts et les journaux les exhibaient en première page. Le commissaire Dides fut, en ce temps-là, le héros d'une de ces sombres histoires de police et de services secrets. Une des apostilles de Kast au scénario dit : « Louis, comme Dides, travaille pour *un* service. Le jeu, c'est qu'il fait du mystère avec les différents services : ajouter la méfiance de la PJ et de la DST. » Il valide de la sorte l'opinion tantôt exprimée d'une inspiration absolument « actuelle » du scénario. Le patron d'un des groupes en compétition s'appelle le colonel N..... Vian s'est borné à cette seule lettre initiale ; le lecteur a le droit de remplir les blancs, et le nom de Neguib ou celui de Nasser apparaîtra. Ensemble, en 1952, ils flanquèrent le roi Farouk au bas du trône d'Égypte, mais Nasser se haussa très vite au premier rang. L'instigateur des opérations de ce groupe N..... est de toute manière le chef d'un gouvernement arabe. Confirmation par Kast en marge : « Les Arabes ont l'uranium ; ils veulent le vendre aux Rouges, mais on peut le leur racheter et le livrer aux U.S. ; le rendez-vous est pris, les U.S. attendront le 12 à minuit dans les Alpes », note qui nous remémore le conflit d'influence des Américains et des Soviétiques sur l'Égypte, avant qu'ils ne s'allient sur notre dos contre la folle intervention militaire anglo-française à Suez en 1956. Le colonel N....., qu'on le traduise par Neguib ou par Nasser, nous convie à mettre le scénario au compte de l'année 1954.

Le Bibliodrink de Saint-Germain où nous faisons la connaissance du Baron Annibal est évidemment la librairie du Club Saint-Germain, une des rares « bibliothèques » qui servissent à boire aux usagers. Au point de vue – imparti aux éminences – de la linguistique, *le Baron Annibal* enrichit le thesaurus de plusieurs expressions entendues dans les bars. Le dictionnaire contemporain qui s'obstinerait à les ignorer ou serait incapable de dater leur émergence prouverait immédiatement son incomplétude. Vian se plaisait à coller le nom ou le prénom de ses meilleurs amis sur ses personnages, même quand il leur confiait des rôles louches. Louis du *Baron Annibal* évoque Louis Barucq, barman de la librairie du Club Saint-Germain ; Lucas, Bernard Lucas, barman du Bar Vert et, quelque temps, directeur du Tabou, critique musical, spécialiste de Robert Schumann ; Scipion, Robert Scipion, écrivain (auteur de *Prête-moi ta plume*, roman-pastiche – à multiples pastiches – qui précéda *Vercoquin et le Plancton* au catalogue court de la collection « La Plume au vent » dirigée par Queneau chez Gallimard), cinéaste, et subtil ciseleur de grilles de mots croisés ; enfin Beauvit naît au naturel de Roger Wibot, directeur – longtemps inamovible – de la DST : on exagérerait en le classant parmi les amis de Vian, mais il entrait assurément dans la catégorie de ses « relations », Wibot ayant été l'un des invités d'Hélène et Michel Bokanowski, futur ministre de l'Industrie, chez lesquels Michelle et Boris passèrent leurs vacances au Cap d'Antibes en août 1947 et, comble des combles, c'est à Roger Wibot, le premier, que Vian, en cette circonstance, avoua la paternité de *J'irai cracher sur vos tombes*. Soyons honnête : les poursuites contre le roman de Sullivan avaient été engagées bien avant les vacances antibaises ; Wibot, flic suprême de l'espionnage intérieur, mais non des mœurs, n'y était pour rien et s'en tiendra toujours écarté. Entre tous les groupes d'agents secrets en compétition, on ne s'étonnera pas de buter sur une équipe de Poldèves, ces Poldèves chers à Raymond Queneau.

Si l'on obéissait à une note de Pierre Kast, la carrière d'espion du Baron Annibal s'achèverait sinistrement et sous les rires gras des spectateurs. Qu'on en juge : « Fin d'Annibal : a) redescend [du sommet des Alpes] pour apprendre que c'est du sable [le contenu de la caisse ouverte par les hommes de Beauvit] ; b) Robert le caissier si ladre [de la bande du Baron] avait une double vie ; il a disparu avec 60 millions ; c) Annibal rentre dans sa famille ; expliquer l'atmosphère familiale. Annibal ligoté, avec anneau dans le nez. » Le scénario ne se terminait pas, malgré tout, sur cette scène rigolarde. Kast conservait l'ultime fin imaginée par Vian, fin spectaculaire et pyrogénique : la voiture des espions du Béloutchistan, qui se sont emparés d'une caisse, au milieu de toutes celles qui encombrent le bureau des douanes, explose sur la route nocturne, un feu d'artifice.

L'Auto-stoppeur (c'est un titre à nous, le texte n'en livrant aucun) nous semble, par sa présentation sur demi-page, réclamer les critiques de Pierre Kast et ses indications techniques. Il se peut qu'un exemplaire de la dactylographie décoré de ses observations surgisse un jour. En attendant, nous jouissons de l'autocritique de Vian lui-même; elle suit dans notre volume comme dans le manuscrit le texte du scénario.

Vian s'est visiblement régalé à faire s'agiter le « beau monde » autour d'un crime qu'on ferait n'importe quoi pour dissimuler. Le mari tente d'acheter à coups de billets de mille le silence de l'Auto-stoppeur, et sa femme est prête à vendre son corps, appétissant, afin de le faire taire. Cet *Auto-stoppeur* est un maître chanteur, certes, mais nullement par intérêt pécuniaire. C'est un maître chanteur par amour; son but : s'envoyer la jeune femme. Motif vulgaire, au début c'est vrai; ensuite, il en devient réellement amoureux; mais quand elle évalue sa « chute » à plus de deux millions (dernier chiffre proposé), la femme lui répugne : elle se révèle de la même espèce que son mari. Les dernières images, dans la tradition classique du film « ouvert », laissent aux spectateurs toute latitude d'apercevoir, dans le lointain, les retrouvailles, la réconciliation des deux héros. A la réflexion, peu probable.

Les épisodes principaux ont l'Italie pour cadre, Florence et ses environs plantés de riches palais, un décor à qui personne ne résiste. L'hôtesse des deux époux français et, par la force des choses, de l'Auto-stoppeur est une Italienne superbe. Un fort fumet saphique se dégage des relations de la jeune épouse française et de l'Italienne, son ancienne amie de pension. Vian nous prépare là une de ces coproductions franco-italiennes d'un érotisme soutenu qui élevaient alors le cinéma italien, avec ses stars d'un sex-appeal étourdissant, au même niveau que le cinéma américain. Ainsi perpétuons-nous notre petit cinéma personnel. En vérité le scénario était destiné à René Clément à qui nous ne confierions pas sans réserve la réalisation d'un tel film, tout en nous abstenant de discuter ses qualités en des domaines moins exposés aux fureurs du sexe.

L'Accident survient aussitôt après *l'Auto-stoppeur*. Un devoir douloureux auquel nous ne faillirons pas nous commande d'informer ceux de nos lecteurs qui eurent la bénévolence de se procurer et de lire *les Vies parallèles de Boris Vian* que la bibliographie dudit ouvrage s'entache d'une erreur répétée d'édition en édition et jusqu'à la cinquième, en principe définitive – et soigneusement corrigée! (Christian Bourgois éd., 1981). Nous y mentionnions *l'Accident* à l'année 1952, grave faute, et comme une erreur en engendre une autre, nous inscrivions à l'année 1953 le scénario *Tous les péchés de la terre*, alors qu'il s'agit du même scénario que *l'Accident*. *Tous les péchés de la terre* n'est pas de 1953 non plus que n'est de 1952 *l'Accident*.

Tâchons d'être clair : *Tous les péchés de la terre* étant *l'Accident*, il ne date ni de 1952 ni de 1953; il ne peut être antérieur à 1956, année où Monaco et la France des midinettes et des gens du monde (même public se distinguant uniquement par le confort des tabourets, à la façon des courtisans à la cour du Roi-Soleil) assistent extasiés au mariage de l'actrice américaine Grace Kelly et du prince Rainier de Monaco. Le scénario compare expressément la foule des reporters entourant l'héroïne, Françoise, à l'énorme mobilisation de la presse « pour le mariage de Monaco ». Aussi recommandons-nous aux lecteurs, s'ils s'accordent à réparer notre bévue, de retirer *l'Accident* de l'année 1952, de lui donner le titre *Tous les péchés de la terre* et, en sous-titre, *l'Accident*, et de le reporter à l'année 1956 entre Nelson Algren et *En avant Mars. L'Auto-stoppeur* peut demeurer dans l'année 1955 (à quelques mois près qu'on voudra bien nous consentir).

Rapprocher à l'impression *l'Auto-stoppeur* et *Tous les péchés de la terre* facilite leur collationnement. On sera frappé de la présence dans les deux scénarios d'un homme écrasé par une automobile et du délit de fuite du conducteur responsable de l'accident. Il existe donc une certaine similitude : le déclic de l'intrigue y est semblable, et nous découvrons dans l'un et l'autre un chantage au sentiment. L'opinion nous a traversé que *l'Auto-stoppeur* aurait fourni la matière première de *Tous les péchés de la terre*. On en admirera davantage l'extrême différence des péripéties entre les deux drames. Aucune copie commentée par Pierre Kast ne nous est parvenue de *l'Auto-stoppeur*. Indubitablement, *Tous les péchés de la terre* porte sa marque : il nous l'a d'ailleurs toujours cité en modèle de sa collaboration avec Vian. Cette intrusion bénéfique d'un véritable homme de l'art dans l'officine cinématographique de Vian apparaît avec le souci des impératifs de la technique : on *voit* les scènes, les mouvements des personnages, chacun de leurs gestes est significatif; les lieux de l'action perdent de leur flou artistique dont Vian souvent les embrumait : les ressorts de l'intrigue sont bien huilés; tout baigne, concluraient mon jeune voisin universitaire et mon garagiste. Loin de nous l'idée de faire la retape, mais nous croyons fermement que ce scénario pourrait être tourné aujourd'hui sans retouches, il n'est en rien périmé.

Le monde des gens huppés subit un traitement d'une causticité aussi décapante que dans *l'Auto-stoppeur*. Il s'y ajoute une peinture corrosive du monde policier et judiciaire, et la presse à sensation en prend pour son grade. Le scénario sape les quatre piliers de la société contemporaine : l'Argent marié à la noblesse (les Rohan-Ségur) en vue de magnifier une marque de champagne; la loi (police et magistrature) au service des notables; les médias (comme disent les médias) créateurs de vedettes et prêts le lendemain à les couvrir de boue si elles renâclent trop aux exigences publicitaires, quitte à appâter avec quelques insinuations grosses de sous-entendus un public avide de sanie.

Le personnage de Françoise laisse deviner des traits de Françoise Sagan. Les deux Françoise sont de jeunes romancières (le premier Sagan, *Bonjour Tristesse*, parut en 1953; *Un certain sourire* en 1956, date du scénario de Vian). Sagan est âgée de dix-huit ans lors de *Bonjour Tristesse*, de vingt ans lors d'*Un certain sourire*. La Françoise de Vian a vingt ans. Toutes deux sont de « bonne famille ». On relèvera que, dans son appendice de *l'Auto-stoppeur*, Vian, parmi d'autres changements exécutables, suggère d'inverser les rôles (et d'intervertir les sexes). On aurait affaire à une auto-stoppeuse, « aventurière sympa. La femme est élevée au couvent des Oiseaux et tout ». Ce scénario préexistant à *Tous les péchés de la terre* recevait-il déjà les influx saganiens? On sait que Françoise Sagan, fille d'industriel, avait reçu sa bonne éducation (elle sera toujours polie et aimable) au couvent des Oiseaux.

Le type Sagan de la Françoise de *Tous les péchés de la terre* ressort également de la mauvaise réputation que la presse à scandale fit à l'auteur de *Bonjour Tristesse* et d'*Un certain sourire*. On s'est acharné à lire dans ses romans sa propre vie. Et là on éprouve la vague impression que Boris lui-même s'assimile à Françoise de Rohan à travers Françoise Sagan. Le premier roman de Françoise de Rohan l'a propulsée au premier plan de l'actualité, la voici le « symbole de sa génération », elle témoigne – estime-t-on – du « mal de la jeunesse », sempiternel refrain repris de siècle en siècle et qu'on radote inlassablement; on accuse ses mœurs, ses voitures, son anticonformisme. Bref, on l'accable de toutes les turpitudes dont on accusait Françoise Sagan et, bien avant elle, Boris Vian. Les diatribes féroces du scénario contre les journalistes de la presse prétendue « populaire » résonnent en écho à ses interpellations méprisantes et rageuses du *Manuel de Saint-Germain-des-Prés* où ils sont gratifiés uniformément du titre de « pisse-copie ». Sa rancune n'est pas éteinte. *Tous les péchés de la terre* s'applique à montrer comment cette sorte de gens peut vous conduire au ban d'infamie.

Par rapport à Jean de *l'Auto-stoppeur*, somme toute plutôt sympathique, le héros masculin de *Tous les péchés de la terre*, Jacques, se dévoile en définitive d'un caractère faible que sa vanité, ses certitudes de jeune magistrat rompu aux exercices d'école et aux roueries qu'ils impliquent n'arrivent pas à raffermir. Il se refuse à comprendre le besoin de vérité et d'équité qui anime Françoise. Vivant et agissant suivant les conventions sociales qui lui ont été inculquées, il ne diffère pas fondamentalement du milieu que François fuit. Elle, en revanche, sort indemne de l'aventure. A la lecture de ce scénario, on aurait vraiment mauvaise grâce à taxer Boris Vian de misogynie.

Pareillement, il y aurait quelque abus à dénicher de la misogynie dans le scénario suivant : *Rue des Ravissantes*. On piétinerait l'égalité des droits, on ferait fi de la liberté d'accès des femmes à tous les métiers si on leur interdisait le plus vieux du monde. La seule, et capitale, revendication des Ravissantes professionnelles

est d'obtenir la liberté d'exercice et donc l'exonération des taxes
illégales imposées par des « protecteurs », toujours temporaires
puisqu'ils s'entre-tuent, et par des fonctionnaires censés protéger
les mœurs. Vian, qui n'admettait pas cette exploitation de la
femme par l'homme, conçut une organisation d'une « moder-
nité » efficace et salutaire que son esprit scientifique fit reposer
sur les calculateurs électroniques, sur les ordinateurs (en vocabulaire actuel). Elles furent de la sorte délivrées de leur servage.
Sur les précieux conseils de leur savant ami, elles réédifièrent
l'Abbaye de Thélème, à la satisfaction générale.

Habitant entre la place Clichy et la place Pigalle, exactement
place Blanche, Vian possédait une expérience vécue, non des
Ravissantes elles-mêmes que ses goûts ne le portaient pas à fréquenter intimement, mais de leurs manèges, attitudes et tenues
vestimentaires, et, au même degré, de leurs souteneurs et de leurs
bars de prédilection. Il eut en outre le privilège d'assister, aux
premières loges, à ces guerres des gangs entre truands d'ethnies
ou de nationalités variées : son opéra inachevé *Lily Strada* rend
compte d'un de ces conflits (voir *les Vies parallèles*).

Aux archives vianiennes, le dossier de *Rue des Ravissantes* est
d'une épaisseur impressionnante. Boris Vian et Pierre Kast y travaillèrent énormément. Nous sommes contraint de réduire à
l'essentiel l'histoire à rebondissements de ce scénario élaboré en
juin 1957. On découvre successivement une esquisse rapide de
scénario, puis le scénario en son entier, en troisième lieu un scénario court, ensuite le synopsis d'une comédie musicale-ballet
réservée à la scène, enfin plusieurs notes destinées à agrémenter
de gags ou de situations insolites l'œuvre cinématographique. Cet
ensemble suppose un dur labeur, mais non de longue durée, Vian
ayant, dès ses débuts, prouvé sa vitesse de création et ses dons
natifs de la performance.

On ne s'attendra pas à de la complaisance envers les moralistes
et les policiers. Fidèle à lui-même, Vian projette sur l'écran un
sénateur, président de la « toute-puissante Commission de Protection des Mœurs », Corentin Brisdâne, qui tient du Sénateur Béren-
ger, figure légendaire du sévère censeur de la fin du xixe siècle,
au sobriquet historique de Père-la-Pudeur, et du puritain Daniel
Parker, dirigeant du Cartel d'action sociale et morale, lequel
engagea, au nom de sa bande, les poursuites contre le roman de
Sullivan *J'irai cracher sur vos tombes*. Cette espèce est éternelle :
elle se voile la face en écartant les doigts ou elle condamne sans
avoir lu ni vu l'œuvre dénoncée. Ce sont les véritables fauteurs de
scandale : lorsque la situation politique le permet ils brûlent les
livres, et, quand le pouvoir civil est sous leur coupe, ils
conduisent les auteurs au bûcher, tout en priant pour le salut de
leur âme. L'hypocrisie, en toute hypothèse, les guide et les enveloppe. Dans le cas du Sénateur Corentin Brisdâne, elle est criante
car ce veuf entasse dans son hôtel particulier dix-sept enfants

dont quatorze illégitimes, et c'est lui qui veut chasser les Ravissantes, détruire le quartier où elles opèrent et, sous prétexte d'urbanisme et d'hygiène, y ouvrir un square. Naturellement plus respectueux à l'endroit du Sénateur qu'il ne l'est des respectueuses, le commissaire, chef de la Brigade des Passions, qu'on élèvera à la dignité de maréchal de camp, vivra un drame cornélien le jour où il s'apercevra que l'exil des Ravissantes priverait ses archers du pourcentage qui leur est coutumièrement alloué sur les gains des péripatéticiennes.

Nous n'entrerons pas plus avant dans le récit de Vian, ponctué d'événements subits, et, à notre appréciation personnelle, fort bien mené. Nous espérons que le lecteur s'en égaiera autant que nous. Nous voulons surtout lui garantir, assoiffé qu'on le sait d'impeccable moralité (la morale est ces jours-ci du dernier chic), la fin édifiante du film. Arlette, la doyenne des Ravissantes (vingt-sept ans), animatrice résolue du mouvement féministe des putes en colère, empêchera Véronique, secrétaire d'une compagnie d'assurances, affriandée par les diams de ces dames et leurs visons, de se tailler à son tour une place sur le trottoir. Mieux, elle réussira à la marier – et ce sera une fête grandiose – avec le jeune et timide informaticien Gaston Lampion, son amoureux transi, à qui les Ravissantes doivent leur salut.

Les notes du dossier contiennent plusieurs idées de gags :

• Claudine, une des Ravissantes, et Véronique au bar. Un plan s'immobilise avec des flèches sur le bracelet de Véronique et on lit « Prisunic : 500 F » puis sur celui de Claudine : « Van Cleef et Arpels : 214 000 F » ;

• Une boutique à l'enseigne « Au Salon de ces dames » ou « Hoyne-Toutou » étale en vitrine des frivolités : le soutien-gorge « Mont Blanc », les souliers « Reine du Trottoir » ; des parures : « l'Arpenteuse » ou « Fleur de Bitume » ;

• Des logettes tournantes escamotent les filles en cas de rafle.

Des épisodes abandonnés :

Claudine, l'une des lieutenantes d'Arlette, introduit chez le Sénateur un agent de renseignements, son amant, un gringalet (ah! Fréhel!) et le fait passer pour le quinzième fils illégitime.

Lampion objecte au Sénateur, chiffres en main, que ses enfants, tous des garçons, « qu'allait-il en faire lorsqu'ils auraient vingt ans? Ou ils se mariaient et ça ferait quarante personnes à la charge du Sénateur sans compter les petits-enfants, et le square ne suffirait plus... Par contre, si les Ravissantes restaient en place, les enfants du Sénateur auraient là des éducatrices de choix, et sans danger. »

Le Sénateur organise chez lui une soirée monstre « où toutes ces dames, sur leur trente et un, effectuent un travail de sape en se faisant toutes passer soit pour de nobles étrangères influentes en matière de décorations, soit pour des émissaires clandestines de pays généreusement munis d'argent ».

La Rue des Ravissantes classée monument historique, Lampion « fait hâtivement installer dans la cave du Bar des Horizontales les colonnes romanes d'un cloître ancien en ruine que possédait la famille de Claudine, de vieille souche auvergnate ».

Le scénario court ni le synopsis de la comédie musicale-ballet – qui du reste, n'étant pas cinématographique, n'aurait rien à faire dans le présent volume – ne révèlent des variantes significatives en face du scénario long. Nous sautons d'un pas allègre sur les scénarios suivants qui sont de l'année 1958.

De *Fiesta*, nous relatâmes, en long et en large, l'origine et les métamorphoses dans *les Vies parallèles de Boris Vian* et, en résumé, dans le volume des *Opéras* [1]. Condensons davantage encore : d'abord argument de ballet, *Fiesta* prit la tournure d'un scénario de cinéma ici imprimé, avant celle d'une pièce de théâtre en prose, celle d'une pièce versifiée, et pour finir celle d'un livret d'opéra joué sur une musique de Darius Milhaud en octobre 1958 [2]. En tout, huit manuscrits.

Sur la base du scénario, on aurait loisir de bâtir une « tragédie musicale-ballet », bien que les documents n'alludent à aucun moment à un tel genre, assez peu couru. Il nous semble que le scénario y conduit nécessairement : tout au long de l'action, chants et danses ne s'arrêtent pratiquement jamais. Voilà un « musical » qui s'achève sur un cadavre qu'on balance à l'eau. Rareté.

Le schéma de *Fiesta* ne subit, d'une version à l'autre, qu'une seule transformation : le naufragé héros de la fête, au lieu d'être tué d'un coup de coutelas du jaloux, meurt d'avoir trop bu. Cadavre pour cadavre, c'eût été moins dramatique. Darius Milhaud choisit la version du meurtre, celle même de notre scénario.

On évoquera les fantasmes de Boris Vian. Et de fait, *De quoi je me mêle* (septembre 1958) déploie à son début le même décor que *Fiesta* : un port, et démarre sur un noyé et son sauvetage. La ressemblance ne va pas plus loin, mais l'analyste mettra au jour sûrement d'autres obsessions vianiennes en dépeçant le gros du film.

La fin (il est bien écrit Fin), la fin nous laisse sur notre faim. On aimerait savoir qui est Philippe comme on sait qui est Marc (un pêcheur dévoyé par la contrebande). Nos légers reproches sont peut-être infondés (et vous auriez raison de me rétorquer : De quoi je me mêle! ou, avec l'accent parigot requis : T'occupe! étant postulé qu'il ne m'incombe pas de dresser l'échelle des valeurs) : on ne doute pas que le suicidé Philippe ne s'apprête à jouer un mauvais tour à son sauveteur Marc. Ça n'est pas joli, joli. A un moment, on pense que ce suicidé l'est sur ordre et que ce noyé récalcitrant dissimule un flic chargé d'infiltrer les trafiquants d'armes. Le scénario ne résout pas l'énigme de sa personnalité. Il

1. Christian Bourgois éd., 1982.
2. Livret avec la musique de Darius Milhaud aux Éditions Heugel, 1958.

est hostile au trafic d'armes, bon réflexe, et le motif qu'il donne à son refus se veut noble et vianien, et teinté d'économie politique : « Moi, dit-il, la guerre, je suis contre. C'est anticommercial ; ça tue le client. » Ah bon! il est représentant d'une marque de lessive ou des disques Philips? La suite de la narration nous fige sur notre point d'interrogation. Il trame toute une série de pièges dans lesquels vont tomber les truands, et lui, si pacifique, voire pacifiste, il les zigouille l'un après l'autre. A-t-il l'intention d'embarquer Denise, la petite amie de Marc? On le souhaite pour l'honneur de Philippe : on pardonne à l'amour, quoique Marc le sauveteur, cloué au lit pour cause de fracture de la jambe depuis le début du scénario, serait fort mal récompensé de sa bonne action. Le suicidé, remis à flot (si l'on ose cette expression), s'en irait avec la maîtresse de Marc sous le bras, non sans avoir ôté à son sauveur, en éliminant la bande, toutes ses ressources de contrebandier. Belle mentalité! Voilà un scénario réellement immoral.

Non, on ne saurait l'affirmer. Le synopsis, heureusement archivé à côté du scénario, nous tend les clés : reconnaissant, Philippe entreprend de rétablir l'ordre dans l'existence de Marc que la truanderie n'a qu'effleuré. « Puisque Marc s'est mêlé de ses affaires, il va se mêler de celles de Marc. » D'où le titre du film : *De quoi je me mêle*. Un personnage féminin, Luce, prévu au synopsis, aurait dû jouer un rôle important dans le scénario : Philippe qui voit Marc se détourner de Denise (et réciproquement) amène chez lui Luce, nièce du garagiste en scène dans le scénario ; Marc s'en éprend (et vice versa) et ils se marieront. Denise et Philippe se découvrent des affinités et les contresignent en faisant l'amour. Philippe, maintenant que Marc est réorienté sur une voie honnête, commence à faire ses paquets. Marc, à la dernière minute, retient Philippe. « Personne n'a envie de le voir partir et Philippe reste. » Le synopsis éclaire le scénario, mais ce n'est pas le synopsis qu'on aurait tourné. L'abandon de Luce dans le scénario obscurcit l'intrigue et laisse la fin en suspens. Il n'est pas à exclure que Vian et Kast aient voulu que le spectateur emporte le mystère à la sortie de la salle et occupe sa nuit blanche à le décrypter. Bien des films se terminent ainsi, et délibérément, en queue de poisson. Nous cherchons à glisser de la logique là où elle risque de gâcher le plaisir de l'amateur. Stop.

Nous jugions *De quoi je me mêle* un peu trop compliqué pour notre entendement. Le scénario suivant : *Strip-tease*, l'est aussi, mais pour des raisons tout autres.

Vian enfanta deux dénouements, tous deux conservés (cas non exceptionnel chez lui), entre lesquels il n'opéra aucun choix, ne manifesta pas une ombre de préférence. Au producteur de se prononcer. Il n'y eut pas de producteur, et nous ne nous sentons pas la taille (notre portefeuille) de nous substituer à lui. Le lecteur – il est sain que le lecteur travaille un peu, non? – s'en débrouillera.

Qu'on adopte la première fin ou la seconde, le scénario véhicule, de toute façon, des germes d'inceste entre frère et sœur. Ce qui n'est et ne se veut que soupçon dans une des versions devient certitude dans l'autre. Première version : le garçon, Pat, réussit à se débarrasser de son complexe en tombant amoureux d'une fille on ne peut plus expérimentée, Lolo, au diminutif suffisamment explicite quant à ses charmes et qui nous rend oniriquement palpables ceux plantureux d'une vedette célèbre. Elle le console de sa sœur, Marthe, qui abandonne Pat en s'abandonnant à un bel étranger, Yorn. Le rêve de l'Ile déserte (nouvelle réitération fantasmatique de Boris Vian) où il se voyait vivre avec sa sœur, est brisé, mais Lolo, de son ample poitrine et de ses chaudes caresses, compense sa désillusion. Seconde version : Pat, instrument de son propre malheur (hantise constante de Vian), présente un ami de rencontre, ici orthographié Jorn, à sa sœur. Il ne prévoit pas le coup de foudre qui, inévitablement, survient. Quand il s'en aperçoit par hasard, il devient fou de jalousie et il se suicide. Fin heureuse ou fin tragique, ça eie la question (traduction belge de Shakespeare). La décision modifiera la nature même du film.

Comprenons-nous bien (car le lecteur doit choisir en science et conscience) : à part une scène graveleuse – maintenue dans les deux versions et qui nous accule aux limites du possible, et encore cette scène se rompt-elle in extremis – rien n'autorise à insinuer que l'inceste est consommé. Il reste velléitaire. Les symptômes en sont d'ailleurs plus prononcés, en tout cas visibles, chez le garçon que chez la fille, même si c'est elle qui, au cours d'une séance intime de déshabillage (vice ou naïveté?), entraîne son frère à la serrer nue contre lui et à s'en dégager violemment, flairant soudain le danger qui les menace.

Deux petites remarques : 1º la volonté qu'affirment Pat et Marthe de travailler en vue de se libérer de la tutelle de leurs parents et de vivre leur propre vie nous semble aujourd'hui désuète : rares, et d'autant plus méritants, sont désormais les jeunes gens qui ne s'attachent pas à s'encoconner le plus longtemps possible chez papa et maman; 2º la passion de Boris Vian pour les belles et puissantes voitures nous en fait défiler quelques-unes, une Bentley, une BMW de sport, une Thunderbird, une Triumph (mortelle dans la version tragique).

Faites-moi chanter (novembre 1958), scénario bref et gai, nous donne de la respiration et nous met du cœur au ventre avant d'aborder le plus volumineux scénario de ce recueil par lequel nous terminerons, comme s'y est terminée la vie de Boris Vian.

Il s'agit d'une comédie musicale. Corinne, son héroïne, est une fille honnête. Et pure, de fait et d'intention, vertu dont nous hésitions à auréoler la Marthe de *Strip-tease*. Son ambition : accéder au vedettariat en tant que chanteuse de variétés. Boris bénéficie dorénavant d'une longue expérience du show-biz : directeur artistique adjoint de Philips, puis directeur artistique à galons pleins de la marque sœur Fontana, il a exploré, dans ses moindres recoins, tout le secteur des variétés; il est lui-même auteur de chansons (en quantité), il a été l'interprète sur scène et en disque de ses *Chansons possibles et impossibles*; il connaît chanteurs et chanteuses, des vedettes aux débutants, tout le circuit, tous les obstacles. De son expérience, il a tiré un livre savoureux : *En avant la Zizique... et par ici les gros sous* [1]. Cette expérience, il la transmet, par scénario interposé, à la délicate et ingénieuse Corinne. Nous ne la dépucellerons pas, sa vertu s'y oppose. Et ce serait gâcher la curiosité du lecteur.

Dans le cadre de ce livre – qu'il importe de respecter, faute de quoi il exploserait en deux ou trois morceaux quand notre éditeur désire rassembler tout en un unique volume –, dans un cadre obligatoirement restreint, comment parler du scénario de *J'irai cracher sur vos tombes*? L'histoire complète du livre, de la pièce de théâtre et du film, nous l'avons contée dans le *Dossier de l'Affaire « J'irai cracher sur vos tombes »* [2], en même temps que nous analysions, citations à l'appui, la réception de l'œuvre sous ses trois formes. Voici quelque temps que le *Dossier* est épuisé. En conséquence, aucun scrupule ne nous empêche de republier le scénario qui clôturait notre livre. Le contraire nous serait légitimement reproché.

Boris Vian aura été, de 1946 à sa mort, torturé par *J'irai cracher*... Il ne s'en débarrassera jamais. Les ennuis sérieux que lui causa le roman – de quoi lui vint sa renommée, mais une renommée frelatée à son principe – le poursuivront inlassablement et imprégneront sa sensibilité beaucoup plus qu'il ne le laissera paraître. Nous avons eu l'occasion, dans nos commentaires des scénarios, de détecter à plusieurs reprises les réminiscences des incidents de l'Affaire *J'irai cracher sur vos tombes*. Ce canular, tel que le définissait Vian, cette mystification littéraire, comme on en recense des centaines dans notre littérature et dans la littérature de tous les pays depuis – et y inclus – l'Antiquité, sera pris au sérieux et au pied de la lettre aussitôt que le Tabou s'emplira des stridences de la trompette de Vian et qu'on y dansera le jitterbug et le boogie-woogie (à l'origine simple style de jazz), danses assez acrobatiques propres à allumer l'œil sur quelques belles cuisses, ni plus ni moins qu'au cirque sur l'anatomie des écuyères. Orgies dans le roman, donc orgies au Tabou, déduction stupide mais qui alimentera à profusion la presse à sensation. Vian devient un « monstre de perversité »! Le roman est interdit, Vian poursuivi en vertu d'une loi scélérate sur la protection de la jeunesse! Du roman il tire une pièce [3] qui décevra les spectateurs libidineux parce qu'elle est, sinon chaste et pure, du moins décente. La censure théâtrale n'y trouvera rien à redire. Vian est condamné une première fois en 1950, en appel en octobre 1953. Il écope d'une

---

1. Le livre contemporain, 1958; La Jeune Parque, 1966; 10/18, 1971.
2. Noël Arnaud : *Dossier de l'Affaire « J'irai cracher sur vos tombes »*, Christian Bourgois éd., 1974.
3. Publiée dans le *Dossier de l'Affaire « J'irai cracher sur vos tombes »*.

peine de quinze jours d'emprisonnement, illico amnistiée en guise de joyeux avènement d'un nouveau président de la République. Nous arrêterons là le rappel des faits antérieurs au scénario.

Au début de 1954, un homme de cinéma que nous connûmes poète en 1942-43, années où il nous envoyait des poèmes destinés aux publications de la Main à Plume, Jacques Dopagne, admirateur du roman et séduit notamment par sa qualité « cinématographique », opinion juste et du reste exprimée par plusieurs critiques dès 1946-47, prend contact avec Boris Vian et lui propose de bâtir un scénario de film à partir du roman. Sidéré, Vian. Il est sorti la veille, et peu glorieux, des griffes de la justice, et voilà qu'on veut le réembarquer sur le vaisseau détruit, coulé, de *J'irai cracher sur vos tombes*, une épave encore grosse d'explosifs. Il faudra beaucoup de diplomatie à Dopagne, aidé de Mme Gnassia, l'ancienne muse du Tabou Colette Lacroix, pour ébranler les préventions de Boris. Dopagne est un homme sérieux, que la pornographie laisse de glace. Il n'en renifle pas la moindre trace dans *J'irai cracher sur vos tombes*. Preuve selon lui que seuls l'y voient ceux qui en ont envie. Du roman, il retient au contraire l'amour transcendant, l'amour qui vous transporte au-delà de vous-même. Dopagne est pleinement sincère et, inconsciemment, d'une suprême habileté. Il préconise un renversement complet de l'interprétation du livre : le thème ne serait pas celui de la vengeance, l'amour ne serait plus bestial mais sauveur (mystiquement parlant). Les deux héros vainquent les préjugés sociaux et racistes, et cela ne peut que satisfaire Vian. L'amour est leur ancre de salut. Ils meurent tout de même, l'amour ne vous garantit pas l'immortalité en ce bas monde, mais la félicité éternelle les attend, ils connaîtront les huit béatitudes. Là – entre nous – il est vraisemblable que Dopagne, devant Vian, ne pousse pas aussi loin son anagogie : le côté christique de cette curieuse glose de *J'irai cracher...* l'aurait stupéfié.

Boris Vian ne veut plus entendre, lire ou voir les mots *J'irai cracher sur vos tombes* qui ont retenti encore dans le prétoire quelques mois auparavant. Nouvel argument de Dopagne, et qui fera flancher Vian : on ne reprendra pas le titre du roman, on intitulera le film *la Passion de Joe Grant* (le mot Passion dans l'esprit de Dopagne n'étant probablement pas dépourvu d'une connotation évangélique). Les lieux, les personnages changent de nom. Le titre imaginé par Dopagne, Vian ne le rejette pas absolument. Toutefois, dans une lettre de mars 1954 à Dopagne scellant leur accord de principe, il ajoute : « titre provisoire ». Et quatre années vont s'écouler dont nous ne dirons quasi rien parce qu'il y en aurait trop à dire, des années de tractations, souvent ignorées de Dopagne et Vian, entre diverses compagnies de production, qui se vendent, se rétrocèdent le scénario initial écrit chez Vian par les deux collaborateurs en huit jours et auquel s'était intéressé au début Pathé-Cinéma. Enfin une société s'empare du scénario, on est en octobre 1957. Entre-temps, Boris a cessé de s'opposer au titre *J'irai cracher sur vos tombes*. Mais sur le contrat qu'il signe alors avec cette société nouvellement née il tente de faire oublier le roman et il précise de sa main que le scénario est adapté de sa *pièce*. A maints égards, cette modification se justifie : elle tente d'apaiser les inquiétudes ineffaçables de Vian au sujet du roman, et le scénario est effectivement proche moins du roman que de la pièce qui atténuait, amendait les situations scabreuses.

Le contrat est évidemment rétrocédé au bout de quelques semaines à une autre société (ou la même sous une autre enseigne). On prie Boris Vian de procéder à une adaptation cinématographique dialoguée. Il s'exécute le 5 janvier 1958. Moins d'un mois après la société disparaît, une autre la remplace qui réclame l'adaptation pour le 10 avril et cette fois mesure le pensum à cent pages. Cette troisième ou quatrième société si l'on compte Pathé-Cinéma refile le scénario à une quatrième (ou cinquième) société qui constate le 11 avril que l'adaptation commandée pour le 10 avril ne lui a pas été fournie. Nouvelle mise en demeure le 21 avril : on menace de se passer de lui, de confier l'adaptation « à quelqu'un d'autre ». Le lendemain, Boris, en multipliant ses protestations, expédie la continuité dialoguée ; elle tient en soixante-quinze pages au lieu de cent. Un silence de plusieurs mois s'ensuit. Brusquement, une société, la sixième en course, exige pour le 5 janvier 1959 une véritable continuité dialoguée, telle que ce genre d'écrit est compris par la profession, elle estime que le texte envoyé en avril 1958 ne répond pas aux critères techniques. De plus, cent pages ne suffisent plus, il en faut cent cinquante en simple interligne ou trois cents en double interligne. Miracle! le 9 janvier 1959, la société productrice reçoit la continuité dialoguée : elle s'étale sur 177 pages, plus qu'on en demandait. Le miracle ne dure qu'un moment. Le 23 janvier, le réalisateur constate, indigné (ou feignant de l'être), que le texte reçu n'est pas « sérieux »; qu'il est impossible d'en tenir compte et que – but enfin atteint – on désigne un autre adaptateur. Et voilà comment Boris Vian sera dépossédé de son film. Il aura beau protester que toutes les scènes indispensables sont indiquées et dialoguées (« que certains détails littéraires vous paraissent les encombrer, ma foi, c'est possible; il est évident que nous n'avons pas les mêmes goûts »), c'en est bien fini. Le film sera tourné sans lui. Restait à savoir s'il maintiendrait son nom au générique, ses amis les plus proches attestent qu'il était résolu à en demander la suppression, il n'eut pas le temps d'en décider, il meurt le 23 juin 1959 à la dixième minute de projection privée du film.

Des vianologues éminents jugent que cette adaptation cinématographique de *J'irai cracher sur vos tombes*, réalisée au mépris des conceptions de Vian, est moins mauvaise qu'on pouvait le craindre. Nous n'en pensons rien du tout, c'est dire que nous l'avons oubliée.

En dehors des ébauches d'une *Passion de Joe Grant*, nous disposons de trois scénarios du film *J'irai cracher sur vos tombes*, de ce qu'il aurait pu être. Le premier est maigrelet (14 pages dactylo) : à la fin, les deux héros meurent (c'est un débris de *la Passion de Joe Grant* en sa phase eschatologique, mais on ne distingue pas l'aura que diffuseraient les âmes du Noir et de la Blanche montant au Ciel); le second document est la continuité dialoguée qui aurait dû avoir cent pages et n'en eut que soixante-quinze : la femme blanche est blessée par les flics, mais le Noir a le temps de la confier aux soins d'une bonne dame, une âme en moins s'envolant; le Noir n'en réchappe pas, à l'aube il tombe sous les balles; enfin, le troisième texte, celui de cent soixante-dix-sept pages, est cette continuité dialoguée que le réalisateur affectera de tenir pour une plaisanterie. C'est ce texte, on s'en doute, le dernier vu et corrigé par Vian, que nous publions.

Un avant-dernier mot : à force de scénarios retapés, réduits ou augmentés, la veine du roman réémergera. On s'éloignera de plus en plus de *la Passion de Joe Grant* : la violence s'accroîtra de version en version, et la haine de l'intolérance se traduira en termes de plus en plus vifs. La guerre d'Indochine, la guerre d'Algérie, la manière dont fut accueilli *le Déserteur*, tout concourt à restituer à Vian sa pugnacité. On se doit de reconnaître honnêtement que Jacques Dopagne, exposant ses vues sur la transformation de *J'irai cracher sur vos tombes*, ne conseillera pas d'en diminuer la violence. Interdire la violence au cinéma, à la scène, à la télévision, c'est autant dire supprimer la quasi-totalité d'Homère et des poètes grecs, Corneille, Racine, Hugo et *les Trois Mousquetaires*. Et l'on invite le peuple à « réfléchir » sur des sottises de cette espèce! Gageons qu'au bout de quelques mois ou années de cucuteries lénifiantes, le public exigera le retour à des œuvres fortes, qui réveillent ou inquiètent, qui nous extirpent du quotidien de papa, maman et la jeune fille nubile qui « a des problèmes », comme si depuis qu'il y a des filles et qui grandissent elles n'avaient pas eu de « problèmes »! Dopagne avait la propension de voir de l'amour sublime là où on l'attend le moins, mais il n'était pas homme à faire crever le public d'ennui. Tout porte à croire qu'il suivra Vian, sans se contraindre, dans les successives réfections du scénario primitif, à l'exception cependant du scénario-bidon – écrit en vingt-quatre heures – qu'il n'eut apparemment pas le temps de lire et qui, au fond, consistait en un règlement de compte personnel de Vian avec ses persécuteurs.

En soutenant que l'essentiel du récit et des dialogues existaient dans son ultime scénario, Vian ne mentait pas. Mais ce qui demeurera de cette sinistre aventure et du scénario, ce sont à l'évidence ce que le producteur et le réalisateur consi-

déraient comme des superfluités. Le meilleur – et du pur Vian
– est là, dans l'Amérique du *Cow-boy de Normandie* au super-
latif, cette Amérique poncifiée en diable, avec du réalisme de
documentaire truqué, des notations de zoologiste dément, de
sociologue ivre, d'ethnologue défoncé.

A la mort de Boris Vian, Pierre Kast [1] se souviendra des
joyeux rires de Boris Vian durant la lecture du scénario-bidon.

C'est ce rire qu'il nous convient d'entendre, ce rire que vous
entendrez.

Noël ARNAUD.

---

1. Dans les *Cahiers du Cinéma*, n° 98, août 1959.

LE DEVIN

1941-42

La tempête fait rage. Les éclairs font briller la crête des forêts. Le paysage, tout entier dévasté, semble mystérieux, une région tourmentée et sauvage. Le vent arrache les arbres. La nuit est de plus en plus sombre. Un voyageur, seul, à pied dans l'épouvantable boue des ornières, lutte contre le vent déchaîné. Son immense cape l'enveloppe et ralentit sa marche. Il lève vers le ciel un regard épuisé, fait encore quelques pas et s'abat à terre, devant une porte solide. Il frappe du poing, un coup. La porte, lentement, comme mue par une main invisible s'ouvre doucement, insensible aux hurlements de la tempête. Le voyageur se traîne sur le seuil. Quand il est entré, la porte se referme de la même façon. Alors, celui-ci regarde.

Un feu calme brille au fond de l'âtre immense qui fait le fond de la pièce. Une chatte noire lèche ses petits. Le couvert est mis. Une lampe brûle tranquillement sur la table. Un vieillard aux cheveux blancs a levé ses yeux de dessus un énorme livre dont la reliure ancienne étincelle doucement au gré des flammes. Tout est calme, doux et mystérieux.

Le voyageur s'est levé, très étonné, très fatigué. Il cherche à comprendre.

— Reposez-vous, dit le vieillard d'un air calme.

— Je vous remercie de votre accueil et m'excuse de troubler votre solitude, répond le voyageur.

— Ne vous excusez pas, ma solitude est bien involontaire. Asseyez-vous et mangez.

— Ne me tiendrez-vous pas compagnie?

— J'ai déjà pris mon repas.

— Alors, en prenant cette place ne vais-je pas priver quelqu'un de sa nourriture?

— Ce couvert est mis tous les soirs depuis trois longues années et vous êtes le premier à vous en servir.

Et comme le vieillard a l'air mélancolique, le voyageur

n'insiste pas. Le repas fini, il vient s'asseoir près du feu. Il se sent par miracle frais et dispos, mais toujours très triste.

— Vous cherchez quelqu'un? dit le vieillard.

— Comment le savez-vous?

— Le grand âge a développé ma sagesse. Et que ferait un homme dehors par cette tempête s'il n'avait un puissant motif d'agir ainsi?

— Pourquoi vous le cacherai-je?

— Et le puissant motif qui vous pousse est l'amour d'une femme.

— C'est juste. Mais qui vous l'a dit?

— J'ai déjà eu cet exemple sous les yeux. Tenez, regardez!

Le vieillard ouvre la fenêtre et, à la lueur des éclairs, apparaissent des fantômes de maisons, au milieu de jardins pleins d'herbes folles, des fermes dont les portes battent au vent, des champs incultes, enfin, l'image d'un village abandonné depuis quelques années.

— Mon Dieu! dit le voyageur, voilà une chose bien triste à contempler, je me souviens d'un village que je vis dans une de mes nombreuses randonnées, qui m'avait semblé si beau, si joyeux, que j'ai pensé venir y vivre le restant de mes jours. Dire que peut-être, depuis le temps, il est devenu pareil à celui-ci!...

— Quel était ce village?

— Je ne sais plus; en revenant à la ville d'où j'étais parti, j'ai perdu la mémoire. La fièvre m'a pris et je n'ai plus rien su.

Le voyageur se passait la main sur le front. Il semblait vouloir rappeler des souvenirs. Le vieillard ferma la fenêtre et revint au coin du feu.

— Mais dites-moi, à votre tour, je vous prie, quel est ce village qui semble mort et dont les volets claquent au vent. Il fut certainement habité un jour qui n'est pas si lointain, car ces maisons ne sont guère abîmées par les intempéries, et une fois les herbes arrachées, les cours laisseraient pousser volontiers des fleurs.

— Il fut habité, en effet, et par la plus joyeuse population de paysans qui se puisse trouver. Sur eux régnait un vieux comte dont le château domine la vallée et se dresse sur le sommet le plus aigu des falaises. Les champs étaient prospères et la vie facile et douce. Or, un jour, vint la tempête, et les champs furent dévastés.

Dehors la tempête faisait rage. Les éclairs brillaient et le voyageur écoutait fasciné. Le vieillard fit un geste de la main et soudain, sur l'écran formé par les flammes au fond de la cheminée, apparut l'image de la tempête, mais une tempête sur un village vivant. On comprend que le vieillard fait apparaître la vie passée du village. Et les scènes se déroulent sous les yeux des deux personnages.

La population s'enfuit sous l'orage. Les maisons se ferment. Les femmes consolent les enfants. Les plus grands regardent l'eau tomber avec angoisse. On s'est réfugié les uns chez les autres. On discute tristement et avec colère.

– Si cette pluie continue, adieu la récolte.

– Ça y est, le grand pommier est cassé.

– Juste avant la moisson.

– Le temps était si beau.

– Est-ce parce que nous étions trop heureux?

Pendant ce temps, dans un autre village, le château était en flammes. La jeune châtelaine se trouvait dans une chambre avec son jeune fils. Un vieux serviteur vint les chercher. Ils descendirent l'escalier jusqu'au premier palier. A ce moment, elle cria:

– Et le bébé?

– Je vais le chercher. Que Madame ne s'inquiète pas. Qu'elle descende.

Et le vieux valet de chambre s'élança vers la nursery. A ce moment l'escalier s'effondra en flammes. Le précieux paquet dans les bras, il essaya, malgré tout, de passer. Une poutre le blessa. Il tomba, puis se relevant, il finit par sortir par un passage dérobé. Il entendit crier que la comtesse, le comte et leur jeune garçon avaient été tués. Il se pencha sur le bébé:

– Je vais t'emmener là où tu ne craindras rien, là où tu seras heureuse. Tu vas retrouver une famille.

Et il s'élança à travers bois, à travers plaines. Sa blessure saignait de plus en plus à mesure qu'il marchait à travers la campagne. Il butait parfois, mais repartait toujours sous la pluie. Le crépuscule tombait quand il arriva devant la porte de la première maison du village où les gens se lamentaient. Il tomba pour ne plus se relever. Les cris de l'enfant attirèrent les femmes qui traînèrent le valet à l'intérieur de la maison, pendant que les jeunes mères s'occupaient de l'enfant.

– C'est une fille. Quel beau collier. Tiens, il y a des initiales. Est-elle belle! Est-elle douce!...

– Si elle pouvait du moins nous porter bonheur!... Faire cesser de suite cette pluie qui va nous rendre plus pauvres que Job.

Et elles élevaient l'enfant dans la lumière, comme en offrande à la nature. Alors, comme par miracle, la pluie cessa, et un beau coucher de soleil rougit la salle où chacun allait prendre le repas du soir. Les femmes et les hommes sortirent sur les portes et se congratulèrent en se passant la petite fille de mains en mains. Ils ne savaient pas d'où elle venait, mais ils étaient bien assez riches pour en prendre soin. Et avec le miracle qui avait accompagné sa découverte, elle passait déjà pour porter bonheur au village.

Elle grandit. Toujours plus belle, plus joyeuse, mieux portante. Et chacun l'aimait, mais quand on lui parlait mariage, elle riait.

Or un jour, ou plutôt un beau soir d'été, alors que l'air garde encore tous les effluves de la journée et que les cœurs attendent inconsciemment l'aventure, arriva dans le village un cavalier qui respira un peu l'air du crépuscule et dit avec un sourire:

– C'est avec plaisir que je passerais une journée ici.

– Qu'à cela ne tienne, monsieur, dit la jeune fille, chacun dans ce village peut loger celui qui le lui demande.

– Alors, je te demande si tu peux me loger chez toi?

– Je n'ai pas de maison, et suis partout chez moi!

– Je dormirai donc sous le toit qui t'abritera ce soir.

Et il entra dans une maison où elle le précéda. Les paysans qui savaient qu'elle faisait toujours le bien, et qui étaient très accueillants de nature, le firent manger, puis l'amusèrent par des danses auxquelles il prit part, des jeux très animés, des vins capiteux. La jeune fille ne le quittait pas des yeux. Lui non plus. Visiblement, ils étaient faits l'un pour l'autre : beaux, intelligents, légers et profonds à la fois. Ils dansaient ensemble et ne se lassaient point. Mais enfin, les jeux prirent fin. Le voyageur monta à sa chambre et, en fermant les volets, il aperçut l'ombre de la jeune fille dans l'encadrement d'une fenêtre proche. Il descendit le long du lierre. Elle l'attendait. Longtemps ils parlèrent et firent des projets d'avenir. Elle apprit qu'il était le jeune héritier du domaine et du château dominant le village et qu'il venait chercher sa succession. Il était donc le maître de sa destinée, même si elle n'était qu'une enfant perdue n'ayant que sa beauté pour nom et fortune. Ils se quittèrent enfin. Et, au jour, le voyageur était parti...

Confiante, d'abord, elle l'attendit. Puis elle monta au château. Il était reparti de suite. Alors, elle se vit abandonnée et pleura. Et la nature se déchaîna, la pluie tomba aussi longtemps qu'elle pleura. Elle devint pâle et languide, et les habitants pâtirent des brouillards. Le village avait perdu sa joie. Un paysan se décida à aller conter toute l'histoire de son fils au vieux comte, qui, voyant que son héritier voulait s'allier à une paysanne sans nom refusa de donner des renseignements qui auraient pu le faire retrouver.

Alors, comme la jeune fille était très malade, les paysans partirent d'abord un, puis trois, puis une famille, puis toutes les familles à la recherche de celui sans qui leur symbole ne pouvait sourire, sans qui leur village ne pouvait prospérer. Et ils se dispersèrent dans les villes, pendant qu'elle et le vieillard restaient seuls au village. Ils n'ont encore trouvé personne. Et bientôt elle...

Le récit était fini. Le voyageur regardait encore dans les flammes sans pouvoir en lever ses yeux. Il dit lentement :

– Elle s'appelait   et le voyageur était   .

– Comment le sais-tu? dit le devin sans s'émouvoir.

– J'ai connu... autrefois... une aventure... semblable, dit le voyageur péniblement, en cherchant à rappeler ses souvenirs. Une jeune fille que j'aime... a été séparée de moi. Ou plutôt je me souviens. Je me vois arrivant dans un village merveilleux. J'allais voir mon père qui se mourait. Je croyais qu'il serait mort...

— Regarde, dit le devin, en faisant un geste vers la flamme qui redevint un écran, est-ce ainsi, tes souvenirs?

Un cavalier monte jusqu'au château, c'est le voyageur. Il entre, demande son père. Celui-ci va beaucoup mieux. Le cavalier se réjouit. Il va le voir, et lui explique tout de suite ses projets de mariage. Mais le comte se montre intransigeant.

— Moi vivant, tu n'épouseras pas cette paysanne.

— Mon père, vous me désespérez, je n'aimerai jamais qu'elle. Mais, j'attendrai votre permission.

— Tu ne l'auras jamais.

Le voyageur repasse la poterne du château et s'enfuit. Dans la campagne, l'orage le surprend, un arbre le renverse. A la ville, il a perdu la mémoire. Il se souvient seulement d'avoir vu son père vivant.

— Tout ceci est exact, dit le voyageur, mais je ne puis encore croire ce que vous m'avez fait voir précédemment.

— Est-ce impossible?

— Oui, car mon cœur est pris ailleurs, par la femme que je cherche. Je l'ai rencontrée un soir dans la ville, je l'ai cherchée partout et ne l'ai jamais plus revue. C'était un soir que je me promenais. Ni triste ni joyeux. Une bande joyeuse passa, entraînant une jeune femme au sourire un peu triste. Ses yeux tombèrent sur moi. Elle était merveilleuse, la plus belle que vous puissiez concevoir. Je l'entrevis un instant, puis elle cacha son visage sous sa mante, se dirigea vers moi et dit, en me tendant un merveilleux collier : « Tiens, prends, je te le donne ». Et elle s'enfuit.

Le devin prit le collier que lui tendait le voyageur et en fit miroiter une facette où apparut le visage de la paysanne en habits de ville.

— C'est elle, celle que je cherche dans le monde depuis plus de deux ans, c'est elle!... Dis-moi si tu la connais.

— Et celle-ci, la connais-tu?

Sur une autre facette apparut le visage de la paysanne en ses habits de chaque jour.

— Ah! mon Dieu!... C'est elle. Mais alors, elle est de ma naissance. Elle porte un grand nom, puisque le château où elle naquit était celui de mon oncle. Où est-elle?

— Tu demandes trop de choses. Mais calme-toi, puisque tu es resté fidèle, ta récompense bientôt t'arrivera.

Le voyageur épuisé s'endormit.

Au bout d'un instant la tempête s'apaisa. Le devin vit un visage collé à la fenêtre. La jeune fille entra. Elle avait son sourire :

— Je l'ai suivi partout. Le voilà maintenant. Recevrai-je la récompense de ma constance?

Au matin, ils se reconnurent, et burent au même verre. Et les paysans revinrent, heureux de trouver leurs maisons debout et la joie régnant au village. Et le devin monta au château pour annoncer la nouvelle au comte et lui demander de céder, d'autant plus que la naissance de la jeune fille ne s'opposait plus au mariage, mais le vieux comte était mort le soir de la tempête. Et les fêtes commencèrent et chacun fut heureux comme avant et plus qu'avant.

UN HOMME
COMME LES AUTRES

1941-42

Dans une ruelle sombre un homme marche. Il regarde les maisons sans soleil qui l'environnent et hoche la tête d'un air désapprobateur. Il entre enfin dans l'une. Il parle à la concierge :

— Alors, Madame Dupont, vous m'envoyez votre chenapan, cette année ?

— Vous êtes bien bon, Monsieur, mais, cette année, j'ai réussi à le faire partir avec le patronage. Vous êtes bien bon, vrai, de vous occuper des pauvres gosses de Paris, qui sans vous ne connaîtraient pas souvent le soleil à la campagne. Mais il ne faut pas en abuser et en laisser pour ceux qui n'en ont jamais eu. Si j'osais, Monsieur, je vous dirais bien de monter au cinquième, voir le petit de Madame Durand qui est toute seule et a bien du mal à élever son enfant, car il est tout le temps malade. Sûr que le soleil lui ferait du bien. Ça n'est pas pour vous commander, Monsieur, mais il faut bien qu'il y ait un peu de santé, de bonheur et de joie sur terre, pas vrai ?

— Vous avez parfaitement raison de me signaler des enfants souffrants et si ma villa de Provence peut lui faire du bien, je serai le premier à vous remercier. Je monte.

Et de son pas lourd, il monte l'escalier branlant et sonne. Une femme très marquée lui ouvre. Une machine à coudre dans un coin, un petit lit, un plus grand, un intérieur plein de misère et de dignité.

— Que voulez-vous, Monsieur ?

La voix est calme et empreinte d'une profonde tristesse.

— Madame, votre concierge m'a signalé...

— Monsieur, pour le loyer, j'ai obtenu un délai de huit jours après lequel, soyez-en sûr, je vous paierai.

— Je ne viens pas pour le loyer, Madame, mais pour emmener votre petit garçon à la campagne. Je vois qu'il n'a pas de bien belles couleurs et qu'un séjour en Provence lui fera du bien.

— Je ne demande pas la charité, Monsieur. Qui vous envoie ?

– Mais Madame, excusez-moi de me trouver si indiscret, c'est votre concierge, dont le fils, entre autres, a passé ses vacances avec moi l'été dernier. Regardez votre enfant, Madame, il est pâle, le grand air lui ferait du bien.

– Je n'ai jamais demandé la charité à personne, répète la femme qui hésite visiblement.

Alors le vieil homme demande à l'enfant :

– Aimerais-tu venir dans une grande maison au soleil, à ne rien faire qu'à te baigner et jouer avec mes chiens?

Et l'enfant a un tel regard que la mère cède et remercie l'homme de sa voix triste.

– C'est la première fois depuis bien longtemps que je remercie un homme, dit-elle.

Tous les enfants sont donc rassemblés sur le quai de la gare, les mères leur font leurs dernières recommandations. La maman du petit garçon pâle regarde le vieux monsieur avec anxiété. On dirait qu'elle cherche des souvenirs. Elle y renonce, lui fait un sourire qu'il lui rend, un peu ému. Le train part. La femme reste longtemps sur le quai, seule à le regarder partir.

Les enfants sont au grand air, ils courent, ils crient à en perdre le souffle, ils sont heureux et engraissent. Ils ne songent pas au retour à Paris, mais à celui des vacances qui va leur donner courage pendant tout le temps de l'école. Le vieil homme s'attache au petit garçon surtout; l'emmène avec lui plus souvent que les autres, lui parle longuement, ce dont les autres ne sont pas jaloux car eux préfèrent courir et hurler. Chaque jour, après le déjeuner, le vieux monsieur va faire sa partie de boules, juste après sa sieste. Et la vie s'écoule tranquille.

Or, un jour, le vieil homme est parti comme d'habitude, quoique l'orage teigne l'air de violet, et les enfants, engourdis et excités à la fois, commencent un jeu, l'interrompent, en recommencent un autre, l'abandonnent jusqu'à ce que l'un propose enfin :

– On va jouer à chercher, dans toute la maison, l'objet qui soit le plus rare.

– Chic... Très bien... Ça gaze... Est-ce que ça doit être beau?

– Ça vaut mieux, mais c'est pas forcé!...

Et, au triple galop, les enfants se dispersent dans la maison, au grenier, dans les chambres, à la cave, partout. Ils reviennent peu après, l'un a trouvé une souris, l'autre un bouddha japonais, le troisième une magnifique chevalière, un autre une jaquette 1900, etc. Le plus petit, le préféré du vieil homme est passé dans la bibliothèque, grande pièce où l'on pénètre rarement, il a ouvert un des casiers, pris un livre, et, captivé, n'a plus pensé à rien d'autre. Ses camarades inquiets se sont mis à sa recherche, il finit par entendre leurs cris qui montent du jardin, remet précipitamment le livre en place et machinalement attrape un carton ouvragé, sous une jolie reliure de cuir qui se trouvait entre deux in-folios.

– En voilà une chose bien rare!... dit-il tout heureux.

Il rejoint ses camarades, qui admirent le carton. Celui-ci s'ouvre et découvre la photo d'une jeune femme gaie, rieuse et assez belle. Le petit va dire quelque chose, on lui coupe la parole, il a gagné le concours. Cette photo est rare et belle, les enfants accroupis l'admirent en chuchotant.

Ils n'entendent pas revenir leur hôte qui les cherche et les découvre admirant la photo. Il se met dans une colère noire, hurle que les vacances sont finies, que son préféré était un petit démon, qu'ils montent tous au lit. Mais, peu à peu, il se calme, les rappelle brusquement, et ordonne qu'on se mette à table. Le commencement du repas est silencieux, puis il s'anime, on ose se regarder, enfin le vieil homme a un sourire vite réprimé et on lui saute sur les genoux.

– Qui c'est, cette jolie femme?... C'est une artiste?... C'est ta sœur?...

– Ecoutez, si vous êtes bien sages, je vous raconterai son histoire.

Et le soir, chacun écoute près du feu, par terre, sur les genoux de celui qui raconte, sur le dossier des fauteuils, etc.

Et voici la belle histoire qui se déroula devant leurs yeux.

Le vieux monsieur, en ce temps-là, était moins riche que maintenant. Il vivait à Paris, où il connaissait une jeune fille, belle, riche, et ils devaient se marier bientôt; mais, un jour que son fiancé venait la voir, elle lui sembla triste, il lui demanda la cause de son chagrin, mais elle ne voulut pas lui répondre, il insista, et elle dit enfin qu'elle aimait un autre homme, mais que comme elle ne voulait pas faire de peine à son fiancé, elle l'épouserait quand même. Le fiancé en eut beaucoup de peine, mais comme elle était plus jeune que lui, il se rendit compte que ce mariage ne serait pas heureux dans ces conditions et, généreusement, lui rendit sa parole. Elle pleura beaucoup. Il lui demanda de rester son ami. Elle promit; pourtant, il n'en eut plus jamais de nouvelles... Elle s'était évanouie de Paris, comme un rêve. Et c'est depuis que le vieil homme cherche à faire le bien, pour se consoler du départ de sa fiancée.

Les enfants étaient très émus et entouraient affectueusement le vieil homme, qui détournait cependant un regard gêné quand les yeux de son préféré se posaient sur lui. Seul de tous, l'enfant était sérieux, et semblait à la fois sceptique et attristé.

Les enfants allèrent se coucher. Le vieil homme aussi, mais, un peu plus tard, il descendait l'escalier sans bruit, allait toujours sur la pointe des pieds jusqu'au salon où se trouvait la photo et remontait vivement dans sa chambre. Pendant ce temps, l'enfant sérieux qui ne dormait pas avait entendu un bruit furtif et l'avait vu s'emparer de la photo. Il l'avait suivi et, au moment où l'homme assis sur son lit contemplait la photo, il était entré, le visage grave. L'homme surpris commençait à faire les gros yeux :

— Je voudrais partir, dit l'enfant.

A ces mots, la colère de l'homme tomba.

— Et pourquoi? N'es-tu plus heureux?

— Non, je sais maintenant que vous êtes un menteur.

— Quoi? Qu'as-tu dit?

— Je dis que vous êtes le plus grand menteur du monde, dit l'enfant en éclatant en sanglots, votre belle histoire était fausse. Je vous connais déjà. Vous ne pouvez pas me tromper. La photo est celle de maman.

Le vieil homme était médusé. L'enfant sanglotait désespérément.

— Pardon, disait l'homme, mon petit fils, mon petit garçon, je te retrouve enfin. C'est bien signe que je suis pardonné. Pardon de cet abandon, j'en ai tant souffert. Tu ne peux pas savoir.

— Mais alors pourquoi nous raconter cette histoire qui est fausse et où tu as un si beau rôle, alors que tu nous a abandonnés, maman et moi?

— Que voulais-tu que je raconte à ces enfants qui nous entouraient? mon histoire vraie n'est pas bien intéressante.

— Alors, maintenant que l'on est réconciliés et que tu es mon papa, pour ta punition, tu vas me raconter l'histoire de maman et de toi, pour voir si, cette fois, tu diras la vérité.

Et le vieil homme entreprend le récit de ce qui s'est passé il y a environ dix ans.

— Voilà. Ta mère était très belle. Je n'étais guère riche. Nous nous aimions et nous devions nous marier, malgré notre différence d'âge, lorsqu'un jour, ta mère me dit... (Sur l'écran, on voit l'histoire.)

— Il nous faut un appartement plus grand que cela, voyons, avec l'enfant!...

— Quel enfant?

— Celui que je vais avoir.

— J'espère bien que non. T'imagines-tu par hasard que je vais m'esquinter à gagner de l'argent pour trois alors que c'est déjà si difficile pour deux?

— J'espère que tu ne parles pas sérieusement. Je travaillerai, s'il le faut, mais j'aurai des enfants.

— Je regrette, mais, si tu as un enfant, nos conventions ne tiennent plus.

— La question n'est même plus à se poser, j'aurai un enfant avant l'année prochaine.

— Mais c'est un mensonge. Tu m'aurais prévenu?

— Non, je me doutais de ta réponse, sans doute inconsciemment, et j'ai voulu être sûre d'abord.

— Et tu penses que je vais accepter cela de gaieté de cœur. Mais tu n'auras pas cet enfant!

Et il lève la main sur elle. Mais elle ne bouge pas. Sa froideur à la fois lui fait peur, le calme et l'exaspère.

– Fort bien, je suis aussi têtu que toi. Si tu veux un enfant, tu lui trouveras un autre père.

Elle a une moue de dégoût et s'éloigne. Il ne la reverra plus. Elle est partie et échappe à toutes ses recherches. Que devient-elle? Ce souci le fait vieillir. Il pense qu'il est seul, qu'il n'en a plus pour longtemps. Il se penche alors vers les enfants pauvres. Il est devenu riche et cherche à rattraper son égoïsme passé.

– Veux-tu me pardonner, dit-il à l'enfant.

– Oui, tu as dit la vérité. Mais, comment feras-tu oublier à maman nos années de misère?

– Je suis en effet bien coupable, mais du moment que mon fils lui-même me pardonne, j'espère que je pourrai encore la rendre heureuse comme elle le méritait.

Le lendemain matin, il va prendre le train et arrive à Paris le soir alors que le crépuscule tombe sur la ville. Il monte chez la mère de l'enfant.

– Votre fils n'est pas heureux sans vous. Alors, il y a deux solutions : voulez-vous qu'il revienne, ou préférez-vous venir le rejoindre?

– Comment pourrai-je venir, le voyage coûte cher, et trouverai-je du travail? Il m'est difficile de m'éloigner et coûteux.

– Chez moi, il y a beaucoup de travail et il manque une main de femme dans l'organisation des vacances de mes enfants.

La femme accepte. Elle semble, peu à peu, pendant le voyage reconnaître son ancien amant.

L'enfant les accueille à la gare, et les conduit à la maison. Il est tout joyeux.

– T'a-t-elle pardonné, demande-t-il.

– Je ne sais pas, mais viens avec moi, tu me donneras du courage.

La femme est dans sa chambre. Elle a reconnu sa photo. Elle pleure.

– Je savais bien que je t'avais reconnu, déjà à la gare, je savais que c'était toi.

– Me pardonnes-tu? Regarde, j'ai bien su voir quel était mon fils. Je l'ai aimé entre tous les autres, et toi, je t'ai cherchée si longtemps. Je peux encore te donner tant de bonheur, bien que j'aie gâché ta jeunesse. Nous pourrions être encore si heureux ensemble.

– Je n'ai vécu que pour ce jour où nous nous retrouverions. Mais je voulais que ce soit l'enfant qui nous rapproche, que tu voies bien que le seul lien entre homme et femme, le seul lien durable est l'enfant. Et comme j'avais raison de n'envisager notre union qu'à cette condition. Maintenant je suis heureuse.

Et depuis, les enfants de Paris, qui ont passé de merveilleuses vacances dans la villa du vieux monsieur, ont une mère aussi aimante que la leur et désormais toutes les souffrances sont oubliées.

LA PHOTO ENVOYÉE

1941-42

Un jour, un jeune journaliste qui possédait une certaine aisance personnelle et ne réussissait pas à trouver l'âme sœur, reçut une photo représentant six jeunes femmes jolies et souriantes avec au dos la mention suivante :

« Devinez laquelle vous aime ?... »

Il fut d'abord amusé, comme par une bonne plaisanterie, puis intéressé, puis enfin intrigué et passionné. Il s'assura le concours de son meilleur ami et commença à chercher quelle était la belle amoureuse inconnue qui lui écrivait une telle déclaration. Peut-être était-ce une farce, dans ce cas, il le saurait vite.

Il commença donc à arpenter le quartier qu'indiquait le timbre postal de l'enveloppe, puis, réfléchissant un peu mieux, il parcourut tous les quartiers les plus éloignés de celui du timbre. Aucun résultat.

Il alla au commissariat de police demander sur un ton de conspirateur si l'on n'y connaissait pas une des jeunes filles de la photo. On le prit pour un fou ou un grand inspecteur. Mais il n'apprit rien.

Il passa dans tous les hôtels, toujours suivi de son fidèle ami pour consulter les fiches et retrouver la même écriture que celle de la photo. L'ami, en la voyant, s'est écrié :

— Voici une écriture qui nous présage un fameux caractère, un rien autoritaire.

Enfin, après une semaine d'essais infructueux, comme, de guerre lasse, il va abandonner l'affaire et prendre un bock à la terrasse d'un café, sortant du métro, pimpante et point mystérieuse du tout, arrive une des jeunes femmes du groupe. Le jeune journaliste se précipite sur ses traces. Elle entre dans une maison d'une belle apparence et il va se renseigner chez la concierge.

— Connaissez-vous une de ces jeunes femmes ? Pas un mot.

Police, dit-il en montrant son coupe-file. Et celle-ci en particulier? reprend-il en désignant celle qu'il vient de voir rentrer.

— Celle-ci est une des amies de Mademoiselle Marina... et
Mademoiselle est celle-ci.

Muni de ce renseignement, il loua l'appartement qui se trouvait
juste au-dessus de celui de Marina et emménagea, bien décidé à
poursuivre l'affaire, maintenant qu'elle se précisait.

Pendant plusieurs jours, il guette, par-dessus la rampe de
l'escalier, les personnes qui se rendent à l'appartement au-
dessous. Puis, un jour, elle donne une grande réception, et, pendant que la fête bat son plein, et que toutes les amies doivent être
assemblées, il descend, à l'aide d'une corde, sur le balcon du dessous. Et quand un couple y arrive, il fume tranquillement sur
l'appui de la fenêtre. Il s'introduit, en disant qu'il est journaliste et
qu'il doit faire un article sur la fête, et il prend quelques photos,
pour rendre son histoire vraisemblable. Il est présenté à tout le
monde, et toutes les amies de la photo sont en effet rassemblées.
Chacune a l'air de trouver sa présence fort naturelle et n'a l'air ni
de rire, ni d'être choquée. Il n'apprend rien ce soir-là, mais
comme il est très brillant, et délicat, ils deviennent de grands
amis et il peut les inviter chez lui. Mais, pendant cette petite sau-
terie, il n'apprend rien de plus. Il décide alors de les voir chacune
à leur tour.

Il téléphone alors à Jacqueline; elle est délicieuse et jolie, elle
accepte de sortir un soir avec lui. Un journaliste a toujours une
sorte d'auréole de séduction et ils passent une soirée charmante.

— Pourrai-je vous revoir un de ces soirs?

— Ecoutez, il faudra attendre encore un peu, car ces jours-ci,
mon fiancé revient de voyage.

— Ah!... Vous êtes fiancée?

— Mais oui, Marina ne vous l'avait-elle pas dit? C'est un garçon
délicieux et je l'adore, vous verrez, vous l'aimerez aussi, et
deviendrez de grands amis.

— Ce n'est donc pas elle, se dit le jeune homme déconfit, voyons
les autres, peut-être aurai-je plus de chances.

Marina est une jeune femme déçue qui, elle, n'envisage plus
l'amour. L'amitié très bien, la camaraderie, d'accord, mais, en
général, elle fuit les hommes et n'a consenti à sortir avec le jeune
journaliste que parce qu'il a tant insisté.

— Ce n'est pas elle non plus.

Michelle sort juste du lycée. C'est la plus rousse, la plus pétu-
lante. Quand on lui parle mariage, elle pouffe. Quand on lui dit
que la vie n'est pas un roman, elle ne vous croit pas. Bref, elle ne
vit que pour les bals, les bars, les robes courtes, les flirts. Elle a le
temps de penser au mariage. L'expérience d'abord.

— Pas encore celle-là. Je n'ai pas de chance.

Rochelle, dès la première sortie, lui présente son fiancé, ou
plutôt, celui qui va devenir son fiancé prochainement. Christine

est mariée et adore son mari, il l'apprend car elle lui téléphone pour l'inviter chez elle. Il commence à s'exaspérer. Ou celle qui a envoyé la photo joue la comédie d'une façon très experte, ou celle qui reste est la hautaine Bella. Alors, devant cette dernière hypothèse, le jeune journaliste se sent tout défrisé. C'est la dernière femme qu'il aurait imaginée amoureuse de lui. Elle lui fait peur, elle le glace. Et toujours cette manie tyrannique de vouloir que les gens aient toujours la même opinion qu'elle. Il marche de long en large dans son appartement, il fait un bruit terrible en lançant ses bibelots de tous côtés avec anxiété et colère. Le meilleur moyen, c'est de déguerpir sans bruit. Il se décide à déménager, quand, attirée par le bruit, Bella monte se rendre compte de ce qui se passe. Elle surprend le jeune journaliste en pleine colère. Elle le calme de sa voix froide, le force à sortir prendre un peu l'air.

— Eh bien!... Que vous arrive-t-il? Vous si joyeux, si calme d'habitude, tellement plein de courage? J'avais une telle opinion de vous!...

— Alors, crie-t-il en sortant la photo de sa poche à portefeuille, c'était vous?

— Mais oui, je me demande même comment vous n'avez pas trouvé plus tôt. C'était facile pourtant.

— Peut-être mes goûts me guidaient-ils dans une direction opposée, répond-il d'un ton rogue.

— Savez-vous que ce n'est pas très gentil de me parler ainsi à moi qui après tout vous aime.

— Mais vous ne tenez aucun compte de mes idées sur la question, à ce que je vois!...

— Calmez-vous. Je vous en prie. Tenez, je vous emmène chez mon couturier. Aimez-vous les robes du soir?

— Non, pas du tout!...

— Ah!... Et les fleurs artificielles?

— Encore moins.

— Voyons un peu vos goûts puisque nous sommes sur le terrain des confidences. Aimez-vous les chats?

— Je les déteste.

— Moi je les adore! J'ai horreur des chiens.

— Ce sont mes animaux préférés.

— Et les voyages? Moi ça me rend malade.

— Sans eux je ne pourrais pas vivre.

— Ah!... J'espère que vous vivrez désormais dans une maison stable.

— Pourquoi?

— Une idée.

— Et vous, aimez-vous les idiots, comme moi, qui marchent jusqu'au bout, avec une photo pour appât?

— Oui, c'est une bonne leçon pour l'amour-propre. Et puis, de quoi vous plaignez-vous, après tout, vous m'avez trouvée, alors que vous me cherchiez.

— Pas du tout. Je cherchais une femme qui me plaise.

Une jeune femme passe, jolie blonde, nez en l'air, sourire, jambes magnifiques. Bella dit, d'un air pincé :

— Celle-là peut-être ?

— Oui !... — et il se met à la suivre.

Bella ouvre tout grands des yeux énormes. Elle s'exclame :

— Non !...

NOTRE FAUST

OU
LE VÉLO-TAXI

1942

PROLOGUE

Le vélo-taxi portait le numéro 00000. Il stoppa devant un immeuble sur une grande avenue moderne, un vaste bâtiment banal et prosaïque. L'inconnu en sortit. Il portait un imperméable beige et un chapeau mou. Il s'engouffra dans la cour et commença à grimper posément les escaliers de ciment. Arrivé au second il allait continuer quand il s'arrêta comme frappé d'une idée soudaine. Il revint vers la porte qui donnait sur le palier, tourna le bouton, entra. Un vestibule sombre, puis une grande pièce mal éclairée, remplie d'un fatras d'appareils démodés, même moyenâgeux : cornues, crânes, talismans de toutes sortes, vieux bouquins poussiéreux. Au fond un vieil homme attendait comme en extase, les yeux fixés sur un parchemin couvert de signes cabalistiques.

— Vous m'avez appelé? demanda poliment l'inconnu en touchant le bord de son chapeau.

Le vieil homme sursauta. Une expression de désappointement se peignit sur sa figure d'illuminé.

— Ça y est! encore raté! marmonna-t-il entre ses dents. Vingt ans que j'essaie et rien... toujours rien.

— J'avais cru entendre... continua l'inconnu. Mais j'ai pu me tromper...

— Non... s'exclama soudain le vieil homme, qui revenait à la réalité, en se tournant vers lui; je n'ai pas appelé... pas vous du moins; excusez-moi, il faut que je continue mes travaux.

— Pardon... j'avais cru... fit l'inconnu.

Il sortit, souriant d'un air amusé.

« C'était presque ça... » fit-il encore, pour lui-même. « Sacré vieux bonhomme tout de même! »

Il continua de gravir l'escalier. Au cinquième, il regarda sa montre. Six heures cinq. Il entra. Il semblait attendre. Un jeune homme en le voyant sursauta.

— Déjà! cria-t-il presque.

— Oui, venez, dit l'inconnu.

L'autre se dirigeait vers la patère pour prendre son pardessus.

— Pas la peine, ajouta-t-il, vous n'aurez pas froid.

Ils redescendirent sans souffler mot. Et le vélo-taxi les emportait dans la nuit tombante.

(FIN DU PROLOGUE)

Jacques Loustalot, muni de son haut petit col raide et blanc, secouait vigoureusement un shaker étincelant sous l'œil amusé de Patrice, son meilleur ami, qui classait quelques disques sur une petite table.

— Qu'est-ce que c'est que celui-là? demanda Patrice, que l'on appelait plus généralement Pat; Jacques, l'œil sévère, lui répondit :

— Un tiers cognac, un tiers abricot, un tiers Martini, de la glace, et de l'huile de bras.

— Où as-tu eu de l'abricot? demanda Pat d'un air puissamment étonné.

— T'en fais pas, cligna Loustalot, c'est du sacchariné. Mais faut pas le dire. Sais-tu que nous aurons Marielle tantôt?

— Sans blague? répondit Pat en rougissant; Jacques l'observait et remarqua narquoisement :

— Toujours épris, très cher? Pourtant c'est pas swing pour deux sous, à notre époque.

— Te fiche pas de moi, rétorqua Pat. C'est pas ma faute. Je voudrais bien savoir comment lui plaire, continua-t-il en changeant de ton.

— En devenant un grand musicien de jazz, répondit Loustalot. Tu sais qu'elle ne jure que par le jazz.

— Je dois t'avouer, dit Pat en baissant le nez, que depuis six mois j'ai acheté une trompette de jazz et que je prends des leçons avec Renard.

— Non? dit Jacques suffoqué. Et tu peux tirer des sons de cet outil?

— Ben... oui.

— C'est pour ça que tu avais la gueule enflée comme ça au mois de juin? Quelle andouille! admira Jacques.

— Tu crois que j'ai des chances?

— Oui, si tu joues bien. Tu sais bien comment elle est, Marielle. (Ce disant, Jacques dévissa son shaker et remplit les verres qui attendaient.) Depuis que nous la connaissons ni toi ni moi ne l'avons vue flirter avec personne.

— Si, ragea Pat, avec cette espèce de sale chef d'orchestre du cabaret... Je ne me rappelle plus son nom... où nous avions fini la soirée après le mariage de Jo... tu sais bien.

— C'est vrai, acquiesça Jacques en cassant habilement un verre à porto. Tant mieux. Comme ça j'en aurai un nombre pair. Non!

impair! (car il venait d'en casser un autre) mais c'est bien quand même... enfin un nombre! quoi!... Faut avouer, continua-t-il, que nous avions l'air bien gourdes ce soir-là.

A ce moment on entendit un meuglement puissant à la porte d'entrée et une demi-douzaine de jeunes gens firent irruption dans la pièce. Trois ou quatre portaient des bouteilles ou des gâteaux.

Pat et Jacques s'empressèrent autour des nouveaux venus.

— C'est vous qui faites ce potin? demanda Jacques.

— Non, c'est Luc qui a vendu sa moto, il a juste gardé le klaxon. Il va arriver.

Et Luc arriva effectivement.

— Marielle n'est pas avec vous? continua le maître de céans.

— Elle s'est arrêtée au Dupont avec Georgina pour écouter les derniers disques qu'ils ont mis dans leur machin automatique à vingt sous, leur apprit une petite fille à l'air ingénu, avec un grand ruban rouge dans ses cheveux blonds, une veste immense et une petite jupe, qui apparaissait sous une loutre en lapin.

Pendant ce temps, les jeunes gens posaient leurs paquets, mettaient leurs pardessus au vestiaire, tandis que les filles se dirigeaient en bavardant vers la chambre de Jacques pour y étendre soigneusement leurs parapluies et leurs manteaux. Ce faisant, elles échangeaient des réflexions, allumaient des cigarettes, riaient avec une simplicité parfaite, et s'enthousiasmaient pour le nouveau disque que Pat venait de poser sur la platine du pick-up. Puis se dirigeant vers le studio, jeunes gens et jeunes filles commencèrent à danser. Pat, au buffet, buvait les cocktails de Jacques et regardait sa montre. Gigi, la petite au ruban rouge, vint bavarder avec lui.

— Tu danses avec moi, Pat? lui demanda-t-elle avec des yeux câlins.

— Volontiers, ma grosse Gigi, répondit Pat en l'enlaçant voluptueusement.

— Grosse? Te paye pas ma tête, grand vilain mufle, rétorqua-t-elle d'un air courroucé, moi qui suis légère et fine comme... mais Pat, entendant la sonnette, l'avait brusquement lâchée et bondissait vers la porte où un gros homme moustachu apparut soudain.

— J'viens pour le compteur à gaz, expliqua l'aimable apparition. Où qu'il est?

— Jacques! appela Pat. On te demande.

— Pardon! dit Jacques qui s'était approché. Je n'ai rien d'un compteur à gaz. Venez avec moi, monsieur.

Pendant ce temps, Pat était retourné dans le studio, l'air penaud. Gigi ne lui tint pas rancune et continua à danser les dernières mesures du disque avec lui.

— Qui donc attends-tu, Pat, lui glissa-t-elle mystérieusement. Georgina ou Marielle?

— Personne, voyons, dit Pat l'air gêné et la petite éclata de rire.

— Viens boire un verre, mon gros Pat, dit-elle, ça te remettra.

Mais au moment où passant son bras sous celui de Gigi, Pat se dirigeait vers la table, la sonnerie retentit une seconde fois. Il la lâcha une seconde fois et tandis qu'elle se croisait les bras avec indignation, il bondit à la porte pour ouvrir à deux filles fort élégantes qui arrivaient, suivies à quatre marches d'un garçon sympathique habillé fort swing.

— Bonjour Georgina. Bonjour Marielle, fit Pat. Bonjour Robert! cria-t-il au type qui montait la dernière marche à ce moment.

— Réussie, la surprise-party? demanda Georgina. Mon vieux, on vient d'écouter des disques! Formidables. Il y a un solo de batterie dans le dernier de Garron, quelque chose de magnifique. On ne se tenait plus. Hein, chou? conclut-elle en se tournant vers Marielle. (Elle reprit sans écouter la réponse :) Voilà, Pat, on n'avait plus un traître ticket de pain de la quinzaine, alors on a apporté des fruits.

Pat interrompit ce flot de paroles en les poussant vers le studio.

— Donnez-moi vos manteaux, dit-il. Je vais les mettre chez Jacques.

Puis il y alla.

— Oh! Pat, cria Georgina, rapportez-moi mon sac! Je suis épouvantablement faite et j'ai besoin d'un sérieux coup de replâtrage. Viens, Marielle, on va boire un petit peu. Ce que je me sens swing, aujourd'hui. Oh! tu entends ce disque! viens danser ça. Jacques, cria-t-elle en se trémoussant au milieu du salon, où as-tu trouvé cette merveille? Allô! Georges, viens danser ça avec moi... et le couple commença au milieu du studio une exhibition chaotique sur le mode accéléré qui eût été grotesque sans la sympathique jeunesse des exécutants.

Cependant Pat, l'air tout esseulé, regardait avec anxiété Marielle qui se repoudrait. Enfin elle leva son petit nez et lui sourit. Il bondit alors vers le pick-up, arrêta net le step effréné qui sévissait et le remplaça par un slow langoureux qui lui valut une bordée d'insultes.

— Pat! mon plus mauvais disque!

— Encore un de tes airs à la gomme!

Mais Pat s'était emparé de Marielle et implorait... — Marielle, un petit slow, rien qu'un, avec moi! je sais que vous n'aimez pas ça, mais c'est tellement plus commode pour parler...

— Et qu'avez-vous donc à dire? demanda Marielle, l'air faussement étonné. Faites plutôt attention à Gigi qui a l'air d'avoir un peu bu.

— Qu'importe Gigi. Vous moquez pas de moi tout le temps. Vous savez bien que je ferais n'importe quoi pour vous plaire.

— Devenez un musicien de jazz célèbre, dit Marielle en riant, et je serai à vous. Pourquoi toujours tergiverser. Allez-y, voyons, avec le coffre que vous avez!

— C'est que... dit Pat... j'ai pris des leçons de trompettte...

— Non! s'exclama Marielle. Mais cela marche?...

— Pas mal! avoua Pat mais vous savez, j'y connais pas grand-chose. On ne peut pas se juger soi-même... Merci, Marielle, ajouta-t-il pendant qu'elle se dégageait, car la danse avait fini.

Au même moment, dans une rue de Paris, passait le vélo-taxi n° 00000 et l'on pouvait voir le raide profil de l'inconnu, tiré par son étrange petit pilote, et le numéro passait et s'estompait dans le crépuscule qui venait.

Dans la salle pleine de l'odeur des cigarettes au maïs, dont la fumée, maintenant refroidie, piquait un peu les yeux, Jacques et Pat, maintenant seuls, contemplaient les résultats de la fête.

— Vois-tu, disait Jacques à Pat, ces cendriers à fond mobile sont bien commodes.

Et il extirpait d'un tel cendrier monté sur un pied, un nombre considérable de mégots à peine entamés.

— L'art, à notre époque, est d'utiliser les restes.

Et bourrant sa pipe avec soin, il l'alluma religieusement. Pat comptait les verres cassés avec un air ravi.

— Ben mon vieux! ils ont bien travaillé!

— Crénom! jura Jacques. Les salauds! c'est plein d'eucalyptus, cette cochonnerie-là. C'est moi que je suis eu, conclut-il simplement.

Et il vida par la fenêtre sa boîte à mégots. Une heure plus tard, vingt clochards se livraient une bataille rangée sur le trottoir.

Cependant la conversation continuait.

— Pas mal réussie quand même! dit Pat en riant aux anges.

— Marielle? non, pas mal. Ses parents étaient des gens de goût, dit Jacques.

— Pas Marielle! la surprise-party! Mais Marielle aussi quand même! Mon vieux, c'est une fille au poil. Seulement elle me l'a encore dit. Il faut que je joue de quelque chose.

— Le diapason est un instrument simple, railla Jacques, et d'encombrement réduit. Écoute, poursuivit-il. Tu joues un peu de la trompette? Eh bien! tente ta chance. Je dois te dire qu'on tourne pas mal autour de la jeune personne. Va te présenter à un chef d'orchestre, passe une audition, fais n'importe quoi, mais... démerde-toi. Sans ça, elle te passe sous le nez.

Pat était devenu blême.

— Qui donc tourne autour?

— Ben mon vieux, tu ne vois qu'elle, alors! parce que tu aurais sûrement vu Roger.

— Roger Gaillard? il joue de rien.

— C'est vrai, ça, il joue de rien. Mais il a pas mal de sous et les parents se connaissent.

— Le salaud !

— Tu sais, c'est pas sa faute s'il la trouve bien. Qu'est-ce qu'il y a comme salauds parmi mes amis, bonne mère !

Pat avait pris son manteau et son chapeau.

— Mon vieux, demain je vais voir Renard, Barelli et les autres et leur parler sérieusement. Tant pis, je risque le coup.

— Va ! mon fils, lui dit Jacques en lui tendant un dernier mégot, que l'autre mit machinalement dans sa poche.

A la lueur bleutée d'une lune resplendissante, Pat, arrivé en bas, considéra avec étonnement le groupe de sept clochards qui se battaient à grands coups de pique-mégots. Un vieux miteux arrachait la barbe à un de ses congénères pendant que les cinq autres faisaient une mêlée compacte autour des mégots qui jonchaient le sol. Il se paya le luxe de jeter son dernier mégot aux deux premiers qui se battirent de plus belle. Puis il s'éloigna, le col de son manteau relevé, et se hâta car la limite d'heure approchait.

Le lendemain vers neuf heures et demie, Pat, de son lit, téléphonait à Loustalot qui tout ensommeillé, répondit à la question posée : — Voilà mon vieux, j'arrive.

Il arriva dix minutes après et Pat, sa trompette à la main (dans son étui bien entendu), se dirigea accompagné de Jacques vers le plus proche métro. Ils prirent place non sans peine dans un compartiment bourré.

Peu d'instants après ils descendirent, s'arrêtèrent devant un grand immeuble et montèrent, après une hésitation, les marches jusqu'au premier.

Dans une vaste salle nue, le jazz d'Alix Combelle répétait.

Ils écoutèrent jusqu'au bout le morceau, puis Pat se présenta.

— Écoutez, dit Combelle, en principe, je veux bien vous écouter. Venez avec moi. Viens, dit-il à son guitariste, tu vas l'accompagner. Vous autres, continuez à répéter.

Un quart d'heure après, Pat repassait la porte avec Jacques.

— Alors ? dit celui-ci.

— Ben... il m'a dit qu'il me ferait signe.

— Ah ? Ben... évidemment. Tu as compris ?

— Je crois, oui...

— Essayons un autre... proposa Jacques.

— Oui... Pas la peine que tu viennes avec moi, tu sais, maintenant. J'aime mieux tout seul.

— Comme tu voudras, vieux, acquiesça Jacques. Au fait, ajouta-t-il en regardant sa montre, je dois pouvoir rencontrer les autres au Pampam à cette heure-ci, ou au Bois.

Il y fut, et trouva Marielle, Georgina et Roger.

— Ho ! camarades, comment allez-vous ?

— Tiens ! Jacques ! s'exclama Georgina tandis que Roger s'écriait :

– Loustalot! Quel bon vent t'amène?

– Avais envie de vous voir... comme ça. Une idée de fou.

– Trop aimable? Qu'as-tu fait de ton ombre, Pat?

– Non, qu'ai-je, ombre, fait de mon Pat. Vous savez bien que c'est moi l'ombre. Je l'ai laissé se dirigeant chez Ekyan, ou au Hot Club de France, ou quelque part par là. Il veut se faire entendre de quelques bons swing-men pour tenter sa chance.

– Vrai? demanda Marielle. Et il en a des chances?

– Ben... vous savez, moi je ne l'ai encore jamais entendu... Si, un jour où il a voulu faire une blague au pipelet, il a joué *Soldat réveille-toi* à onze heures du soir.

– Oh! quel idiot.

– Oui, on ne peut pas bien juger sur ce morceau-là, vous comprenez. Mais parlons de vous, très chère, puisque Roger et Georgina flirtent ensemble.

– Oh! Jacques! Vous savez, je suis si contente! Daddy vient d'acheter une maison à Hossegor au soleil... enfin on va cesser de geler dans cet horrible Paris sans chauffage central.

– Mais... vous allez partir, alors?

– Oui, dans quinze jours, avec Maman et mon petit frère.

– Vous n'oublierez pas vos vieux copains. C'est pas si facile de revenir que de s'en aller, en ce moment...

– Oh! Jacques! Non... ni vous... ni Pat.

– Pat! Je le plains. Ou plutôt je me plains. Qu'est-ce qu'il va me faire comme tête! Garçon! appela-t-il.

– Vous partez, s'enquit Marielle. Je vais rentrer aussi...

– Oui. J'ai à passer chez mes parents avant de rentrer. Excusez-moi, dites, Marielle.

– Vont bien, vos parents?

– Ben... toujours divorcés, vous savez. C'est pas très commode parce qu'ils continuent à s'entendre très bien... ça déroute un peu les gens. Moi, pourvu qu'ils m'aiment!... conclut-il comiquement.

– Jacques, vous êtes un idiot. Allons, au revoir, à bientôt. Dites-nous, pour Pat...

– Oui... on vous voit tous demain, au fait, à la surprise-party chez Roger Spinart. Nous y serons, Pat et moi. Pat doit amener sa trompette, il y a trois de ses copains : un pianiste, un saxo, une batterie, et Jef joue de la guitare.

– Ça sera zazou en diable. Surtout qu'il y aura des tas de vieux, ça coïncide avec les noces d'argent de ses parents. On fera danser les hommes à barbichette, hein, Jacques.

– Non! pas moi! moi, j'aime mieux les rombières, minauda Jacques. Au revoir Marielle, je file.

Le soir, vers six heures, Pat venait à peine de rentrer quand Jacques sonna et vint le rejoindre.

– Alors, vieux? Ça a marché? (Puis voyant sa mine atterrée :)

Allons! Pat! te frappe pas comme ça! T'es pas encore fichu! Après tout, tu n'en joues pas depuis si longtemps!

— Mon vieux, tu ne sais pas ce que j'ai dû entendre. C'est dur, ajouta-t-il avec un sourire piteux, de s'entendre dire qu'on ferait mieux de jouer des polkas dans les foires...

— Oh! tu sais, ils ont tous plus ou moins commencé par ne pas savoir jouer.

— Ah! ça! c'est certain. Mais ça m'importe peu. Comprends-tu, Jacques, il *faut* que j'aie Marielle. Je ne peux plus. Ça a l'air bête, dit comme ça, mais j'en rêve. Et je crois que c'est le seul moyen. Elle m'aimera après. Tout m'est égal pourvu que je l'aie. Mais que faire?

— *Vends ton âme au diable!* suggéra Jacques.

Le vélo-taxi 00000 roulait maintenant dans une rue voisine de celle où demeurait Pat, et l'inconnu semblait écouter attentivement quand résonnèrent dans l'étroite cabine ces mots:

... Vends ton âme au diable...

L'inconnu toucha de sa canne la vitre de devant.

— Vous avez compris? dit-il au pilote.

L'autre qui mettait pied à terre, montra simplement la porte de l'immeuble qui béait, noire, au-dessous du réverbère bleu.

Jacques ajoutait à ce moment:

— Écoute, Pat, c'est jour sans, mais je vais descendre chez le père Lhespitaou, le bistrot du coin, il me donnera sûrement de quoi faire quelques cocktails. Invoque le diable pendant que j'y cours.

— Le diable, répétait Pat resté seul, si seulement je pouvais lui donner mon âme en échange du talent, je l'accepterais volontiers.

Machinalement, après avoir accompagné Jacques, il tourna le verrou dans sa gâche, malgré quoi, à sa grande stupeur, entra dans le vestibule l'inconnu à l'imperméable.

— Bonsoir! fit l'inconnu.

— Mais... Monsieur... répondit Pat.

— Vous avez... quelque chose à vendre?

— Eh bien... répondit Pat, se demandant s'il avait affaire à un fou, oui... bien sûr!... et il rit bêtement.

— D'accord. Dans un an et un jour je prends livraison. Au revoir, je sais ce que vous voulez en échange.

— Mais... dit Pat... Vous prendrez bien quelque chose... Mon ami va revenir. Vous avez dû le croiser.

— Volontiers. Bavardons.

— Une cigarette? proposa Pat.

— Oui! merci.

Pat allait lui proposer du feu quand il vit l'autre enflammer la cigarette à la première aspiration.

— Je conçois que vous désiriez jouer de la trompette, assura l'inconnu, mais un conseil. Essayez le saxo ou la clarinette, ce sont des instruments charmants.

A ce moment on entendit la voix de Jacques à la porte.

— Ho! Pat! Ouvre! il fait un froid du diable, dehors!

— Ce jeune homme n'a pas l'air instruit! remarqua l'inconnu. Pat alla ouvrir.

— Ah! vieux! s'exclama Jacques, j'ai rencontré un type en descendant tout à l'heure! Quelle sale gueule! Tiens, tu as un visiteur! Bonsoir monsieur, dit-il, aimablement tourné vers l'inconnu.

— Allez, fais-nous des cocktails, Jacques, au lieu de dire des stupidités, dit Pat avec une certaine gêne.

— Bon. Je vais vous faire un truc à réveiller un mort. Et vous savez, monsieur, je m'y connais.

— Vous n'êtes pas le seul! remarqua poliment l'inconnu. Pat, durant ces répliques, avait l'air halluciné.

— Rendez-vous compte, poursuivit l'inconnu s'adressant à présent à Pat, que vous avez un talent qui vous permettra de surclasser les meilleurs solistes actuels du continent.

— Ah! oui? fit Pat, ahuri.

— C'est ce que je lui disais, fit Jacques, qui se démenait du buffet à la table où il avait posé ses trois bouteilles. Pat! il ne te restait pas du cognac?

— Si! fit Pat, dans ma chambre. Je vais te le chercher.

— Dépêchez-vous, fit l'inconnu, je crois qu'on m'attend.

— Où ça? fit Jacques indiscrètement.

— Je ne sais pas encore où, fit l'inconnu qui semblait écouter. Non! c'est raté. Allez-y, continuez.

— Je?... continuer? moi?... Ah! Bon.

Et Jacques ajouta à sa mixture le contenu de la bouteille que lui amenait Pat.

— Buvez... dit-il tendant un verre à l'inconnu. Bois, mon mignon, dit-il à Pat.

Et il but lui-même d'un trait son breuvage.

— Crénom! jura-t-il. Quel tord-boyaux!

— Vous trouvez? demandait l'inconnu qui avait bu ça comme de l'eau. C'est un peu pâle. Redonnez-m'en un verre. Pat, pendant ce temps, toussait à rendre l'âme. L'inconnu but son verre et se leva.

— Charmante soirée, dit-il. Au revoir.

— Au revoir! dit Pat.

— Adieu! fit Jacques.

— Certainement pas, sourit l'inconnu, et il sortit.

— Qui c'est? demanda Jacques.

— Le diable, je crois, répondit Pat l'air hébété.

— Te paye pas ma gueule, fit Jacques. T'aurais eu qu'à lui demander Marielle!

— Il peut pas! elle l'a pas appelé, dit Pat l'air halluciné. C'est clair, il ne peut agir que sur l'âme de ceux qui l'invoquent. Je veux Marielle de son plein gré à elle. Tu me comprends, hein?...

– Voui! fit Jacques. Tu feras bien d'aller te coucher. Je crois que ma drogue était un peu raide pour ta mignonne cervelle. Je me sauve, vieux. Tu seras demain chez Spinart avec ta trompette?

– Oui... passe me prendre ici, on ira avant... Bonsoir, vieux... et il referma la porte pendant que Jacques s'éloignait dans l'escalier en chantonnant.

Jacques, le lendemain, se dirigeait vers deux heures dans la direction de l'appartement de Pat, quand il fut accosté par un grand garçon brun, l'air Américain du Sud, qui lui tapa familièrement sur l'épaule.

– Allô! Jacques. Comment vas-tu, vieux? Tu te rends déjà chez Spinart?

– Non, trop tôt, fit Jacques en regardant sa montre. Je passe prendre Pat.

– Je t'accompagne un bout de chemin. Dis donc, il paraît qu'il amène une trompette. Il en joue bien?

– Beuh... comme ça... je crois. Je l'ai jamais entendu.

– Embêtant... parce que les autres musiciens, tu sais, c'est pas des amateurs... il y aura comme guitariste Chaput... et les trois autres ont déjà fait tous les tournois de jazz avec un succès assez... conséquent.

– Ben... Pat se débrouillera, fit Jacques. D'ailleurs, nous voici chez lui.

– Je monte avec toi?

– Oh, mon vieux Jim, vaut peut-être mieux pas... Tu sais, hier soir il avait une drôle de gueule... il était persuadé qu'il venait de voir le diable... alors il est un peu nerveux, tu comprends. Si tu le surprenais en train de travailler, ça ferait peut-être des étincelles.

– Le diable! bigre! drôle d'idée, fit Jim en riant. Je monte avec toi jusqu'à son étage et je te laisse. J'ai du temps à tuer, tu comprends.

Ils montèrent. A l'étage qui précédait celui de Pat, ils entendirent une note, sortie du gosier d'une trompette, note tenue, suraiguë, étincelante, qui se prolongea durant toute la montée des dernières marches.

– Pas mal son dernier disque, fit Jim. Allons, au revoir, vieux. A tout à l'heure.

– Son disque?... oui... à tout à l'heure, fit Jacques, sur le front de qui perlaient quelques gouttes de sueur.

Il attendit quelques secondes, esquissa un signe de croix; hésitant sur le sens, termina sur un signe de croix orthodoxe et poussa la porte.

Son premier regard fut pour le pick-up.

– Non! hurla Pat dans son dos, si bien que l'autre sursauta... Il est fermé. C'est moi!...

Il avait perdu son air accablé, mais ses yeux brillaient maintenant d'un éclat presque insoutenable, hallucinés toujours, eût-on dit, par on ne sait quelle vision.

– C'était bien *ça*, continua-t-il, le type d'hier. Je joue mieux que tous, je les bats tous... j'aurai tout! la gloire, les femmes, l'argent.

– Marielle! fit Jacques.

– Oui, Marielle, les autres aussi, toutes. Écoute ça! j'ai un disque d'accompagnement.

Et il se mit à jouer, ayant fait démarrer son pick-up, un stomp allègre dont les notes cuivrées s'égrenaient, magnifiquement soutenues par un fond de contrebasse, guitare, piano et batterie. Jacques pendant ce temps, ravi, marquant malgré lui la mesure avec sa tête, ses pieds, tout son corps, s'épongeait fiévreusement le front avec un petit napperon qu'il avait trouvé là.

– Ah! mon vieux! mon vieux! fit Jacques quand il eut fini. Ça... ça vaut un cocktail... maison. Il te reste des produits. Bon. Tu vas voir.

Il accomplit religieusement sa tâche, et ouvrant le buffet, sortit pour la couronner un plat d'olives. En prenant une entre le pouce et l'index, il la projeta délicatement dans le verre qu'il tendit à Pat. Puis il en fit autant pour lui-même.

– Voilà. Celui-là s'appelle : «le diable dans le bénitier». Ah! Ah! elle est bien bonne. Avoue que tu étais marrant hier soir. N'empêche que je ne comprends pas que Combelle t'ait refusé, jouant comme ça... Tu avais le trac... Quoi! Qu'y a-t-il?

– Bougre d'âne... grinçait Pat entre ses dents. Mais tu n'as donc rien compris et tes plaisanteries sont stupides! Mets-toi bien dans la tête que jusqu'à hier, *je ne savais pas jouer de la trompette*... je ne sortais pas deux notes propres, enfin.

– Alors hier... l'homme! toi... lui... Enfin... Seigneur!... gémit Jacques en s'effondrant dans un fauteuil! C'est un rêve, ajouta-t-il en se versant son verre dans le cou, d'un air de profonde certitude. Cré nom de... Zut! je ne sais plus! Oh! ma tête, geignit-il enfin. Le diable! Je suis gâteux! nous sommes tous gâteux.

Ils arrivèrent chez Spinart. C'était morne. Une rangée de vieux birbes et de vieilles cousines montaient une garde d'honneur assis sur des chaises du salon. Près du piano, trois jeunes gens, l'un portant une guitare, l'autre un saxo, le troisième assis au piano, écoutaient d'un air morne les filandreuses polkas que dévidait un pick-up, pendant qu'une jeune fille maigre à lunettes, un gras jeune homme et trois ou quatre couples du même genre s'escrimaient sur la piste et que plus loin une douzaine de jeunes gens un peu plus modernes s'étaient massés et conversaient à voix basse.

Spinart vint à leur rencontre et les présenta. Puis voyant la valise de Pat :

– Ah!... bien. Faut les réveiller un peu. Viens, je vais te faire connaître mes copains musiciens.

Cinq minutes après retentissaient quelques brefs éclats du

cuivre et du saxo, et un fox irrésistible entraînait dans un mouvement rythmé les douze égarés du début. On vit, chose curieuse, les vieux birbes hocher la tête avec dédain, et quelques réflexions furent échangées.

— ... Cette musique de fous!

— ... de mon temps!...

Etc.

Mais chose encore plus curieuse, un quart d'heure ne s'était pas écoulé que les mêmes vieux invitaient leurs compagnes et que le swing agitait follement les vieilles barbes et les poitrines éléphantesques des douairières.

A ce moment, Marielle arriva. Jacques l'accueillit, sur la prière de Spinart qui dansait avec une belle rousse, et ils échangèrent quelques impressions.

— Bonjour, Marielle. Va bien?

— Pas mal. Bien swing ici. Quoi? c'est Pat qui joue! Oh! quelle merveille!

— Vous ne vous y attendiez pas, hein. Moi non plus.

— Vous dites?

— Heu... rien... balbutia-t-il... je veux dire : il est très en forme. D'ailleurs il s'arrête... il doit vouloir vous parler.

Pat arrivait.

— Bonjour Pat! Félicitations, mon cher!

— Marielle... C'est pour vous que je jouais, c'est pour vous que je joue comme ça.

— Vous n'en avez que plus de mérite, car je n'étais pas là, rit-elle. Dommage que je parte bientôt. Hélas, d'autres belles en profiteront!

— Quoi? demanda-t-il en pâlissant. Vous partez?

— Oui... dans huit jours, dans le Midi, mon père a acheté une maison... Oh! je vous écrirai!

— Mais vous ne m'oublierez pas... Marielle!

— Oh! que vous êtes dramatique! Je vous aime bien quand même, parce que vous jouez presque aussi bien que Barelli. Venez danser avec moi, j'ai amené des disques. Et puis vous rejouerez! Je veux danser avec Jim, avec Jacques, avec tous! je pars bientôt, faut que j'en profite.

Elle avait l'air très en train et Pat comprit qu'il ne pourrait lui parler sérieusement ce jour-là. Il la prit par la taille et ils se perdirent dans la foule des danseurs...

Deux heures après, le bal finissait. Les musiciens bavardaient avec Pat. Tout le monde était parti.

— Oui... fit Chaput, venez répéter au Hot Club avec nous. C'est sympa, vous y trouverez Ekyan, Chiboust et les autres.

Jacques, un peu à l'écart du groupe, les écoutait l'air inquiet.

— Parfait, répondit Pat. Alors demain si vous voulez. A cinq heures. 14, rue Chaptal! O.K.

– Dis, vieux, demanda Jacques qui s'était rapproché... c'est sérieux?

– Tout ce qu'il y a de sérieux.

– Alors... demain... tu joueras encore comme ça?

– Mais enfin, bon Dieu, pour qui le prends-tu? pour un fumiste?

– D'abord, ne dis pas bon Dieu en parlant... de... lui!... C'est de mauvais goût. Et puis, comme fumiste, il paraît qu'il a un fameux chauffage central. Mais Pat, au nom du ciel – zut! encore une gaffe – est-ce que je rêve?

– Mais non! mais non! Je t'assure que tu ne rêves pas...

Jacques, rue Chaptal, attendit dans la discothèque l'arrivée de Pat quand retentit la sonnette de l'entrée. C'était Joseph Reinhardt qui entrait. Jacques écoutait un disque de la collection du HCF. Delaunay, assis à son bureau, préparait une conférence. Il leva la tête et dit à Jacques, qui baissa le pick-up pour écouter :

– Il amène sa trompette, au moins, votre copain. Parce que j'en avais une ici, mais elle est prêtée pour l'instant. J'ai seulement un saxo et une clarinette.

– Je crois, fit Jacques. Il se débrouillera.

Et il continua à écouter son disque.

Pat arriva peu après. Jacques descendit à sa rencontre et le trouva dans l'entrée.

– Tu as ta trompette?

– Non. Y en aura bien une ici.

– Je ne crois pas. Viens toujours voir à la cave.

A la cave étaient déjà les camarades de Pat et Joseph Reinhardt, qui grattaient mélancoliquement les cordes. Une clarinette attendait dans un coin. A ce moment, Pat revit dans une brève vision l'inconnu qui parlait... – Un conseil! essayez le saxo ou la clarinette... ce sont des instruments charmants – puis la vision s'éteignit.

– Jacques, souffla-t-il haletant... prends la clarinette et passe-la-moi.

– T'es fou, vieux, tu ne sais pas en jouer.

– Rappelle-toi... C'est un instrument charmant.

– Ah!... murmura Jacques. Je ne vois pas? mais enfin je ne veux pas te vexer...

Quelques secondes après, avec une virtuosité prodigieuse, Pat détaillait les premières mesures d'un air léger mis à la mode récemment par le quintette, et les cinq se perdaient dans une improvisation magistrale.

À la fin, Joseph se tourna vers Pat.

– Mais au fait, dit-il lentement, vous n'avez pas un copain qui joue de la trompette?

– C'est moi! fit Pat en riant.

– Mince! dit simplement Joseph... et il plaqua un accord étonné.

Pendant ce temps, divers individus s'étaient massés sur les marches du petit escalier qui descendait à la cave et Delaunay eut de la peine à se frayer un chemin jusqu'aux musiciens.

— Barelli est là... dit-il. Je vous l'amène.

— Amenez aussi un saxo! fit Pat.

— Mince! dit Joseph! vous jouez aussi du saxo?

Les autres, durant ces répliques, n'avaient pas cessé de gratter les instruments rythmiques, très énervés.

— Alors, dit Chaput, on commence...

— Gi! gueula Barelli qui arrivait et qui saisit sa trompette. En place! messieurs.

Il avait un léger accent méridional qui ensoleilla l'atmosphère.

— Tenez, dit Delaunay en tendant un saxo à Pat. Allez-y.

Les autres avaient déjà commencé. Pat exécuta un contrechant magnifique au solo de Barelli. La batterie s'était déchaînée et dans la petite cave, la fumée bleuâtre des cigarettes mettait une brume inquiétante. Quand Pat démarra un solo bondissant coupé de breaks inouïs, l'enthousiasme fut à son comble. Un sourd murmure, rythmé, partait des rangs des spectateurs qui oscillaient, possédés par le swing terrifiant qui émanait du jeu de Pat. Le morceau allait se terminer, trompette et saxo, quand débuta un chorus de clarinette. Rostaing était arrivé, accompagné de [*illisible*] qui prit le chorus d'après sur son saxo ténor et ils finirent l'air dans un mouvement puissant, sous les applaudissements frénétiques des jeunes qui les écoutaient.

— Fameux! dit Delaunay. Le 25 à la salle Pleyel, ça vous va?

— D'accord, fit Pat. Vous vous arrangerez avec Jacques. C'est mon secrétaire.

— Ah? Bon! fit Jacques un peu ahuri. Y a quelque chose à signer?

— Venez, dit Delaunay. On va arranger ça avec Ficelle.

Ils montèrent chez Ficelle. Au même moment arrivait Ravenez avec une bouteille de Martini.

— Salut, Charles! J'ai de quoi boire.

— Bonne idée! viens avec nous. On va boire ça chez Ficelle.

Puis en haut, ils s'installèrent sur les petits tabourets rouges, et au son d'un disque très hot, se mirent à discuter...

En sortant, Pat, grisé par le Martini, le triomphe et le bruit, passait son bras sous celui de Jacques, et à moitié abruti, regagnait son domicile.

— Alors, hein, je les ai eus!

— Tu étais formidable, mon vieux.

— Tu crois qu'elle voudra de moi, maintenant?

— Bien sûr, mon vieux.

— Mais pourquoi part-elle, dis, Jacques?

— Elle te l'a dit, son père a acheté une maison là-bas. Mais elle reviendra. Et puis tu iras, toi.

– C'est vrai!... dans deux mois, Jacques, je suis le plus riche de la terre. J'irai, je la verrai... je l'aurai! Ah, Jacques, c'est pas formidable, ça?

– Si! Si! mon vieux, bien sûr.

– On ira la voir à la gare pour lui dire au revoir, hein?

Et le train attendait en gare...

Marielle, sur le quai avec sa mère et son petit frère, était très entourée. Pat et Jacques arrivaient, s'inclinèrent devant sa mère. Puis celle-ci se dirigea vers le wagon.

– Marielle! ma chère! Nous n'avons plus que neuf minutes!

– Oui, maman, je viens tout de suite.

Elle se tourna vers Pat :

– Alors! triomphateur! Vous n'oublierez pas vos amis, grisé par le succès? Envoyez-moi vos disques, n'est-ce pas?

– Marielle! Vous savez bien que je ne vous oublierai jamais...

– Ben! ce que vous êtes sérieux! Souriez, au moins! Ne dirait-on pas que je pars pour le Kamtchatka! Vous viendrez me voir au soleil quand vous partirez en tournée.

– Sûr! approuva Jacques qui se rapprochait. Mais faudra pas me séduire mon poulain!

– Ah! Ah! vous êtes le manager?

– Manager, secrétaire, homme du bar, etc. A votre service, mademoiselle. Allons, Marielle, montez maintenant, vous n'avez plus qu'une minute.

– Au revoir tous! Au revoir...

Puis le train partit... Pat et Jacques quittaient la gare. Pat discourait avec fièvre.

– Tu verras, mon vieux, le 25... Ce sera formidable. Il paraît que j'ai des affiches!...

L'affiche étincelait, bleue et rouge. Sur le bord du trottoir, la boîte de colle béait. Un chien peu scrupuleux s'approcha, leva la patte, urina copieusement dans la colle. Le colleur se retourna.

– Bougre de salaud! Veux-tu me foutre le camp!

Il le pourchassa quelques mètres. Quand il se retourna, un autre chien pissait dans la gamelle.

– Ah ça! qu'est-ce qu'ils ont!... en attendant, celui-là, dit-il en regardant l'affiche, si ça lui porte pas bonheur!

Le 25
P A T
DU MONT
ET SON
ORCHESTRE

A la grande salle Pleyel, le 25, le contrôle était déjà assiégé par une nuée de petits jeunes avec des longues vestes et des chapeaux très plats, et des filles très excitées aux jupes extra-courtes, munies de chamberlain, de petits boléros en lapin, et des divers accessoires auxquels se reconnaît une véritable fille « swing ».

Jacques parut soudain venant des coulisses, l'air affairé, des papiers plein ses poches, le chapeau en bataille. Il était, semblait-il, assez abruti. Quelques mots furent échangés entre Ficelle, au contrôle, et lui.

Des jeunes gens l'avaient reconnu.

— Tiens! Jacques Loustalot.

— C'est le secrétaire de Pat, tu sais.

— Non? Vrai? demandèrent quelques jeunes filles.

— Ce qu'il a l'air chou! fit l'une.

— Oh! moi, il me plaît beaucoup, continua sa voisine.

— Écoutez, on lui demandera dans les coulisses tout à l'heure, s'il peut nous présenter à Pat du Mont.

— Chiche! on ira toutes les cinq.

Cependant, dans un autre coin on pouvait reconnaître Georgina, Luc, les quelques camarades du début. Jacques les vit, se dirigea vers eux.

— Bonjour, les copains. Ça va? Excusez-moi, j'ai un travail fou. Tous les critiques sont là, les journalistes, faut que je leur réponde... je vous verrai à l'entracte.

— A tout à l'heure, Jacques.

La sonnerie retentissait cependant. Le contrôle continuait à pointer, à déchirer les billets, les spectateurs à affluer. Dans la salle, c'était l'impatience fébrile. L'immense vaisseau bourdonnait du bruit des conversations, les programmes circulaient, des propos s'échangeaient. Quelques énervés, d'en haut, commencèrent à taper des pieds mais le mouvement n'eut pas de suite.

A l'heure dite, le rideau s'écarta et un silence subit se fit. Le speaker venait de paraître sur la scène. Derrière lui, dans une lumière bleue, se tenaient, figés, huit musiciens au milieu desquels Pat, immobile, était assis sur une petite estrade surélevée.

— Messieurs, annonça le speaker au micro, pour la première fois en France, l'orchestre de Pat du Mont va jouer pour vous quelques morceaux de jazz. Tout d'abord, voici : *En swinguant à Pleyel*.

Le morceau, excellent, comporta un solo de trompette de Pat qui lui valut les hurlements d'enthousiasme du public. On pouvait voir, dans la salle, les assistants s'agiter de façons diverses, les uns remuant la tête, d'autres le corps entier. Les vieux vendeurs de programmes, derrière, hochaient mélancoliquement la tête.

— Ah! si c'était du Bach... disait l'un.

— Oui... ou même du Mozart... soupirait l'autre. Enfin!... ils sont jeunes...

Dans le morceau suivant, après un éclatant début à l'orchestre, on pouvait entendre une série de solos de Pat, séparés par des breaks de batterie destinés à lui permettre de changer d'instrument. Le final, à l'orchestre entier, fut à peine entendu tant étaient puissantes les acclamations de la foule. Pat, blême, salua... et la première partie continua à se dérouler dans une atmosphère de triomphe. Les vieux vendeurs de programmes eux-mêmes s'agitaient, frénétiques, emportés par le démon du swing. A l'entracte annoncé par le speaker, Pat rejoignit Jacques dans les coulisses. Jacques était affolé.

— Mon vieux, elles sont folles... elles veulent te voir, elles veulent ta photo, ton autographe... Oh! ces filles!...

— Quelles filles? s'étonna Pat.

— Mais... je ne sais pas... toutes.

— Oh! la barbe! fais-leur mon autographe toi-même... elles s'en foutent, elles ne connaissent pas mon écriture...

— Bon! J'y vais! Oh! là là. Quelle vie!... Mon vieux, je demande une augmentation.

— C'est ça! Tu touchais peau de balle, tu auras le double. Mon vieux, dit Pat, tu sais bien qu'on partage.

— Oui! t'inquiète pas, je rigole... Ah! je vais leur en coller, moi, des autographes.

Et Jacques, saisissant une pile de programmes, se mit à les couvrir d'une écriture désordonnée.

En sortant, il fut assailli par une vingtaine de blondes et de brunes toutes maquillées de façon séductrice, qui se ruèrent sur la pile d'autographes en gloussant plus qu'une basse-cour.

— Oh! Jacques! (On peut vous appeler Jacques?) Comme vous êtes gentil! Et Pat aussi! Oh! on va vous amener quelques copines qui en voudraient aussi.

Deux minutes après, Jacques s'écroulait sur une chaise, submergé par trente ou quarante autres filles qui entraient.

— Jacques! un autographe de Pat! un tout petit! Soyez gentil.

— Voilà, voilà, gémissait Jacques. Ah! mon Dieu! et il poussa un soupir de soulagement en entendant la sonnette de fin d'entracte.

Toutes les filles fuirent comme ayant le feu au derrière.

— Enfin seul, soupira-t-il.

Mais la porte s'ouvrit et laissa passer les douze vieux vendeurs de programmes précédés par les deux dont nous avions parlé.

— S'il vous plaît, ce serait pour avoir un autographe...

Et Jacques s'effondra sur le parquet...

Et dès lors la vie, pour Jacques et Pat, était une suite de rendez-vous avec les imprésarios, les photographes, etc. Jacques courait comme un lapin, Pat restait allongé sur un divan devant la photo de Marielle.

— Pas de lettres? demanda-t-il à Jacques.

— Non, rien encore.

— Je n'ai reçu qu'une carte postale d'elle.

— Oh! ça va venir. Tiens, je vais me préparer un cocktail. T'en veux?

— Non... merci.

— Ah! soupira Jacques, enfin tranquilles.

Il alla fermer la porte à clé et sortit les flacons. A ce moment, le téléphone retentit.

— Zut! un raseur.

Il l'expédia en quelques mots, raccrocha, versa le premier liquide. Le téléphone resonna.

— Rezut! Allô? Quoi? encore vous? je vous dis que je suis occupé... La barbe! il reraccrocha, versa le second liquide. Troisième sonnerie.

— Oh! quelle colique! Ah! pardon? Oh! excusez-moi, monsieur! non, je ne pensais pas à vous... Après-demain soir? bien... Parfait... Au revoir monsieur...

Après qu'il eut terminé son cocktail, une quatrième sonnerie retentit. Il allait au téléphone d'un air furibond.

— Allô? Monsieur du Mont?

— Je suis pas là! beugla Pat.

— Il dit qu'il vient de partir à l'instant! Vous ne l'entendez pas? Espèce de vieux... coquetier! fichez-moi la paix. Au revoir monsieur.

Pendant ce temps, Pat avait pris le cocktail et l'avait vidé d'un trait. Jacques resta muet devant la malignité du sort. Puis il retourna à la porte, vérifia la fermeture, débrancha le téléphone, regarda sous le divan, s'assit et se refit un cocktail.

— Je me demande, dit Pat, s'il ne s'est pas fichu de moi.

— Qui? Ah! le... fit Jacques en montrant le sol d'un air entendu.

— Pourquoi me serais-je fichu de vous? fit une voix derrière eux.

L'inconnu était assis dans un fauteuil profond.

— Ben... fit Pat que rien n'étonnait plus... je n'ai pas encore Marielle...

— Minute! fit l'inconnu. C'est pas ça que vous avez demandé. Et puis je ne peux agir que sur ceux qui m'appellent, comme vous l'avez déjà remarqué autrefois.

— Très juste! fit Jacques. Un cocktail?

— Passez-moi le vôtre, fit l'inconnu, il me tente...

— Il ne faut jamais tenter le... commençait cet étourneau de Jacques, mais il s'arrêta à temps.

— Vous avez des jeux de mots idiots, fit remarquer l'inconnu. Refaites-en un pour vous, ça me fera plaisir. Écoutez-moi, continua-t-il en se tournant vers Pat. Nous avons fait un marché, il n'y a pas à y revenir. D'ailleurs la gloire devrait vous suffire. Mais si votre ami a quelque chose à me vendre, peut-être pourrai-je essayer...

— Oh! fit Jacques précipitamment, vous savez, je n'ai pas du tout l'âme mercantile...

– Alors, au revoir, fit l'autre.
Et il n'était déjà plus là...
– Quand même! fit Pat quand ils furent seuls, tu parles d'un faux frère.
– Mon vieux, d'ailleurs il était refait... j'ai été enfant de chœur... il aurait résilié le contrat... Qu'est-ce que tu fais ce soir?
– Ben... rien.
– Moi, je sors ma smala. Tu viens avec?
– Oh! d'accord.

Ils entraient dans le cabaret, très bien habillés, Jacques d'abord avec cinq donzelles des plus swing, puis Pat. Le chasseur s'inclina avec déférence devant Jacques, et poussa presque Pat dans le tambour. Ils s'installèrent à une table réservée près de l'estrade.
– Viseur n'est pas encore là? fit Pat.
– Oh! il va arriver, dit Jacques. Qu'est-ce que vous prenez, mes enfants, demanda-t-il à sa petite bande.
Les réponses diverses une fois satisfaites, il se remit à bavarder avec Pat.
– Tiens! le voilà, Viseur.
Viseur entrait par le tambour et se pencha vers une table proche de l'entrée pour bavarder un instant avec un camarade.
A ce moment éclata une dispute à la table derrière Pat et Jacques. Deux hommes s'insultaient et finalement une bouteille de champagne partit avec violence dans la direction de Viseur qu'elle atteignit sur son chapeau mou. Il fit « Couic » et s'effondra. Froidement, deux chasseurs s'avancèrent avec une civière, le posèrent dessus et sortirent.
Un gros homme chauve en habit se dirigea alors vers Pat.
– Monsieur du Mont? Je suis le gérant.
– Ça ne vous frappe pas énormément, fit remarquer Jacques.
– Ben... non, ça arrive tous les soirs, ils sont spécialistes. D'habitude, ils épargnent l'orchestre. Je voulais vous demander un service. Monsieur Du Mont joue de l'accordéon, certainement?
– Oh! certainement, répondit Jacques. Il n'a jamais essayé mais on va voir tout de suite.
– Ah? fit le gérant d'un air inquiet.
Pat monta sur le plateau, prit l'appareil et laissa errer ses doigts sur les touches. Se rendant compte que ça allait très bien, il se laissa aller à son inspiration. Jacques et le gérant continuaient à discuter.
– Pour le prix, fit Jacques, ce sera 2 500.
– Fichtre! D'accord! fit le gérant qui se rendait compte que ça allait très bien.
– Alors, au revoir, gérant! fit Jacques.
– Au revoir, monsieur! fit le gérant.

Jacques recommença à bavarder avec ses fillettes.

— Vous partez bientôt, paraît-il, demanda la plus blonde.

— Oui, ma chère, dans trois jours nous serons dans le Midi.

— Pat va faire toutes les grandes villes, je crois.

— Oui! Lyon, Marseille, Bordeaux, Vichy, enfin toutes, quoi.

— Mais pourquoi y va-t-il? il gagne pas assez d'argent ici?

— Si! mais c'est un secret! ajouta Jacques mystérieusement pendant que retentissaient les applaudissements saluant la fin du premier morceau. En prenez-vous un autre, mes très chères?

— Volontiers. Mais dites, Jacques, on ira vous dire au revoir.

— Cela me fera plaisir, mais peut-être pas à Pat, savez-vous!

— Oh! il est tellement... mis... misandrogyne...

— Non, misogyne suffit, tu sais...

— Oui, on ne le voit jamais avec une femme. Pour moi, il a un amour caché, ajouta une petite fille à l'air éveillé.

— Ne vous inquiétez pas! on reviendra, assura Jacques. Ah! Bonjour, monsieur, fit-il en s'inclinant vers une table.

L'inconnu était là avec une belle dîneuse. A un moment donné, il regarda sa montre et se leva suivi de la femme. En passant devant Jacques, il leva son chapeau.

— Encore une qui n'aura pas froid ce soir! remarqua Jacques.

— Oh! c'est un don Juan, ce monsieur? Présentez-nous, dites, demanda une des filles.

— Non, vaut mieux pas. Et puis il est parti. Écoutons la suite. Garçon! remettez-nous ça...

Le vélo-taxi s'éloignait dans la nuit...

Dans le train qui les menait dans le Midi, dans un compartiment réservé, Pat et Jacques devisaient.

— Je crois, dit Pat, que j'ai trouvé le moyen de changer très vite d'instrument, on pourrait presque supprimer les soli de batterie. Tu vas voir. Sors et tu me diras ce que ça donne. Qu'on ne me dérange pas surtout...

Jacques sortit. Le contrôleur arrivait.

— Votre billet, demanda-t-il pendant qu'une gamme chromatique à la trompette s'égrenait, immédiatement suivie d'un chorus de saxo, puis de clarinette.

— Voilà le mien, fit Jacques, et celui de la personne qui est là-dedans, qui désire ne pas être dérangée.

— De *la* personne? vous vous fichez de moi, monsieur. Je veux bien ne déranger personne, mais donnez-moi trois billets, un par personne.

— Je vous assure qu'il n'y en a qu'une.

Le contrôleur entrouvrit la porte, qu'il referma précipitamment.

— Je... je me suis trompé... excusez-moi. Drôle de type tout de même. Qui est-ce?

– C'est le célèbre Pat du Mont.

– Ah? Bien... acquiesça le contrôleur d'un air obtus. Où ai-je vu ça, marmottait-il en s'en allant...

Au bout du couloir, sur la paroi du wagon, flamboyait une affiche avec le nom de Pat en lettres rouges sur fond blanc...

Le train qui entrait en gare de Lyon fut assailli par une nuée de reporters et de photographes. On fit parler Pat au micro, on l'interviewa, on vit sa photo dans les journaux, ce fut en somme un triomphe.

Trois jours après, Pat et Jacques en maillot de bain s'ébrouaient sur la plage de Saint-Jean-de-Luz. Ils y avaient retrouvé quelques camarades musiciens engagés pour la saison au casino de l'endroit.

– Demain, dit Pat à Jacques, je prends le car pour Hossegor.

– Tu peux pas demain, dit Jacques, c'est ton concert au casino de Saint-Jean.

– Oui! c'est vrai. J'irai avant... Enfin Jacques, je veux la voir, je ne peux plus... l'autre jour encore je lui avais écrit, lui disant que j'allais bientôt la voir... elle m'a répondu qu'elle serait bientôt heureuse... qu'est-ce que ça veut dire : heureuse de me voir? ou quoi? J'en ai assez de cette vie... je n'ai pas une minute. Tout le temps jouer, tout le temps des...

– Un autographe, monsieur du Mont, s'il vous plaît. (Un gros homme s'était avancé.)

– ... raseurs, poursuivit Pat, terminant sa phrase, et il signa pendant que l'homme, profondément choqué, s'en allait avec son autographe. – Je veux voir Marielle et je la verrai.

– Mais pas demain, mon vieux.

– Après-demain si tu veux... je joue à Biarritz mais tard. J'irai tout de même... écoute, Jacques, je fais ce que tu me dis pour mon métier, tout ça, mais laisse-moi y aller après-demain...

– Allons... si tu veux. Mais tu n'es pas raisonnable. Tu as l'air de t'accrocher.

– Quoi? Mais Jacques... ce n'est pas possible... elle ne va pas me lâcher comme ça, riche, célèbre... C'est pour elle que je suis devenu ça...

– Oh! mon vieux, tu sais, les femmes! conclut Jacques...

– Les femmes! voyez-vous ça! Monsieur connaît les femmes! déclara une petite poule qui s'était approchée. Présentez-moi à Pat du Mont, poursuivit-elle...

– Voilà : mon vieux Pat, je te présente une poule empoisonnante que j'ai ramassée hier sur la plage et qui me tanne depuis pour que je te la présente. Oh! la vache! termina-t-il en frottant sa joue ornée d'une magnifique giroflée à cinq feuilles...

– Vous n'allez pas jouer, monsieur Pat?

– Si, dans une demi-heure, sur la plage avec ses copains, reprit Jacques, mais gare à qui lui demandera un autographe...

Le crépuscule tombait. Les six musiciens se détachaient en contre-jour sur le ciel. Pat commença un blues sur tempo modéré, où se déchaînait toute la tristesse rageuse de la nature. On écoutait religieusement. Et le soleil, jetant une lueur verte, descendit dans l'océan...

Le surlendemain matin Jacques, monté dans une préhistorique voiture à âne, était parti dès six heures du matin pour devancer le car que devait prendre Pat. La bête était rétive et avançait en rechignant. Jacques s'épuisait en invectives. Finalement il fut obligé de courir devant pour entraîner l'âne qui avançait alors convenablement.

Épuisé dès Bayonne, Jacques était mort en arrivant à Hossegor. Il arriva près du lac et sonna à la porte de la villa de Marielle.

— Mlle Berthier, demanda-t-il.

— Mme Cardan, vous voulez dire? répondit une fraîche Basquaise. La mignonne s'est mariée hier avec le fils Cardan... il habitait là en face... Oh! un jeune homme bien! studieux, instruit! Oh! il n'avait qu'un défaut : des lunettes. Mais riche! Bon Dieu! Ah! ces deux-là, ils auront de quoi vivre!

Jacques n'en écouta pas plus. Il bondit vers la poste.

— Téléphone, s'il vous plaît. Le 230 à Saint-Jean, cria-t-il à la buraliste.

Puis changeant sa voix :

— Allô! Monsieur du Mont? je suis le cousin de Mlle Marielle Berthier...

— ......

— Oui! elle avait l'intention de venir vous voir ce soir à votre concert à Biarritz, mais elle a dû rentrer précipitamment à Paris. Je suis chargé de l'excuser. Elle voulait vous faire une surprise.

— Mais je ne pourrai pas la voir aujourd'hui à Hossegor? répondait Pat... Je comptais lui rendre visite.

— Elle n'est plus là, poursuivit Jacques... elle sera à Paris ce soir. Comptez sur nous, pour votre prochain concert à Paris car je dois l'accompagner... Au revoir monsieur. — Ouf! faisait Jacques en sortant de la cabine. Quelle tuile! Pas si vite, andouille, cria-t-il au bourricot qui démarrait à bride abattue... Je suis pas pressé de rentrer.

Mais le bourrin trottait comme un dératé et Jacques fut à Saint-Jean vers une heure de l'après-midi car il prit le car à Bayonne.

Pat l'attendait.

— Crois-tu! quelle déveine! Elle était là... J'y aurais été hier, je la voyais. Bougre d'âne. Fais les valises, on part demain matin à cinq heures.

— Pourquoi pas ce soir pendant que tu y es, protesta Jacques, dont les reins demandaient grâce.

— Ben... y a pas de train. Sans ça!... Allez. Vas-y, range tout. Ah!

mon vieux! Je suis furieux mais je suis bien content. C'est son cousin qui m'a téléphoné.

– Ah oui?... son cousin? fit Jacques.

– Oui! il avait l'air enrhumé. C'est vrai que le téléphone... Mon vieux Jacques, je vais jouer ce soir, tu vas voir...

– Mais... à Paris, demanda Jacques, tu sais son adresse?

– Non! ça ne fait rien, j'ai téléphoné, je donne un concert après-demain : elle y sera sûrement. Delaunay est d'accord.

– Mais alors?... je ne vais pas me coucher, moi en somme. Tu seras rentré la veille au soir... Oh! là là, gémit Jacques.

– Mais au fait qu'est-ce que tu as? Tu as l'air moulu? Ah? j'y suis! Monsieur a encore fait la bringue avec une de ses poules! C'est pour ça que je ne t'ai pas trouvé ce matin. A quelle heure t'es-tu donc levé?

– ... Tard. Très tard! avoua Jacques.

– Oui! Tout s'explique. Joli coco! va!

Et c'était l'arrivée à Paris le lendemain puis tout de suite les affiches, le concert annoncé, Jacques retrouvait sa bande de filles. Et Pat téléphonait chez Marielle sans réponse, s'inquiétait.

– Tu la verras ce soir, lui disait Jacques empoisonné.

Enfin vint l'heure du concert. Jacques traînait dans les coulisses. L'entracte, Marielle n'était pas là...

– Jacques, elle devait bien venir pourtant.

– Ben... je ne sais pas... oui... je pense.

– Ah! Je vois Georgina et Luc, je vais leur demander... elle doit être avec eux.

– Non, vieux! laisse... n'y va pas...

– Pourquoi? viens, vite...

– Pat, avoua Jacques en le retenant, je t'en supplie... Écoute, je t'ai menti... le coup de téléphone, c'était moi, d'Hossegor... Pat... elle est mariée.

– Ah! Ah! Tu es fou!... Avec qui... mais réponds donc... hurla Pat...

– Avec un type à lunettes... un raseur, pas un musicien. Un nommé Cardan... il fait une agrégation d'histoire, je me suis renseigné... il s'intéresse aussi à l'élevage des lapins...

– Assez, tu mens... Où est-elle, je vais la voir...

– Calmez-vous, fit une voix derrière lui... Après tout, votre art ne peut-il vous consoler... (C'était l'inconnu...)

– Oui, ton saxo, fit Jacques... Allons, viens... en scène...

Pat alla comme un automate. L'inconnu resta avec Jacques...

– Il n'a pas l'air en forme, remarqua l'inconnu. Je vais tout de même retourner à ma place.

Jacques lui lança un mauvais regard et s'éloigna vers le bar...

Pat jouait cependant, l'air hébété, souriait, comme un automate. Ses yeux fixaient une place vide où il lui semblait voir

Marielle. Il retourna à sa loge sans saluer, la salle croulait sous les applaudissements. Une file attendait dans les coulisses... on se rangea quand il passa, sans mot dire, en silence, pour regagner sa loge. L'inconnu était là qui l'y attendait.

— Je tenais à vous féliciter, dit-il, je dois m'en aller...

— Merci... fit Pat. Au revoir.

— Au revoir, fit l'autre.

Pat restait, comme frappé de la foudre. L'inconnu, au bas des marches, montait dans son vélo-taxi. Il pleuvait une petite bruine sale, maussade, et les tristes lueurs bleues des réverbères voilés s'auréolaient d'irisations bizarres. Le pilote allait démarrer quand l'inconnu prêta l'oreille, tapa aux carreaux...

— Attendez, dit-il. Une minute.

Dans sa loge, Pat, inerte, assis dans un fauteuil, regardait devant lui comme une bête. Brusquement il sortit, bouscula Jacques qui arrivait portant un verre, bousculant la foule également...

— Attendez! hurlait-il... attendez-moi... je viens...

Jacques, abruti, le regardait.

— Qui cherche-t-il, demanda-t-il à un voisin.

— Sais pas. Une espèce de type avec un imperméable et un chapeau mou qui vient de sortir.

— Seigneur! hurla Jacques en lâchant son verre.

— Pat! Pat! criait-il en courant vers la sortie. Où vas-tu? Pat... Viens.

Pat, dehors, était arrivé au vélo-taxi.

— Je viens avec vous... dit-il.

— Oh? déjà... Vous avez encore quatre mois et quatorze jours... Enfin, montez, je vous comprends.

Le vélo-taxi démarrait sous la bruine quand Jacques arriva...

— Pat! Pat! sanglotait-il... Pat!...

Dehors, la foule s'éloignait, indifférente et satisfaite... Il essaya de courir, tomba presque sur le trottoir, et la petite lumière rouge s'éloignait tandis que la pluie lui ruisselait sur le visage... on ne savait pas si c'étaient des larmes... et le n° 00000 s'effaça dans la nuit.

FIN

TROP SÉRIEUX
S'ABSTENIR

1942

Distribution envisagée

Micheline	Micheline Presle (ou Louise Carletti)
Nénuphar	Jean Tissier (rôle écrit pour lui)
Janine	Jandeline (lunettes)
Benoît Lassidu	Gilbert Gil
Carla	Gaby Andreu (rôle pour elle)
Éric	Louis Jourdan
Aline	Blanchette Brunoy
Palamède	Saturnin Fabre
Laurette	Odette Joyeux (ou Jacqueline Bouvier)
Rodolphe	Jacques Charron
Isabelle	Jacqueline Gauthier
Jules	Bernard Blier (rôles pour eux)
Onésime	Roger Blin
Mlle Dubois	Pauline Carton (ou la bonne de Popesco dans *Parade en 7 nuits*)
Directrice	Christiane Ribes

Scène I

Le bureau de Mademoiselle la Directrice était une vaste pièce, bien éclairée, meublée de façon très moderne : un grand classeur, un bureau, un vase de fleurs rares, le téléphone et quelques profonds fauteuils de cuir. La pièce donnait une impression de confort, d'élégance, presque de coquetterie. Par la grande baie ouverte, on apercevait l'immense bâtiment blanc et clair qui formait le collège, entouré de splendides jardins, de tennis, de bois et de divers terrains de jeux. Une piscine d'émail bleu et blanc étincelait sous le soleil, parmi des retombées de géraniums-lierres. Çà et là, des jeunes filles, en robes légères ou maillots de bain, couraient en riant ou se chauffaient, paresseusement étendues.

Mademoiselle la Directrice, une femme de quarante-cinq ans, fort bien conservée, lorgnait amoureusement la photo d'un beau gigolo, qui trônait dans un cadre, sur son bureau, à la place d'honneur.

Un heurt discret retentit à la porte.

Scène 2

— Entrez! cria la Directrice, en retournant vivement le cadre, qui laissait maintenant apparaître les traits d'un vieil homme, barbu à la mode de 1865; une femme d'âge incertain, munie de lunettes et arborant un sourire humble et effacé entra :

— C'est vous, Mademoiselle Dubois? Qu'y a-t-il?

— Une personne demande à être reçue par vous : Madame de la Tour, accompagnée de sa fille Micheline. Elles ont rendez-vous, paraît-il.

— C'est exact. Faites-les entrer le plus tôt possible car j'ai du travail et mon emploi du temps est chargé. Ma sœur doit présider un banquet commémoratif lundi soir... faire un discours... Au fait,

vous pourriez peut-être me préparer quelque chose... une petite
improvisation!...

— Mais... à propos de qui?

— Pas d'importance!... Quelque chose de... heu... commémoratif!... Allez, Mademoiselle Dubois, vous me rendrez service!...

Scène 3

Mademoiselle Dubois sortit, laissant entrer une dame d'un certain âge, accompagnée de sa fille.

— Bonjour Mesdames, fit la Directrice affable. Asseyez-vous
donc!

Après un bref échange de politesses, les trois femmes s'assirent.

— Mademoiselle, commença la mère, on m'a dit le plus grand
bien de votre établissement.

— Madame... je suis très flattée!

— Oui! Il paraît que votre enseignement est absolument nul,
que les jeunes filles sont très bien nourries, font beaucoup de
sport et dansent souvent. C'est exactement ce qu'il faut à ma fille,
et je suis venue la faire inscrire chez vous! Le prix, évidemment,
m'importe peu.

— Madame, fit dignement la Directrice, en désignant le portrait
barbu, si le Duc Désentrailles, que voici, vous entendait, que pen-
serait-il — Mon Dieu! — de la maison qu'il a créée? L'éducation
scientifique et littéraire de nos élèves est absolument complète, et
nous ne négligeons rien pour la culture de ces jeunes filles.

— Oui? combien en avez-vous par an, de reçues au baccalau-
réat?

— Vous touchez là au secret professionnel, Madame. Je vous
répondrai cependant. Nous en avons deux pour cent de reçues, et
brillamment!... Évidemment, nous n'avons que vingt-cinq candidates chaque année... Mais je vous assure que Mademoiselle
Laure de Castelrâblé, qui a été reçue l'année dernière, méritait sa
place.

— Ah! c'est elle... le deux pour cent! Oui, en somme, vous en
faites recevoir une tous les deux ans. C'est tout à fait ce qu'il faut à
Micheline. Elle ne courra pas de risque de surmenage, et, néanmoins, cette émulation salutaire lui donnera l'impulsion nécessaire. Quel est votre prix, Mademoiselle?

— Nous allons arranger cela, Madame. Mademoiselle Micheline aimerait peut-être aller retrouver ses compagnes?

Scène 4

Mais les deux femmes s'aperçurent que Micheline était déjà
sortie. Elle commençait à errer le long des frais couloirs qui

n'avaient rien des mornes corridors des pensions d'antan. L'air et la lumière entraient à flots. Elle descendit un magnifique escalier de marbre, et se trouva dans la cour, un jardin très grand et très bien entretenu, avec fauteuils de jardin, tables et portiques d'agrès.

Scène 5

Deux jeunes filles se balançaient dans des fauteuils et la virent arriver.

— Bonjour! fit l'une, vous êtes nouvelle?

— Euh!... oui, dit Micheline.

— Est-ce que vous avez une grammaire grecque, dit la seconde avidement.

— Non! dit Micheline éberluée, Dieu merci, je n'en fais pas!

— Oh! fit l'autre, désolée, et vous ne connaîtriez personne qui en ait une?

— Écoute, Janine, reprit la première, fiche-lui la paix avec ta grammaire grecque. Tu finiras bien par en trouver une, un jour!...

— Mais personne n'en a, dans cette sale boîte, gémit Janine.

Mais la première jeune fille revenait à Micheline.

— Comment vous appelez-vous?

— Micheline!

— Moi, c'est Laurette. On sera copines?

— D'accord! Mais... qu'est-ce que vous faites, en ce moment?

— Ben! vous voyez! C'est l'heure de détente matinale. Après, on a un cours d'une demi-heure, et puis deux heures de sport dirigé, et puis l'étude, et puis plus rien.

— Et... C'est tous les jours comme ça?

— Oui!

— Mais... dites donc, on travaille pas mal ici! Vous supportez un pareil régime?

— On est bien forcées! firent les deux autres en chœur.

Une cloche retentissait.

— Ah! enfin, dit Janine, on va faire quelque chose!...

— Oh! toi, tu sais! fit sa camarade, qui s'appelait Laurette.

— Mais où sont les autres élèves? fit Micheline.

— Dans leurs chambres, n'importe où... il n'y a que des pensionnaires, ici, et chacune a sa chambre. Elles doivent être ou en train de roupiller ou en train d'écrire à leur flirt. Ou en train de travailler, fit Janine.

— Non! ça, sûrement pas. Tout le monde n'est pas piqué comme toi.

— Dites, fit Micheline, si on allait en classe?

— Si vous voulez, fit Laurette. Mais, ajouta-t-elle en la regardant avec suspicion, vous n'avez pas les goûts baroques de Janine pour le travail, au moins?

– Oh! rassurez-vous!... C'est juste pour voir les professeurs!...

– Janine, vous comprenez, on la tolère ici parce qu'elle pense avoir son bachot dans deux ans... pour les 2 %!... Il y a comme ça tous les deux ans une riche nature qui réussit... remarquez bien que la Directrice prétend que cela nuirait à sa maison si on était reçues en plus grand nombre. Sa devise est : pas de méningite!

– Elle a raison, conclut Laurette avec le plus grand sérieux.

Scène 6

Elles étaient arrivées en classe.

– C'est malin, gémit Laurette, on est les premières. Enfin, asseyons-nous. Tenez, vous vous mettrez à côté de moi.

Le professeur entrait, puis une douzaine de jeunes filles.

– Mademoiselle Laurette, présentez-moi donc votre nouvelle amie, fit-il.

Scène 7

Micheline fut présentée et retourna à sa place.

Scène 8

C'était un cours de sciences naturelles. Le professeur, Monsieur Nénuphar, semblait un aimable lunatique. Il commença par interroger quelques élèves :

– Mademoiselle Armelle, parlez-moi des fonctions du cœur.

Une jolie blonde se leva.

– Le cœur bat... dit-elle.

– C'est un point à envisager, répondit Monsieur Nénuphar. A quoi sert le cœur?

– A flirter!... hasarda Laurette.

– Non!... quelle erreur. Vous mélangez amour et flirt. Ce n'est pas la question que je vous pose!

– Le cœur sert... à maintenir la vie de l'homme.

– C'est cela. Nous parlons bien entendu du cœur de la femme. Que ferait l'homme sans le cœur de la femme? C'est une question à laquelle nul n'a pu encore répondre.

Et Monsieur Nénuphar continua sa classe sous les yeux ravis de ses élèves.

Scène 9

En sortant de sa classe, Jules Nénuphar rencontra Mademoiselle Dubois.

– Eh bien! Monsieur Nénuphar! vous avez une nouvelle élève?

– Ah? oh? c'est vrai? je me rappelle. Mademoiselle Dubois, je vais vous demander un service immense. Vous êtes une personne très cultivée...

– Oh! Monsieur Nénuphar! dit Mlle Dubois en rougissant.

– Si! Si! Voilà. Mon oncle est président du concours agricole de son canton, il doit faire un discours lundi à l'occasion de l'élection du bœuf gras... je ne sais si c'est comme ça qu'on dit... ou d'un banquet en l'honneur du bœuf gras... bref pourriez-vous me faire un canevas... un peu développé, hein?

– Mais... de quoi faut-il parler?...

– Ah! ça? j'en sais rien!... mais vous trouverez, vous êtes si intelligente... ne dites pas non, chère Mademoiselle Dubois... vous me le donnerez, vous serez si aimable...

– Oh! monsieur Nénuphar... si vous me prenez par les sentiments...

Scène 10

Pendant ce temps les jeunes filles bavardaient.

– Il a l'air sympa, ce type-là, fit Micheline.

– Oui... il n'est pas embêtant. Ce n'est pas comme cette rosse de Gustave... c'est le prof de langues. Celui-là, on le verrait volontiers ailleurs.

– Dites donc, au fait, est-ce qu'il y a un cours de danse, ici... je veux dire un endroit où on puisse danser avec l'approbation directoriale?

– Oui! mais ce n'est pas très drôle... il n'y a que les fils des amies de la Directrice qu'elle cherche à caser. Vous verrez... Remarquez bien, dit Laurette, qu'ici le seul ennui, c'est le manque d'animation. On a beau ne pas faire grand-chose, on s'ennuie quelquefois.

– De l'animation... eh bien! on en mettra... dit Micheline.

Scène 11

A quelques jours de là, cinq jeunes filles étaient réunies dans la chambre de Micheline, répandues un peu partout dans des attitudes diverses. Un disque, sur le phono, rythmait le temps qui s'écoulait paisiblement. Tout d'un coup Micheline bondit sur ses pieds.

– Fini de rire, mes enfants. Laurette, viens ici. Tu vas aller fermer la porte à clef. Vous toutes, approchez.

Laurette alla puis revint, et Micheline exhiba un journal qu'elle sortit triomphalement de son cahier de philo.

– Regardez ça! Je l'ai chipé en étude à Mademoiselle Dubois.

— *L'Écho du Foyer*. Mariages en tous genres. Le bonheur à vous pour vingt sous – épela Carla, une mince jeune personne au type méridional.

— Notez bien! elle est abonnée! J'ai la bande!

— Alors! qu'est-ce que tu veux en faire, demanda Isabelle qui n'avait encore rien dit.

— Oh! qu'elles sont stupides! Vous ne comprenez pas? On va répondre aux plus chouettes en donnant notre adresse ici et on lira les lettres toutes ensemble, et ça sera très drôle.

— Mais, intervint Aline à la lenteur proverbiale, ils verront bien que nous habitons toutes au même endroit.

— Bête! tu crois qu'ils se connaissent entre eux? fit Carla en haussant les épaules.

— C'est vrai! J'y avais pas pensé, avoua Aline au milieu du rire général.

— Allons, mes enfants au travail, cherchons! fit Micheline.

Scène 12

A ce moment on entendit... toc! toc! toc! Le journal disparut aussitôt et toutes prirent des attitudes dégagées. Laurette ouvrit. Mademoiselle Dubois apparut...

— Excusez-moi, mes enfants... de vous déranger... mais l'une de vous n'aurait-elle pas vu mon journal?

— Oh! non, mademoiselle répondit Laurette. C'est un journal comment?

— Euh!... un journal... sérieux, enfin... j'y suis abonnée... Si vous ne l'avez pas vu, ça ne fait rien... merci mes petites... amusez-vous...

Scène 13

— Ouf! Enfin seules! dit Isabelle en se laissant tomber dans un fauteuil.

— Au boulot! mes enfants, dit Micheline. Tâchons de prendre les plus belles!

— Oh! celle-là! fit Carla au bout de quelques minutes; un timide! je la prends!

L'annonce était la suivante :

Jeune homme 22 ans, riche, bien tous rapports, mais timidité incurable cherche jeune fille décidée voulant faire les premiers pas. Journal n° 6885.

— Bon! te voilà servie. Note le numéro, fit Micheline.

— Moi, dit languissamment Aline, j'en voudrais un qui mette son vrai nom au lieu d'un numéro. C'est pas drôle, un numéro, on ne peut rien supposer...

– Eh bien mais voilà ton affaire. Bigre! il s'appelle Palamède Boisyvon de la Roche, au château de la Roche, à La Roche (Eure). Tu es servie aussi, ma fille : c'est un « jeune homme très riche qui assurerait le superflu et le nécessaire à jeune fille âge rapport ». Par exemple, il faut lui envoyer ta photo!...

– Oh! bon! ça me va... donne-moi le numéro...

– Oh! mes enfants! Isabelle! toi qui écris un roman... : un étudiant désire correspondre avec une jeune fille « possédant un brin de plume pour collaboration littéraire... n° 8439 ». – Isabelle, note immédiatement. C'est le rêve... Écris-lui quelque chose de divin...

Scène 14

A ce moment on entendit : toc! toc! Le journal disparut de nouveau et les attitudes redevinrent suprêmement innocentes.

– Ce n'est que Janine... fit Isabelle qui avait été ouvrir.

Le journal reparut....

– Je dois vous dire, dit Isabelle, que ça me barbe bien d'écrire une lettre... C'est pas du tout mon genre. Je suis plutôt dans le roman philosophique...

– Oh! fais ce que tu voudras. Janine, on va t'expliquer. On a chipé *l'Écho du Foyer* à Dubois et on répond aux annonces. Tu en es?

– D'accord... Vous n'en avez pas un qui ait une grammaire grecque? demanda anxieusement Janine.

– Oh... on va te trouver ça... Tiens, voilà les deux premières feuilles... cherche toi-même.

– Oh! cette annonce-là! s'exclama soudain Carla après un court silence. Elle est formidable.

Et les jeunes filles lurent en chœur derrière son épaule, ânonnant comme des bébés.

Scène 15

Monsieur certain âge loin d'être dépourvu de qualités de cœur et de tendresse serait désireux de correspondre avec jeune fille aimable et peu instruite mais susceptible de discuter de quelques particularités entomologiques des hyménoptères du quatrième groupe en vue d'un mariage heureux et désintéressé. Écrire n° 7128 au journal.

Scène 16

Elles s'arrêtèrent, prises d'un fou rire qui leur ôtait la possibilité de parler.

— Miséricorde! gémit Micheline... Si elles étaient toutes comme celles-là, je m'abonnerais au journal... Ah! elle ne doit pas s'embêter, notre chère Dubois.

Janine, qui semblait perdue dans un rêve obstiné, lisait désespérément le morceau du journal qu'elle tenait entre ses mains.

— Mon Dieu! Enfin! soupira-t-elle. Oh! merci, Micheline, de m'avoir invitée à participer à ton jeu. Oh! mes enfants! Quel rêve! et elle lut :

Étudiant agrégé français latin grec préparant agrégation histoire et certificat mathématiques générales désire rencontrer une jeune fille instruite pouvant apprécier son effort et l'encourager. Benoît Lassidu 27 rue Notre-Dame...

— Avec un nom comme ça! disait Isabelle.

— Ne te moque pas, je t'en prie, poursuivait Janine d'un ton sec. Tous ne sont pas capables d'être agrégés de grec...

— Oh! je ne voulais pas te froisser, sourit Isabelle.

— Ce qui n'est qu'un jeu pour vous peut bien n'en être pas un pour moi, continuait fiévreusement Janine. Mes parents sont riches, certes, mais ce n'est pas avec un père acteur de théâtre et une mère vedette de cinéma que je rencontrerai un jeune homme dont les goûts me conviennent...

— Te fâche pas, Janine, intervint Micheline, on ne veut pas se payer ta tête du tout. Nous, nous considérons cela comme un jeu mais rien ne t'empêche... Laurette, j'en ai un pour toi... il est temps, il n'en restait que trois et les autres ne sont pas drôles : *Un éphèbe surréaliste aspirant à l'union conjugale voudrait concrétiser autour de lui les désirs et les rêves d'une jeune âme sœur; no 5184.*

— D'accord, fit Laurette. Mais toi, Micheline...

— Ah! je vais bien en trouver une, rends-moi l'autre feuille, Janine!

Janine copiait l'annonce.

— Voilà... dit-elle au bout d'un temps.

Mais la cloche sonnait.

— Zut! fit Micheline... passez-moi le journal... je vais le remettre dans mon cahier. Faut pas qu'il traîne.

Elle remit la bande et le plaça dans son cahier.

— Vite! C'est l'heure de la piscine, pressait Carla.

Scène 17

Elles galopèrent dans le couloir. En passant devant le bureau de Mlle Dubois qui faisait un angle, Micheline, qui riait comme une folle, glissa et fit deux mètres à plat ventre. Le journal, emporté par l'élan, sortit de son cahier et vint glisser sous la porte de la surveillante... il disparut de l'autre côté.

Scène 18

La porte s'ouvrit. Mlle Dubois apparut.
– Micheline! mon enfant! vous êtes tombée.
– Euh!... oui... j'ai glissé en vous mettant votre journal sous votre porte parce que j'étais pressée... je l'ai retrouvé... ce devait être une des femmes de chambre qui l'avait ramassé.
– Oh! merci, mon enfant... vous ne sauriez croire à quel point il me manquait... c'est... une revue pédagogique très moderne... des plus intéressantes... Mais je vous retiens... allez vite à la piscine...

Scène 19

Micheline s'échappa et rejoignit ses camarades. Soudain elle se frappa le crâne.
– Zut! j'ai plus d'annonce, moi, au fait... qu'est-ce que je vais faire! Bah! je me débrouillerai bien.

Scène 20

Elles arrivèrent à la piscine où une demi-douzaine de filles s'ébattaient déjà. Monsieur Nénuphar, assis sur un banc, se chauffait au soleil en lisant un gros livre.

Scène 21

– Je parie qu'aujourd'hui je plonge de cinq mètres! assura Carla.
Elle avait été la première à sortir de sa cabine, vêtue d'un maillot blanc qui accentuait l'éclat de sa chaude carnation.
Et elle se dirigea vers le plongeoir, suivie par le petit groupe. Laurette et Janine restaient en arrière toujours en train de discuter.

Scène 22

Une fille de salle arriva en courant.
– Monsieur Nénuphar! On vous demande au téléphone!...
Il se leva précipitamment et se dirigea vers les bâtiments, oubliant son livre. Janine, qui sortait de sa cabine, se rua sur le bouquin suivie de Laurette.

Scène 23

Au moment où elle l'ouvrait s'en échappa un feuillet raturé que Laurette saisit machinalement et sans que Janine la vît. Elle jeta un coup d'œil dessus et ses yeux s'écarquillèrent. Puis elle le dissimula précipitamment dans son soutien-gorge.

Scène 24

— Qu'est-ce que c'est, ce bouquin? demanda-t-elle innocemment à Janine.
— De la poésie... Pas intéressant.
— Oh? tu n'as pas un beau morceau que je puisse envoyer à mon éphèbe?
— Si... tiens!... voilà du Marinetti.
— Parfait... Oh! C'est unique. Qu'est-ce qu'il va déguster, le malheureux! Allons, Janine. Laisse ça et viens nager. Je demanderai à Nénuphar de me le prêter. Attends-moi une seconde.

Scène 25

Elle cacha le papier dans sa cabine et toutes deux piquèrent une tête dans l'eau tiédie par le soleil matinal.

Scène 28 *

Quelques heures après, Isabelle, Carla, Aline et Laurette se réunissaient mystérieusement dans le gymnase, pièce spacieuse et confortable garnie d'appareils divers.
Elles occupèrent quatre machines à ramer disposées en cercle et Laurette exposa sa découverte.
— Mes enfants, une chose formidable. Vous vous rappelez l'annonce des hyménoptères?
— Oui! répondirent-elles en chœur.
— C'est Nénuphar : j'ai trouvé le brouillon dans son livre.
— Non?... s'extasia le chœur.
— Si! Alors on va lui envoyer une lettre signée Micheline, puisqu'elle n'a pas eu le temps de trouver d'annonce...
— Oh!!! s'extasia de nouveau le petit groupe.
— Isabelle, tu vas m'aider à rédiger ça ce soir. Vous autres, gardez le secret. Attention, voilà Micheline...

* Vian passe sans explications de la scène 25 à la scène 28.)

Scène 29

Elles bondirent toutes à sa suite et s'éloignèrent dans les jardins remplis de fleurs et de soleil.

Scène 30

Mademoiselle Dubois, pendant ce temps, dans son bureau, réfléchissait devant son journal retrouvé.
– Qui prendre?... Déjà cinq semaines d'abonnement... et quels résultats...
Elle contemplait une rangée de photos. Des hommes barbus, un gardien de la paix et un concierge avaient été ses seuls correspondants.
– Ils mettent: situation libérale... et ce sont des sergents de ville... que faire... Tant pis... essayons un étudiant... Celui-là... voyons : Étudiant... désire correspondre avec jeune fille pour collaboration littéraire. Collaborer!... mon rêve... Oh... je sens que je tiens enfin ma chance... Après tout, je ne suis pas si vieille...
Et Mademoiselle Dubois commença à écrire.

Scène 31

Palamède Boisyvon de la Roche habitait une aimable maisonnette bâtie sur un gros rocher à flanc de coteau. C'était un doux maniaque sujet toutefois à des colères bizarres. Il collectionnait les photos de jeunes filles qu'il classait dans de grands albums et se les procurait par tous les moyens. Son rêve était d'obtenir le plus de documents possible.

Scène 32

Le courrier de ce matin-là comportait deux photos de jeunes filles insignifiantes qu'il mit dans un classeur provisoire, et la photo d'Aline.
– Ha! fit-il en la voyant. Pas mal! Pas mal du tout, même. Mais je crois avoir déjà vu cette tête-là... Voyons... C'est le deuxième semestre 1922... Page 37.
Il bondit vers ses classeurs et vérifia.
– Non... pas ça... 1923, alors... Ah!... C'est ça... Oh! Oh! il faut que j'en aie le cœur net.
Prenant un compas à pointe sèche, il mesura les diverses parties des physionomies, établissant des calculs bizarres...
– Voyons... le rapport... 2/3... Oh! moins d'un vingtième d'erreur... Fichtre! J'en aurai le cœur net...

Il bondit à son bureau et commença à écrire. Firmin, son domestique, était entré...

— Elles se ressemblent, n'est-ce pas?

— Oh! oui monsieur! Même qu'on dirait la mère et la fille.

— Ah! Ah! Vous voyez bien!... Alors... Mademoiselle... Je serai à Paris mardi... Voulez-vous que nous nous voyions... ayez l'obligeance d'apporter les papiers de votre mère et votre extrait de naissance... j'aurai des révélations à vous faire. A l'heure que vous voudrez. Et je signe Palamède... Ah! Ah! L'affaire est dans le sac! Bonne journée, Firmin... Ah! Ah!

Scène 33

Un facteur sonnait un peu plus tard chez Benoît Lassidu... Celui-ci habitait un appartement bondé de livres... rien que des livres... Il travaillait à son bureau. Tête hirsute, robuste, il était assez à son aise et cherchait à épouser une femme qui lui serve de gouvernante... Le courrier ne comportait que la lettre de Janine... Il la lut. La photo s'en échappa... Janine, sans ses lunettes.

— Bouh!... Pas belle... enfin, pour me repriser mes chaussettes... On va toujours répondre... Tiens! elle est étudiante... Ah! Bizarre, et elle est riche... Fichtre, ça devient inquiétant, dit-il en commençant à écrire.

Scène 34

Un facteur sonnait chez Éric Leroy... Celui-ci prenait sa leçon de boxe... C'était un fort gaillard, à la tête de lutteur, les cheveux frisés plaqués aux tempes. Il acheva son punching-ball qui s'écroula sur le sol et passa un peignoir pour aller prendre son petit déjeuner... Jacques Mareuil, son ami, l'attendait ainsi qu'un plateau garni de tasses et de victuailles.

— Bonjour Éric... fit Jacques. Ça va?

— Oui... Il n'y a pas longtemps que tu m'attends, au moins...

— Non. J'ai reçu une lettre aujourd'hui... tu sais que j'avais mis une annonce dans un journal matrimonial.

— Tu es idiot! Il y a trente-six filles très bien qui voudraient bien t'épouser.

— Oui! des poupées de salons!... toutes des petites filles bien douces et sages. Alors je me suis dépeint comme un jeune homme très timide... au moins comme ça j'aurai une fille décidée et énergique... si j'en ai... Ces annonces, je n'y crois pas beaucoup.

— Mais tu as une lettre?...

— Oui... mais c'est peut-être une blague... en tout cas, elle est rudement bien.

— Fais voir...

Éric lui tendit la photo de Carla.

– Ben, mon vieux, tu ne t'embêtes pas. Si tu n'en veux pas, pense à moi...

– Pas fou! Bien sûr que j'essaierai... mais si elle est aussi énergique que son écriture le laisse supposer... Ça va faire des étincelles!...

Scène 35

Un facteur sonnait chez Jules Dupont.

Celui-ci était assis à son bureau et écrivait fiévreusement. Un grand garçon avec des culottes courtes et des jambes immensément velues était assis sur le lit... Il se nommait Onésime Rabanel et était le cousin de Jules. Celui-ci écrivait des romans à vingt sous aux titres flamboyants.

– Dis donc, Onésime, fit Jules... va me chercher le courrier...

– Tu en attends? fit l'autre, d'une voix de fausset qui vous faisait sursauter.

– Bien sûr... J'ai recommencé mon truc... j'ai mis une annonce matrimoniale en demandant une collaboratrice... elle va sûrement m'envoyer son roman... elles écrivent toutes des romans...

– Bon... j'y vais...

Scène 36

Onésime remonta peu après avec le courrier, un paquet volumineux. Aussitôt défait, une photo s'en échappa.

– Bougre! fit Onésime... Pas mal, dis donc.

C'était la photo d'Isabelle.

– Bigre! fit Jules... il y a un roman mais il fait au moins 2 000 pages... Sacré nom! ce n'est que la première partie?... Mais c'est la fortune! montre la photo... Oh! Onésime, fit-il d'une voix sombre. As-tu du cœur?

– Oui! dit l'autre.

– Alors ce soir nous irons enlever Isabelle... Ce nom... Elle habite au collège de Paris... rue Lagardère...

– Ce n'est pas à Paris même... hasarda Onésime...

– On a nos bécanes... Pas un mot surtout... prends ta lampe électrique. Onésime...

– Quoi?

– Jure le silence.

– Je le jure! fit Onésime... Nom d'un chien! s'exclama-t-il encore.

– Quoi? fit l'autre.

– Il y avait encore une lettre... je l'ai dans ma poche.

– Diable! Cela peut tout changer. Voyons... Onésime!

— Jules?

— Encore une... Elle habite au même endroit... le collège de Paris. Fichtre! Drame de la jalousie!... Un double enlèvement!... Mais non, Jules, tu erres... Ah! que faire... Écoute, Onésime!... Je te réserve celle-là... Sauf si elle est mieux que l'autre. Elle s'appelle Emmeline Dubois... Emmeline. Ah!... Mais Isabelle... Oh! nous verrons bien. Nous n'irons pas ce soir. Il faut tout préparer d'abord. Je vais leur écrire. Ah! Onésime! Quelle aventure!

Scène 37

Le facteur sonnait chez Rodolphe Caderourre... et la concierge monta le courrier jusqu'au troisième.

— M'sieu Rodolphe!

— Qu'est-ce, femme? lança un organe prétentieux...

— Eul'courrier...

— Posez, je vous prie...

Scène 38

L'appartement de Rodolphe comportait une décoration fantastique, faite d'instruments de musique entremêlés, de tableaux étranges. Le plafond était haut de quatre mètres environ et le lit de Rodolphe était accroché sur le côté du mur, sur une petite plate-forme avec des échelles de corde, et un dais en cellophane verte recouvrait le tout.

— Voyons... dit-il en se redressant d'un divan blanc sur lequel il était vautré, dans une robe de chambre noire ornée d'ossements... Ce courrier...

Il ouvrit la lettre et prit la photo.

— Tiens... cette tête est focale à souhait.

— Ah! fit une voix émergeant de derrière un vaste fauteuil... Projette-la-moi.

— Non! fit une autre voix! Moi d'abord.

C'étaient les amis de Rodolphe qui se prélassaient dans ses meubles. Un d'eux était gros et joufflu et l'autre avait l'air d'un rapin 1900.

— Minute... fit Rodolphe qui était vulgaire à ses heures. Vous ne l'aurez ni l'un ni l'autre.

— Quoi? ni l'un ni l'autre? Tu vas voir.

Ils se ruèrent tous deux sur Rodolphe et ce fut sur le divan une mêlée invraisemblable. Enfin ils se retrouvèrent par terre assis sur un tapis et Rodolphe fit passer la photo. Il avait l'air, malgré ses allures évaporées, d'un parfait souteneur.

Scène 39

– Eh bien, mes agneaux, cette fois-ci, ça ne sera pas désagréable... Alors, c'est entendu... Vous aurez l'adresse de ses parents, vous ferez ça facilement. Et toi, René, tu prendras ton appareil photo, tu attendras le baiser séducteur et toc! une bonne petite photo. Elle est au collège de Paris... je m'arrangerai pour qu'elle me donne rendez-vous dans un café...

– Si celle-là ne crache pas dix mille, fit René avec un sifflement d'admiration.

– Elle est pas mal, approuva Robert, l'autre type à tête de boucher. Si tu veux qu'on te remplace pour cette fois, Rodolphe...

– Mince! pour une fois que j'aurai un beau morceau à m'envoyer... Et puis comment veux-tu qu'elle résiste à ce cadre... Allez, les amis, reprenons notre chiqué... vous savez qu'on attend une visiteuse... Allons, amis, devisons art et littérature... il faut nous mettre dans l'ambiance.

Scène 40

Le facteur sonna chez Monsieur Nénuphar. Celui-ci décacheta la lettre qui était le seul courrier de ce matin-là.

– Enfin... une réponse... Oh! Elle a dix-neuf ans... elle habite... Oh!... le collège... une de mes... Oh! une des mes élèves... Oh! comme c'est gentil!...

Monsieur Nénuphar, rejeté en arrière dans son fauteuil, caressait son menton d'une main amoureuse en regardant sa lettre...

– Comme c'est gentil!... Hé! Je ne suis pas si mal d'ailleurs... pourquoi pas... L'Amour... qui éclot entre les murs d'une classe, comme des œufs de grenouille dans un bocal... Non! C'est pas poétique... Mais tout de même... Oh! C'est gentil! Je vais répondre à Mademoiselle X... aux bons soins de Mademoiselle Laurette. Jolie enfant timide!... qui a peur de dire son nom!...

Scène 41

Quelques jours plus tard, les jeunes filles se trouvaient à nouveau réunies, dans la chambre de Laurette cette fois. C'était l'après-midi et toutes guettaient avec la plus vive impatience l'arrivée du facteur. Enfin Laurette qui avait été chercher le courrier regrimpa quatre à quatre, en cachant une lettre dans sa poche, et fut accueillie par des hourras enthousiastes et des étreintes si fougueuses que son courrier lui échappa et glissa sous le lit où toutes se précipitèrent immédiatement à quatre pattes.

Scène 42

— Une pour toi, Aline, cria Micheline.
— Une pour moi! fit Isabelle.
Chacune trouva ainsi sa lettre.

Scène 43

Janine s'enfuit précipitamment dans sa chambre en serrant la sienne sur son cœur.

Scène 44

Toutes s'installaient maintenant dans des petits coins confortables pour lire leurs missives, s'interrompant parfois pour pousser de grands éclats de rire.

Scène 45

— Je crois, dit soudain Carla, pouvoir résumer l'opinion générale de nos aimables correspondants en ces quelques mots: quand pourrons-nous vous voir.
— Exact! firent-elles d'une seule et même voix.
— Eh bien! quoi de plus simple! donnons-leur un rendez-vous.
— Oh! Toutes au même endroit! fit Laurette. Ce sera si drôle.
— Ma foi! C'est à creuser. Quel endroit préférez-vous?
— Un café... suggéra Laurette. C'est ce que demande mon type.
— Bonne idée... Ce sont souvent les idées les plus banales qu'il faut accepter, fit Micheline.
— Banales! Oh! Zut alors.
— Vous voulez aller dans un café? s'étonna Aline. Pourquoi... on serait mieux dehors...
— Ah? et si on nous voit, grosse bête. Tu seras bien avancée, au bras de ton châtelain.
— On pourrait prendre un vieux café pas très fréquenté... J'en connais un où mon grand-père faisait tous les soirs sa partie de dominos, fit Isabelle...
— D'accord. Alors c'est entendu... On leur fixe rendez-vous pour mardi.
— Oui... dit Aline, mais il me demande d'amener les papiers de ma mère. Qu'est-ce que ça veut dire?
— Ça doit être une manière détournée de te dire « Je vous aime », opina Laurette.
— Ou il veut peut-être savoir quelles sont tes ascendances, si tu

es atteinte de folie héréditaire, de goître exophtalm... oh! que c'est dur à prononcer, ce truc-là, fit Carla... ou d'autre chose. Ou alors je ne sais pas.

— Ben tu sais... je ne suis pas très avancée avec cette explication-là...

— En tout cas, mes enfants, résuma Micheline qui n'ayant pas de lettre, avait lu avec Isabelle... ça s'annonce bien. Mais attention! cria-t-elle soudain... continue à lire, Isabelle... il projette de venir t'enlever lundi avec son camarade Onésime.

— Joli nom! fit Carla.

— Oh! mes enfants! il dit qu'Onésime veut enlever la jeune fille qui se nomme Emmeline Dubois...

— Quoi! elle aurait écrit à la même annonce alors? Oh! ça, c'est à se tordre, gémit Carla en se roulant sur le lit... Attends, Laurette. On va nager un peu et ce soir on viendra chez toi pour faire les préparatifs de la réception des soupirants d'Isabelle et d'Emmeline.

Et elles sortirent en riant à gorge déployée.

Scène 46

Laurette, restée seule dans sa chambre, décachetait la lettre de Monsieur Nénuphar.

— Ah! Tiens! monsieur Nénuphar... vous avez mordu à l'hameçon... Lisons... *Mademoiselle...* lut-elle à mi-voix. *La grâce enclose en les lignes que je tiens a touché mon cœur, chrysalide assoupie... Puis-je vraiment oser lever sur vous un œil timide qui bien que non à facettes, espère pouvoir un jour vous admirer comme l'abeille admire la fleur qu'elle butine? Vous butiner... Vous lutiner plus tard peut-être... C'est ce que j'espère, mais ne ternissons pas par des jeux de mots vulgaires l'éclat de cette première joie... car c'est la première fois que l'on s'intéresse à moi. Puis-je espérer vous voir?*

Nénuphar

— Eh bien! monologuait Laurette! il va bien notre Nénuphar! Tout feu tout flamme! Une idée. Je vais emmener Micheline dans notre café et donner rendez-vous à Nénuphar, mais une demi-heure après nous... disait-elle en écrivant prestement la réponse. Ah! monsieur Nénuphar!... Nous espérons vous voir mardi!... signe de reconnaissance : une rose dans les cheveux, et elle colla le timbre et partit mettre la lettre à la poste.

Scène 47

Elle fut rejointe dans sa chambre une heure après son retour par Micheline.

— Ma petite Laurette, tu sais, il y a une chose que je regrette... c'est de ne pas avoir eu le temps de choisir aussi une annonce...

— T'en fais pas, repartit Laurette, tu viendras dans le café avec nous, tu t'assoiras à l'écart... C'est probablement toi qui t'amuseras le plus.

— Oh! sûrement, fit Micheline, mais peut-être ils ne viendront pas...

— Oh! si! tu verras, on va bien s'amuser... Mais qu'est-ce qu'on va préparer pour la réception du soupirant d'Isabelle et de celui de Mademoiselle Dubois... je vais envoyer en signant Dubois un plan du collège avec la porte d'Isabelle (ça sera celle de la Directrice) et celle d'Emmeline... Tu verras, ce sera formidable... Le reste, on arrangera ça avec les autres pour les détails... Je crois qu'une bonne douche ne serait pas déplacée.

— Attention! fit Micheline. Dans la lettre d'Isabelle, il nous demandait de prévenir nous-mêmes Emmeline, notre camarade... On va lui glisser un mot sous sa porte... Écris, je te dicte...

Chère Emmeline... Mon cœur touché par votre appel m'incite à vous rendre lundi une visite nocturne... quel danger! mais je le braverai... j'ai soudoyé les subalternes... j'ai le plan des lieux... ne craignez rien... attendez-moi...

Signé : Jules Dupont.

— On glissera ça sous la porte de Dubois ce soir... Ça sera crevant... Ah! voici les autres qui arrivent...

Scène 48

Le soir dans sa chambre, Mademoiselle Dubois finissait d'écrire ses discours.

— Celui-ci... pour la Directrice. Celui-là... pour le bœuf gras... Et puis le compliment d'anniversaire que m'a demandé le concierge ce matin. Les voilà. (Elle les disposait soigneusement dans des enveloppes.) Mais qu'est ce bruit?

Scène 49

A ce moment, Micheline grattait à la porte et glissait le billet...
— Oh! une lettre... de qui?

Elle ouvrit la porte rapidement, mais Micheline s'était éclipsée. Emmeline Dubois ouvrit la lettre et mit une main sur son cœur.

— Oh! l'imprudent! il m'a écrit. Où a-t-il eu l'audace... Cette écriture... juvénile et hardie... mais finissons vite notre travail.

Scène 50

Elle se précipita à son bureau et mit : *Mlle la Directrice* sur le paquet du concierge, *M. Nénuphar* sur celui de la Directrice et *M. le concierge* sur celui de Nénuphar.

— Je leur donnerai demain... mais lisons vite... Oh! lundi! Mais j'ai juste le temps d'aller chez le coiffeur...

Scène 51

Le lundi matin on aurait pu voir, en passant successivement dans la chambre des filles, les cinq complices s'éveiller, regarder paresseusement en l'air, et sursauter, puis rire... — Ah! c'est lundi aujourd'hui... Vivement ce soir...

Scène 52

Puis dans la chambre de Mademoiselle Dubois on voyait l'extravagante figure de cette digne femme entourée d'une série d'anglaises... Elle se réveillait, et déjà le téléphone intérieur sonnait...

— Allo? mademoiselle Dubois, demandait la Directrice à l'autre bout.

— Madame la Directrice?

— Vous avez pensé à mon petit discours?

— Ah! oui... je vous l'apporte dans un quart d'heure.

— Très bien... merci mille fois, mademoiselle Dubois... termina la Directrice en raccrochant...

Scène 53

En sortant de chez la directrice, Mademoiselle Dubois, munie de ses deux autres enveloppes, erra dans les couloirs le sourire aux lèvres. Elle croisa Monsieur Nénuphar rajeuni de dix ans, frais rasé, bien coiffé, avec un complet clair...

Scène 54

— Ah! cher monsieur Nénuphar... J'ai votre petit travail...

— Oh! Mademoiselle Dubois... vous êtes un ange!... Je l'envoie directement comme ça...

— Oui! vous pouvez... Mais quel beau jour, le lundi! n'est-ce pas...

– Oui!... Notez que je préfère le mardi... Mais certes, le lundi est un jour charmant...

– Au revoir, monsieur Nénuphar... je vais voir s'il y a du courrier...

– Ah! oui! il y en avait! dit Monsieur Nénuphar souriant aux anges et s'éloignant.

Scène 55

Emmeline descendit chez le concierge.

– Tenez, Émile, voilà votre compliment.

– Excusez-moi, mam'zelle Dubois, mais ma fille n'aura pas le temps de l'apprendre... est-ce qu'elle pourra le lire facilement comme ça du premier coup?

– Oui, Émile, j'ai écrit spécialement pour votre enfant... cela sera très bien...

– Merci encore une fois, mam'zelle... C'est un grand service que vous nous rendez... pensez un peu... son oncle à héritage...

– Oh, je vous comprends! Au revoir, Émile...

Et Emmeline s'enfuyait, légère et sautillante, le long des couloirs spacieux.

Scène 56

Lundi... Dix heures du soir. Sous un réverbère, Onésime et Jules contemplaient le plan.

– Alors, Onésime, tu as bien compris... On saute le mur ici... On rampe jusqu'à la fenêtre du couloir du rez-de-chaussée, qui a été laissée ouverte, on monte. Je frappe à la porte du fond du couloir. Toi, tu longes le couloir de droite et tu frappes à la deuxième porte. A toi Emmeline, à moi Isabelle. Pas un bruit surtout. Allez, Onésime, fais-moi la courte échelle.

Onésime avait un vieux feutre mou et sa pèlerine qui laissait apparaître ses chaussettes et le bas de ses mollets velus.

– Dis donc! demanda-t-il, une question?

– Vas-y.

– Qu'est-ce qu'on entend exactement par « violer »?

– T'inquiète pas de ça, tu sauras plus tard. Laisse-toi faire, plutôt. Oh! je peux bien te le dire, au fond : c'est quand l'autre n'est pas consentante...

– C'est tout? fit Onésime désappointé; je croyais que c'était tout à fait autre chose.

– Ferme-la, maintenant, et allons-y.

Scène 57

Ils escaladèrent promptement le mur et rampèrent vers la maison.

— Onésime! une échelle...

Jules monta le premier, Onésime le suivait de près. Jules était monté quatre à quatre, mais Onésime y allait barreau par barreau et au cinquième, un craquement affreux retentit, suivi du bruit de déchirement du fond de culotte de Jules à qui il s'était raccroché.

— Qu'est-ce que c'est? fit Jules.

— Oh! rien... mon lacet de soulier... Continue...

Scène 58

Ils atteignirent la fenêtre.

Jules fit un rétablissement magnifique, Onésime s'arrêta en haut. On entendit un fracas horrible. Une pile de lessiveuses s'écroulait sous Jules. Onésime fonça.

— Elles ont dû mettre ça pour nous servir d'escalier, fit Onésime. Dommage que tu les aies ratées.

— Tu trouves, toi, que je les ai ratées? s'étonna Jules après avoir repris son souffle. Oh! Onésime! On vient...

Scène 59

C'était Émile, le concierge, qui ayant entendu du bruit, sortit de sa loge. Il aperçut l'échelle, se rua dessus et au troisième barreau, se cassa la figure. Il avait, hélas, son beau complet.

— Nom de Zeus! rugit-il. C'est sûrement pas par là qu'on est monté. J'ai assez ri. Je rentre me coucher.

— As-tu fini de jouer à l'acrobate? fit sa femme. Viens donc, au lieu de faire l'idiot. On part chez l'oncle dans cinq minutes. Tu sais bien que le train est à dix heures vingt? Joseph va garder la boîte cette nuit. Tiens! c'est lui qui sonne!...

Joseph, son frère, arrivait.

— Allons! filons, dit-il. Je m'installe dans la loge...

Ils s'en allèrent.

Scène 60

Pendant ce temps, Jules et Onésime poursuivaient leur avance le long des couloirs obscurs.

— Ta lampe! souffla Jules. Je veux voir le plan... Ah! C'est là, tout droit. Je file. Toi, file sur la droite...

Scène 61

Les filles, massées sur le palier supérieur, suivaient anxieusement le résultat de l'opération.
— On le douche? souffla Micheline.
— Non! pas maintenant! fit Isabelle... après! Qu'on voie d'abord ce qui va se passer...

Scène 62

Jules avançait à pas de loup. Il mit la main sur le loquet, tourna et entra. Alors Micheline et Laurette prirent une grande bassine d'eau et la portèrent devant la porte de la Directrice. Puis elles se massèrent au bas de l'escalier, en retenant des rires étouffés.

Scène 63

Dans la chambre de la Directrice régnait une lumière douce et tamisée. La Directrice elle-même, assise à sa coiffeuse, apportait à sa toilette nocturne la dernière touche. Un déshabillé suggestif mettait en valeur ses charmes un peu usagés mais point trop croulants.
— Monsieur! fit-elle en se retournant, que cherchez-vous ici?
— Isabelle!...
— Hélas... mon nom est Nicole... mais le vôtre? demanda-t-elle nonchalamment en ouvrant un tiroir.
— Jules...
— Eh bien, Jules, haut les mains!
— Hou là! Voulez-vous lâcher ça et ne pas jouer avec des trucs pareils... Savez-vous que c'est très dangereux, fit Jules en tremblant comme une feuille...
— Alors, beau séducteur, dites-moi ce que vous cherchez à une heure pareille... Je crois que je peux rentrer mon revolver. Vous n'avez pas l'air très dangereux...
— Madame! je suis venu ici sur la foi d'un plan... que voici...
— Allons... venez par là... asseyez-vous et causons gentiment. Vous êtes peut-être un peu froussard, mais assez sympathique en tout cas!...

Scène 64

Onésime, le long de son couloir, avait commencé par s'entourer le bas de la figure d'un large foulard noir... Il avança avec

précaution et, arrivant à la porte, l'ouvrit précautionneuse-
ment... Mademoiselle Dubois, enveloppée d'un peignoir de soie
mauve, attendait, étendue sur un lit bas, le dos tourné à la
porte.

– Est-ce toi? fit-elle... Alors prends-moi! Enlève-moi! psalmo-
dia-t-elle... dans tes bras, et fuyons tous deux au clair de lune.

Onésime l'enleva dans ses bras et se dirigea vers la porte...

– Où est la sortie? demanda-t-il de sa voix de fausset.

– Ce n'est plus la peine de dissimuler ta voix, ô mon amant,
clama Emmeline... Par là tout de suite à gauche... attention, il y
a cinq marches.

Onésime se dirigea vers le jardin...

Scène 65

Les filles, haletantes, retenaient leur souffle. Quand il fut
sorti, ce fut une explosion silencieuse...

Scène 66

Cependant, Jules, chez la Directrice, commençait d'avoir à
se défendre sérieusement contre les attaques de la belle Nicole.
Soudain, n'y tenant plus, il se dressa et s'enfuit. Il tomba droit
dans la bassine, se releva, bondit droit devant lui, et terrorisé
par l'apparition de cinq fantômes vêtus de blanc, fonça droit
dans la porte du jardin et descendit les cinq marches sur le
derrière.

Scène 67

Au détour d'une allée il tomba sur Onésime, à genoux
devant un banc moussu sur lequel Mlle Dubois étendue prenait
des poses d'odalisque...

– Ah! Salaud! C'est toi qui l'as eue. Attrape!

Et d'un direct au menton il descendit Onésime qui fit Couic!
et tomba.

Scène 68

Joseph, le concierge remplaçant, arrivait avec un manche à
balai.

– Voulez-vous me foutre le camp! beugla-t-il pendant que
Mademoiselle Dubois s'évanouissait fort à propos.

Jules, emportant le corps d'Onésime, galopa jusqu'au mur,
l'escalada par miracle et tomba dans un gros tas d'ordures.

— Mer... ah mon Dieu, cria-t-il...

Onésime se ranimait.

— Merci, mon vieux! dit-il... Si tu avais vu sa gueule! Foutons le camp...

— Mais Isabelle!...

— Bah! laisse ça... j'aime encore mieux le lycée... J'y retourne demain... Allez, aux bécanes.

Scène 69

Joseph, pendant ce temps, avait pris l'échelle qu'il appliquait contre le mur. Il grimpa jusqu'en haut mais au moment où il levait son balai pour assommer Jules, les quatre barreaux restants s'écroulèrent avec fracas... et il chut dans le jardin...

Scène 70

... Dans le couloir, cinq formes blanches se roulaient par terre...

— Si on rigole autant demain, firent-elles...

— On pourrait aller soigner Dubois! proposa Laurette...

— Oui! il reste de l'eau!

Et Mlle Dubois prit la douche...

Scène 71

Rentrée dans sa chambre, Mademoiselle Dubois un peu éberluée, essaya de reprendre ses esprits...

— Oh! Que s'est-il donc passé, monologuait-elle. J'étais folle... C'est un enfant... que faire... écrire encore? Non, je crois qu'il vaut mieux que j'abandonne cela pour me consacrer aux travaux littéraires... mes œuvres, à l'heure actuelle même... sont lues, bien plus! elles le sont en public.

Scène 72

A ce moment la sœur de la Directrice prenait la parole au banquet commémoratif. Le président la lui donnait en ces termes...

— Mesdames, messieurs, lors de la mort survenue l'année dernière de notre cher ami Joséphin Dumollard, membre d'honneur de notre cercle, je vous disais combien nous déplorions le vide survenu de ce fait. Mlle de Verton va nous rappeler, en sa qualité de plus vieille amie du défunt, la perte que nous avons faite le 12 avril dernier.

– Mes chers amis... C'est une joyeuse tâche que de fêter le gros animal dont nous allons parler plus en détail...

Plusieurs personnes s'évanouirent.

Scène 73

L'oncle de Monsieur Nénuphar, à son banquet commençait ainsi en s'adressant au président :

– ... Ce petit compliment que je vais vous réciter, que va-t-il vous souhaiter, mon cher tonton Durand...

Scène 74

Et la petite fille...

– C'est avec tristesse, Joséphin, que je salue en votre dépouille les vieilles vertus et les nobles traditions qui éclairaient votre vie...

Scène 75

Dans le jardin, le lendemain, Laurette rejoignait Micheline.

– Oh! Micheline! Déjà prête... Tu as une robe adorable.

– Tu l'aimes? C'est une vieille que j'ai fait retaper...

– Oui! Mais tiens! il te manque quelque chose... attends.

Elle alla cueillir une grosse rose blanche et vint lui piquer dans les cheveux.

– Comme ça, tu es délicieuse... Mais que font les autres! elles n'arrivent pas.

Scène 76

– Que faites-vous, mes enfants? demanda la Directrice qui arrivait...

– Vous savez bien, madame... nous allons au mariage de Marinette Cheval... votre ancienne élève... nous vous avions demandé l'autorisation.

– Ah! celle qui a failli avoir son bachot. Ah! oui... une fille presque très laide.

– C'est ça, madame la Directrice...

– Alors amusez-vous bien, mes enfants...

Scène 77

Aline et Carla arrivaient...
Elles prirent toutes l'autobus, une grosse baleine à gaz, et arrivèrent rapidement à destination...

Scène 78

En arrivant au café, dans une petite rue vide, un grand café 1900 sombre et enfumé, elles riaient toutes comme des folles en entrant. Le sommelier, derrière le comptoir, fit un signe de croix quand la première entra et s'évanouit à la dernière.

Scène 79

Le garçon s'avança...
— Que prendrez-vous, mesdemoiselles?
— Nous ne sommes pas ensemble, déclarèrent-elles avec dignité en allant chacune s'asseoir dans un coin.
— Ah! Bon... excusez-moi... balbutia l'innocent qui se trouvait seul au milieu de son café.
Et voici que jaillissait un quadruple cri...
— Garçon!...
Ne sachant plus que faire, il se précipita vers la première et réussit enfin à faire son service...

Scène 80

Le café était désert. Au bout de cinq minutes Carla, n'y tenant plus, sortit de la salle pour faire quelques pas. Elle faillit presque renverser un grand garçon brun qui arrivait...
— Vous ne pourriez pas faire attention?
— Et vous? répondit-il...
— Mufle! Oh! mais au fait! Ce n'est pas vous le « jeune homme timide »?
— Tiens? et vous Carla, peut-être...
— Parfaitement. D'abord, ça ne vous regarde pas... vous êtes un goujat... moi qui vous trouvais drôle!
— Ah oui? alors c'était une blague? ben nous avons eu la même idée...
— Menteur!
— Hypocrite! vous ne vous appelez pas Carla Lefort? au fait!
— Si! mais qu'est-ce que ça peut vous faire?
— Chère Carla! vous êtes la sœur de mon meilleur ami.

– Ben, je ne le félicite pas...
– Carla! soyez gentille... nous pouvons être de grands copains...
votre frère m'a souvent parlé de vous... Mais qu'est-ce que c'est...
je connais cette tête-là...

Scène 81

Rodolphe et ses acolytes arrivaient.
– Oh! quelle tenue! s'exclama Carla... ça doit être celui de Lau-
rette?
– Ah! vous avez fait ça en série... Vous êtes mal tombée... C'est
un maître chanteur notoire.
– Comment ça?...
– Oui... il pose un baiser séducteur, l'autre prend une photo...
Et ça coûte une somme variable...
– Oh! mais! Éric... vous n'allez pas laisser faire ça.... Écou-
tez... Entrez... vous arrangerez ça... je vous attends dehors...

Scène 82

Éric entra en même temps que Palamède qui arrivait.
Celui-ci alla droit sur Aline, et Éric s'assit derrière Rodolphe
pour écouter sa conversation...
Dans le fond du café, Palamède avait couru droit sur Aline.
– Vous avez la photo de votre mère... ses papiers?
– ... Mais... Monsieur... qui êtes-vous?
– Palamède...
– Mais j'attendais votre fils...
– Non... C'est moi... Vous me trouvez mal conservé! Diffi-
cile! ma petite... Les papiers de votre mère... Et puis parlez-
moi d'elle... C'était une femme... mettons légère...
– Oh! Monsieur!
– Non? Oh! bizarre!... vous êtes sûre? Écoutez... réfléchissez
bien... Les papiers, d'abord... Montrez-moi sa photo... Ah!...
Oh? ça n'a pas l'air d'être ça du tout...
– Si! c'est Maman, je vous assure...
– Mais non! c'est *ça* votre mère... disait-il en lui montrant la
photo qu'il avait repérée dans ses albums et détachée pour
l'amener... Réfléchissez... vous savez bien... c'est *elle* votre
mère...
– Mais non! je vous assure... Maman était brune...
– Oh? Vraiment... Mais alors mademoiselle, vous ne m'inté-
ressez plus du tout... Vous persistez à m'affirmer que votre
mère était brune... Alors que je vous montre l'aspect qu'elle
devait avoir...

– Mais, monsieur...
– Alors au revoir, mademoiselle... vous pourrez régler les consommations...
Aline restait ahurie...

Scène 83

Carla, dehors, vit sortir Palamède. Presque aussitôt, on vit voler par la porte trois corps successifs vigoureusement éjectés par la poigne d'Éric... Celui-ci rejoignit Carla en riant à gorge déployée...
– Croyez-vous qu'ils ont fait un beau vol plané, hein?...
– Oui! pas mal... Vous avez l'air assez costaud. Faudra qu'on marche ensemble.
Les trois autres décampèrent.
Éric et Carla entrèrent et vinrent s'asseoir à côté de Laurette.

Scène 84

Micheline allait les rejoindre quand Nénuphar entra en coup de vent, la repéra du premier coup d'œil à sa rose, et accourut à elle...
Il lui tenait les mains et parlait très bas...
– Mademoiselle... Mademoiselle Micheline... c'est donc vous...
– Mais... Monsieur Nénuphar... je ne comprends pas...
– Oh! ne dites pas cela... vous avez eu la bonté de réchauffer mon cœur... un peu engourdi... mais jeune encore... Ne me dites pas que c'était un jeu... Vous ne le croyez pas vraiment... Dites... suis-je vraiment si antipathique...
– Mais... monsieur Nén...
– Dites Gilbert... c'est mon prénom... Vous voulez bien que je vous appelle Micheline... Votre lettre... la voilà... je la garderai toute ma vie... cette fleur éclose entre les murs si peu romanesques d'une classe... Ce petit fragment de bonheur qui m'est arrivé... Cette bribe de pollen poussée par la brise...
– Oh! Gilbert... vous seriez si gentil de ne plus penser à l'entomologie...
– Micheline... Oh! pour vous... mais je ferais même des vers... C'était vous...
Micheline commençait à comprendre... L'attitude de Laurette, de Carla et d'Aline l'avait éclairée... Ces dernières lui avaient fait un clin d'œil complice en sortant du café... et elle resta avec Nénuphar...

Scène 85

A six heures, quand elle sortit du café au bras de Gilbert qui se penchait tendrement vers elle... elle rencontra soudain Janine au bras d'un étudiant...

— Je te présente mon fiancé... dit Janine. Benoît Lassidu... Nous nous marions dans quinze jours...

— Mes félicitations! fit Micheline...

— Ce garçon a l'air d'une larve de libellule déprimée! émit Gilbert d'un ton sentencieux...

— Oh! vous, alors, avec vos sacrées comparaisons, pesta Micheline, rieuse, en lui secouant le bras avec vigueur...

Scène 86

Quelques jours après les cinq amies, réunies au jardin, conversaient de nouveau par une radieuse matinée...

— Tout de même... fit Isabelle... en somme ça n'a servi à rien, cette blague de Micheline...

— A rien? s'indigna Laurette... Ben, moi, je trouve qu'on a bien rigolé...

— Oui... mais heureusement qu'Éric était là... fit Carla...

— Je n'ai pas encore compris qui était cet Éric... émit Aline d'une voix incompréhensive en effet...

— Oh! toi! fit Micheline, tu nous rendrais folle. Vous oubliez le résultat principal, mes enfants, le mariage de Janine...

— Mais oui! c'était hier... Tiens mais la voilà! que vient-elle faire ici...

Scène 87

— Oh! vous voilà, cria Janine en arrivant. Je suis bien contente de vous trouver...

— Et ton mari?...

— Il est à l'hôpital...

— Quoi?

— Je lui ai flanqué une raclée... Figurez-vous que le soir de notre mariage, hier soir tenez, il m'a prise tendrement dans ses bras, la brute! et m'a dit : «Eh bien, ma petite Janine... Maintenant, finies les études... On va être une gentille ménagère et raccommoder les chaussettes de son mari... » D'abord, j'ai cru qu'il plaisantait mais quand j'ai vu qu'il parlait sérieusement, j'ai pris un dictionnaire et je le lui ai flanqué à la tête...

— Alors?

– Alors il est à l'hôpital... il a dit qu'il était tombé...

– Il est de bonne composition...

– Ça l'a rendu très doux... C'est chic, mes enfants, c'est lui qui fera la cuisine et moi je travaillerai... Comme j'ai quelques jours, je reviens un peu avec vous...

– C'est l'heure du cours, d'ailleurs, remarqua Carla... allons-y...

Scène 88

En entrant dans la salle, elles virent Mademoiselle la Directrice, Mlle Dubois, M. Nénuphar...

– Mes enfants, dit la directrice, je dois vous dire que ce cours est le dernier cours de Monsieur Nénuphar... Il nous quitte en effet pour se marier... avec Micheline de la Tour...

– Micheline! hurlèrent les quatre en lui sautant au cou! Cachottière, tu ne nous avais pas dit ça!

– Il faut bien que je vous fasse des cachotteries... vous m'en aviez assez fait avec votre lettre, dit Micheline en riant...

Scène 89

Un cortège nuptial descendait les marches de l'église... M. Nénuphar, Micheline et quatre demoiselles d'honneur... Carla, Isabelle, Aline, Laurette. Le cavalier de Carla était Éric...

Scène 90

Rodolphe et ses deux acolytes, couverts de pansements, étaient dans la foule.

– Filons... fit Rodolphe en voyant Éric...

Et le photographe fixa le couple comme il sortait de l'église...

HISTOIRE NATURELLE

OU
LE MARCHÉ NOIR

1945

I

Évidemment, les paysans de chez nous ne vendent rien aux démarcheurs officieux...

(Image de paysans – Cochon contre argent)

Les étiquettes des wagons se décollent toutes seules. Forcément la colle est mauvaise...

(Image d'un type qui l'arrache soigneusement)

Rien de mal ne peut arriver. La police ouvre l'œil... *(Grosse tête de flic)* et tend la main... *(la main se referme sur de l'argent)* pour saisir le criminel au collet... *(bastonnade d'un vieux qui dérobe du charbon sur un camion)*.

Dans ces conditions, on s'explique mal que les joyeuses ménagères que rien ne vient brimer... *(images de femmes en cheveux, queues, etc.)* continuent à entretenir le marché noir pour le plaisir *(gosse malade, oranges sur la table)*.

En y réfléchissant, on comprend cependant. Il y a des crapules *(employés de la poste)*. Ils ouvrent les télégrammes qui sont destinés à d'autres qu'eux. Ils privent de leur gagne-pain des intermédiaires honnêtes. Et les obligent à prendre des mesures draconiennes *(conciliabule avec un homme à l'accent étranger – Marchandise partant en bateau)*. Tout le monde en souffre *(Orgie chez un type du marché noir)*.

Le peuple s'en moque. Il continue à acheter au marché noir *(image d'un homme se suicidant au gaz dans sa chambre)*.

Les grands partis s'en occupent sérieusement. *(Image des trois refusant le portefeuille.)*

Tout ça, on n'en veut plus. La justice ne sert à rien? Alors, soyons injustes! Il est temps de pendre ceux qui ne le méritent pas, les honnêtes épargnants... *(Pendaison des trafiquants.)*

Après tout, ça n'ira pas plus mal, et le peuple sera puni.

(Image de ménagères au filet bien garni)

Il sera obligé de tout emporter à la sueur de son front...
(Image d'un tout petit gosse qui emporte sur son dos une énorme boîte de lait condensé.)

II

(Commentaire dit par speaker)

Il était une fois un monsieur tout nu. Ça arrive. Il n'osait pas se promener sur les chemins parce qu'il avait peur des gendarmes. A vrai dire, il ne se rappelait plus rien, sinon qu'il y avait des gendarmes. Un soir, il rencontra une bonne âme qui l'hébergea, le nourrit, le vêtit et l'emmena à la Mairie. Après maints avatars, il finit par entrer en possession de papiers d'identité et de cartes d'alimentation...
(A partir de ce moment-là, montrer les difficultés rencontrées chez les commerçants qui refusent de donner leurs produits, se servant de leur boutique comme de paravent, etc.)

III

Un matin, Jean se réveilla.
(Il s'étire dans son lit.)
Comme d'habitude, il fit sa toilette.
(Image d'une toilette baroque.)
Sans exagération car l'eau était froide. Il descendit, frais et dispos. Entra chez son cordonnier.
— Une livre de beurre, demanda-t-il.
— Du beurre? dit le cordonnier. Mais vous êtes fou! Je vends des chaussures et fais des ressemelages. Allez chez le crémier!
(Jean recule un peu étonné, et, inquiet, quitte la boutique.)
Il poursuivit sa route, troublé, et arriva chez sa boulangère.
— Avez-vous du vin, Madame?
— Mais non, Monsieur Jean. Je n'ai que du pain, comme d'habitude. En voulez-vous?
Jean n'insista pas.
(Il se passe la main sur le front où perlent des gouttes.)
Il tourna les talons. Il ne se sentait pas bien. Le boucher refusa de lui vendre du charbon.
(Image du boucher le montrant du doigt et rigolant comme un bossu et se tapant le front.)
Et le marchand de tabac n'avait que des cigarettes...
(Image du gars mimant la forme d'une tarte, et du marchand de tabac ouvrant des yeux ronds.)

Jean n'était pas bien.
(S'éponge le front.)
Pas bien du tout.
(Se laisse tomber à la terrasse d'un café.)
— Qu'est-ce qui ne va pas, mon vieux? lui demande son voisin.
Une cigarette?
(Sursaut de Jean qui balbutie.)
— Mais... Quel jour sommes-nous?
— Le jeudi 34 juillet, répond l'autre, en lui montrant un calendrier énorme qu'il tire de sa poche.
— Ah!... dit Jean. C'est un rêve!...
(On le voit dans son lit.)
C'était un rêve.
Et c'est regrettable...
C'est ainsi que, de fil en aiguille, la fraude est devenue une habitude...
(Commerçant baptisant du vin.)
L'anormal est devenu la règle...
(Enfant de six ans, jouant avec une liasse de billets.)
La malhonnêteté triomphe sur toute la ligne.
(Femme avec un enfant. Le pharmacien lui refuse du lait condensé pour en donner une boîte au client suivant pour 200 F.)
A qui la faute?
A vous!
N'encouragez pas la fraude. Vos rations sont insuffisantes? Soit.
Protestez.
Mais, protestez comme il faut.
Ne vous « débrouillez » pas. C'est le voisin qui en pâtit.
(Images d'un vieux et d'un enfant.)
Unissez-vous.
Payez-vous sur la bête.
(Commerçant proposant un poulet à 1 000 francs et recevant un coup de poing.)
Renseignez-vous. Qui est à la tête?
(Commerçant avouant au cercle qui le presse avec agent.)
Vous savez bien que si vous consentez à vous laisser faire, la police ne peut rien pour vous. Vous en connaissez, des gros trafiquants.
(Images du marché noir.)
Par la fenêtre. Avec une corde. C'est leur place.
Les marchands de sucre en gros. Les mandataires aux Halles. Les affameurs. Les gens qui suspendent leurs expéditions quand les prix baissent.
Unissons-nous.
Nous réussirons.
Ils ne sont pas les plus forts...

IV

Monsieur Dupont vient d'acheter 100 francs un camembert à son coiffeur.

Monsieur Dupont est un gros malin.

Son coiffeur aussi... Il l'avait payé 75 francs...

Mais il y en a un qui est encore plus malin.

C'est Monsieur Arsène.

Il avait acheté le camembert 20 francs à la vache.

(Image de vache en traite et du seau plein de camemberts.)

Qui est-ce qui est refait?

C'est la vache, parce que l'herbe qu'elle achète aux poules lui revient très cher.

C'est le coiffeur qui aurait pu gagner 80 francs en achetant directement le camembert à la vache pour le revendre 100 francs à Monsieur Dupont.

C'est Monsieur Dupont qui aurait pu, de la même façon, économiser 80 francs en achetant directement à la vache.

Qui est-ce qu'on doit punir?

Pas la vache. Elle ne peut pas faire autre chose que du camembert.

Pas Monsieur Dupont. Il ne peut pas faire autrement que d'en manger.

Pas le coiffeur. Un coiffeur doit vendre du fromage.

Tout de même, ils mériteraient une bonne raclée tous les deux.

Mais Monsieur Arsène, lui, on devrait le pendre...

(Image de poursuite avec un lasso.)

Parce que s'il n'allait pas embêter les vaches à domicile, ou s'il se faisait coiffeur...

Monsieur Dupont pourrait acheter directement un camembert à la vache...

Et puis, il y a aussi les poules qui sont de belles vaches. Mais on en fera du pot-au-feu.

Le coiffeur, il faut le plaindre. Sa femme est affreuse.

V

De tout temps, la France a eu une réputation de politesse...

(Guichet fermé avec un bruit sec sur un visage renfrogné.)

De bonnes manières...

(Contrôleur d'autobus se battant avec ceux qu'il transporte.)

D'ignorance en matière de géographie...
   (Hésitant, devant une carte tracée à la craie sur un tableau, un homme marque Pékin à la place de Paris.)
De pilosité et de décorationomanie...
   (Un athlète 1900 fort velu voit avec plaisir apparaître, l'une après l'autre, des médailles qui se suspendent à ses poils.)
On dit aussi que le Français mange beaucoup de pain...
   (Un tout petit bonhomme sort de chez la boulangère avec douze pains sous le bras.)
Nous avons ajouté de nouveaux titres de gloire à ce palmarès déjà bien garni.
Nous sommes les rois du marché noir.
Que voulez-vous?
De la viande?
   (Une vache. Le client choisit un morceau. Le boucher prend une grosse scie et se met en devoir de découper.)
Du beurre?
   (Chez un bijoutier, dans une horloge Westminster.)
Une automobile?
   (Chez une mercière de 75 ans. Petits bocaux de bonbons.)
Des louis?
   (Un vagabond éculé. Gros plans de mains manipulant des pièces.)
Des vêtements?
   (Deux types tout nus, dont on ne voit que le torse, puis la piscine et les slips.)
Du charbon?
   (Une couturière. Magasin de luxe.)
Et le reste... On en parle. On le voit. Tout le monde s'en moque. C'est la liberté.
Liberté d'en mettre plein leurs poches pour les uns.
Et puis de crever de faim pour les autres...
Il est facile d'accuser la police...
Il est facile de mettre en doute l'honnêteté des contrôleurs.
La France comptait, en 1944, un commerçant sur huit habitants.
La police ne peut pas surveiller cinq millions de Français.
Alors?
Alors... rien. C'était juste pour dire.

VI

Un salon. Des dames en visite. Un petit garçon d'âge à faire sa sixième environ.
   — Et que ferez-vous de votre fils, Madame?

– Un roi du marché noir, j'espère bien. Comme son oncle. Je lui ai déjà trouvé deux très bons professeurs.

– Ne craignez-vous pas de le fatiguer par trop de travail?

– Non point. Les études sont très faciles, pour un cerveau qui sait s'adapter aux méthodes scientifiques...

(Scénario montrant les divers domaines du marché noir, et la filière suivant laquelle on commence par vendre ses cigarettes pour finir par affamer des populations.)

ZONEILLES

1947

MICHEL ARNAUD
RAYMOND QUENEAU
BORIS VIAN

ZONEILLES

Scénario

LES FILMS ARQUEVIT

RUE (avec cortège) : 1-2-3-4-5-6-7.
RUE (sans cortège) : 8-9.
SQUARE A : 10.
SQUARE B : 11-12-13-14-15-16-17-18-19-20-21-27-30-43-44-45-46-48-49-50.
JARDIN (première chasse) : 22-23-24.
SALON (Conseil de famille) : 25-26.
JARDIN (avec maison) : 28-29-31-32-33.
CHAMBRE : 34-35-36.
FORÊT : 37-38-39-40-41-42.
STUDIO PICK-UP (Feuille) : 47.
CHAMBRE GRAMO (Feuille) : 49.

RUE : 1 jour
SQUARE : 2 jours
JARDINS : 1 jour
FORÊT : 1 jour
INTÉRIEURS : 2 jours.

1. – Ouverture en fondu sur une rue déserte. L'appareil avance au rythme du cortège.

(*Musique du cortège.*)

Au bout de quelques mètres, l'appareil panoramique vers le côté. Un type entre dans le champ et, plus vite que l'appareil, s'avance vers et va se planter devant un panneau sur lequel se trouve le générique qu'il commence à lire...

(*La musique s'arrête sur une note tenue sur un accord dissonant pendant tout le temps de la lecture.*)

2. – Plan rapproché du panneau avec le générique complet. (Bouts de papier placés dans tous les coins et reliés entre eux par des flèches.)

Le générique terminé, une flèche dépassant le panneau vient indiquer le pied du type qui lisait. Ce pied qui vient de se poser sur un étron, commence à se démerder. L'appareil recule jusqu'à avoir le type en plan américain amorçant son mouvement de sortie.

(*La musique reprend.*)

3. – Plan du type rejoignant le cortège, lequel va passer à son tour devant le panneau et lequel a fait, en marquant le pas, du sur place pendant tout le temps de la lecture.

(*Les rythmes reprennent seuls.*)

Le cortège repart. Zoneilles arrive en courant le long du trottoir où se trouve le panneau. Il veut dépasser le cortège. Des membres d'icelui l'en empêchent et Zoneilles rebrousse chemin, toujours courant, et contourne le cortège pour passer sur l'autre trottoir où se trouve une pissotière.

4. – Le cortège vu de face et avançant sur l'appareil. Zoneilles

arrive en courant devant la pissotière au moment où le cortège arrive, lui aussi, à la hauteur de celle-ci. Au moment où Zoneilles va pénétrer dans l'édicule, deux costauds du cortège s'interposent et veulent le forcer à saluer. Il s'y refuse, leur échappe. Jeu de cache-cache.

Au moment où il va être pris, les deux costauds aperçoivent Gramo qui vient d'un pas pressé vers la pissotière, se précipitent sur lui, abandonnant Zoneilles qui entre enfin dans ladite. Les deux costauds arrachent son chapeau à Gramo et regagnent le cortège, après avoir cloué Gramo sur place d'un regard menaçant.

5. – Plan plus rapproché. Gramo, vu par le cortège, saluant et se dandinant sur place. Amorce de la sortie de Zoneilles soulagé.

6. – Plan de la pissotière, Gramo et Zoneilles, avec le cortège à l'arrière-plan.

Gramo agrippe Zoneilles au passage et essaie de le forcer à retirer son chapeau. Zoneilles résiste. Les gens du cortège, qui marquent le pas, tournent la tête d'un air intéressé. Zoneilles et Gramo luttant sortent du champ.

Expression haletante des gens du cortège, qui suivent Gramo et Zoneilles des yeux. Expression satisfaite des gens du cortège au moment où Gramo rentre dans le champ, l'air content de lui et, regardant derrière lui quelqu'un ou quelque chose que nous ne voyons pas, il pénètre précipitamment dans la pissotière...

7. – Fin du mouvement de Gramo entrant dans la pissotière, vu par le cortège. L'appareil s'approche de la pissotière et prend Gramo en train de pisser et regardant avec une attention soutenue, par-dessus son épaule, quelque chose que nous ne voyons pas.

Gramo, visiblement, secoue la dernière goutte, commence à se reboutonner, sort de la pissotière. Simultanément, l'appareil recule et s'arrête sur Gramo en train de se reboutonner et cherchant quelque chose du regard.

8. – Plan de la rue déserte vue par Gramo : plus de Zoneilles, plus de cortège.

(La musique continue plus fort, avec des arrêts complets.)

A quelque distance, une tête se montre furtivement dans l'embrasure d'une porte cochère. C'est celle de Zoneilles qui jette un coup d'œil inquiet autour de lui.

9. – Gramo s'élance à la poursuite de Zoneilles qui fuit. Ils disparaissent, l'un poursuivant l'autre dans une rue transversale.

10. – Plan d'un square, vu de l'extérieur. Zoneilles y pénètre, toujours poursuivi par Gramo.

11. – Pris de l'intérieur du square. Gramo pénètre dans le square. Cherche Zoneilles des yeux.

12. – Le square (Carré des Existentialistes, coin des nounous, coin des amoureux).

Et Gramo qui cherche Zoneilles.

13. – Gramo découvre Zoneilles caché dans un massif. Gramo, assez durement, fait sortir sa victime de sa cachette.

14. – Plan du visage de Zoneilles convulsé par la terreur. Gramo se rapproche de lui. Ses mains se lèvent lentement mais sûrement vers le chapeau.

Geste de défense impuissante de Zoneilles dont les mains tentent de s'élever vers son chapeau mais retombent, vaincues par la fatalité.

15. – Plan rapproché de Zoneilles à qui Gramo arrache brusquement son chapeau. L'on voit de grandes oreilles de lièvre se lever brusquement sur la tête de Zoneilles.

16. – Plan de Gramo, l'air interrogatif, avec, en amorce, une oreille de lièvre.

17. – Contre-champ de 16. Zoneilles honteux et désespéré.

ZONEILLES : Oui. C'en est!

18. – Reprise de 16. Gramo, l'air intéressé :

GRAMO : De lapin?

19. – Reprise de 17. Zoneilles dit, face à l'appareil :

ZONEILLES : Non!...

Détournant la tête il ajoute :

De lièvre...

Et il fond en larmes.

20. – Gramo, prenant Zoneilles par les épaules, le soutient, l'aide à marcher et l'entraîne vers un banc.

Il le fait asseoir, le regarde un instant avec compassion, lui pose une main sur l'épaule dans un geste de réconfort, puis, s'asseyant, très vivement, d'un air intéressé et légèrement féroce :

GRAMO : Comment êtes-vous sûr que c'est du lièvre?

21. – Les deux sur le banc. Zoneilles se mouche un bon coup, hoche la tête, l'air abattu, et commence un récit :

ZONEILLES : C'est une longue et bien navrante histoire. Mon père...

ENCHAÎNÉ

22. – Plan de Célestin, moustachu, avec une casquette de chasse, mettant en joue avec un énorme fusil de chasse, quelque chose que l'on ne voit pas. Le coup part. Fumée.

23. – Gros plan de fesses féminines et nues. Immédiatement une flèche Eurêka entre dans le champ, tape avec un bruit sec sur l'une des fesses ornée d'une grosse croix.

Bing!

Instantanément, en même temps que l'appareil recule, des jupes retombent et la propriétaire des fesses se redresse et se retourne.

24. – La fille, se retournant, en costume 1890, genre fillette montée en graine, s'adresse à un garçonnet, ressemblant trait pour trait, mais sans moustaches, au Célestin du 22 et qui souffle, négligemment, dans le canon d'un pistolet Eurêka.

> Lui : Je suis vraiment dans une forme éblouissante.
> Elle : Oui, Célestin. Mais tu sais, ça va me faire une marque!
> Lui : Et puis après!
> Elle : Maman ne croira jamais que tu m'as fait ça avec une flèche Eurêka...

Fondu enchaîné pendant lequel on entend la voix de Zoneilles :

> Zoneilles : Et, effectivement...

25. – On rouvre sur le conseil de famille.
La fille dit :

> La fille : Je vous jure qu'il m'a fait ça avec une flèche Eurêka.

Les parents sont assis, silencieux et l'air particulièrement mauvais. La mère se retourne vers son époux :

> La mère : Allons, Eusèbe, dis quelque chose!

Le père se lève lentement et avec une extrême noblesse.

(Amorce d'un bruit de sirène qui ira s'amplifiant et se mêlera aux hurlements du plan suivant.)

Le père, brusquement, se met à gesticuler. Tout ce plan est pris à l'accéléré. La mère gesticule, elle aussi. La fille hurle.
Le père et la mère se ruent sur elle et la ligotent sur une chaise et l'injurient tout en gesticulant toujours.
La porte s'ouvre brusquement.

(Grand silence.)

26. Entrée de Célestin, en libérateur. Il est armé d'un rifle. D'un regard rapide, il fait le point de la situation et, tenant en respect le père et la mère, il délivre la fille et sort avec elle, protégeant du rifle leur retraite.
27. – Zoneilles et Gramo sur le banc. Zoneilles parle :

> zoneilles : Dès ce moment, mon père tenta de faire partager ses goûts à ma mère... Il essaya par tous les moyens de se faire accompagner à la chasse, mais ma mère restait rebelle...

28. – Un jardinet bien lugubre. Véronique est en train de broder. Arrive Célestin en tenue de chasseur. Il se pavane devant Véronique.

Scène muette où il cherche à l'entraîner, sans la toucher. Véronique reste sourde et muette. Célestin n'insistant pas s'en va, suivi d'un regard indulgent de Véronique qui reprend son ouvrage.

Au moment où elle le reprend, elle aperçoit tout à coup quelque chose hors du champ. Elle bondit sur sa chaise, en proie à la plus abjecte terreur, retrousse très haut ses jupes et se met à hurler.

Rentrée de Célestin très calme et très efficace. Il baisse les jupes de Véronique toujours hurlante, laquelle lui indique quelque chose qui l'a effrayée.

Célestin lui fait signe de ne pas s'inquiéter, met un genou en terre, vise posément, tire, éjecte les douilles. Il attend un court instant. Véronique balbutie d'un air mourant :

Véronique : Rapporte!

Célestin sort du champ.

29. – Célestin, vu par Véronique, s'approche avec précaution d'un massif. Arrivé près du massif, il s'arrête, tend l'oreille, hésite, et puis, avec une brusque décision, se débarrasse de son fusil, tire un énorme coutelas et se rue dans le massif où il disparaît.

(Marche triomphale.)

Agitation violente des feuilles du massif.

(Rugissements. Râles d'agonie.)

Au bout d'un moment, Célestin ressort, une souris entre les dents. Véronique, entre-temps, s'est approchée du massif.
Et, quand Célestin reparaît, elle s'exclame :

Véronique : Moi qui croyais que c'était une souris!...

Puis, elle s'évanouit spectaculairement.

30. – Plan de Zoneilles évanoui, sur qui se penche Gramo. Gramo essaie de ranimer Zoneilles. Il crache sur son mouchoir, tamponne les tempes et le front de Zoneilles. Il le gifle, puis lui chatouille le nombril.

Zoneilles se ranime seulement alors et murmure :

Zoneilles : Ces souvenirs me tuent!...

Gramo, compatissant, prend son porte-cigares, l'ouvre; le tend à Zoneilles. Zoneilles fait d'abord mine de refuser poliment, disant :

Zoneilles : Je ne voudrais pas vous priver...

Gramo, avec un geste très homme du monde :

GRAMO : Jeu vouzanpri!

Zoneilles pioche dans le porte-cigares et y prend une carotte baguée. Et, se mettant à ronger, il reprend son récit, la bouche pleine :

ZONEILLES : Mon père et ma mère s'aimaient tendrement...

31. – Plan de Véronique lançant des assiettes avec férocité.

32. – Assiette se brisant dans le ciel. Panoramique vers le bas se terminant sur Célestin, couché dans un hamac et tirant sur les assiettes. Il en reçoit une en pleine gueule et s'écrie :

CÉLESTIN : Raté!

Véronique accourt et demande :

VÉRONIQUE : Je t'ai fait mal, chéri?

Célestin secoue noblement les fragments d'assiette qui s'attardent sur sa figure et reprend d'un ton dramatique :

CÉLESTIN : Non. Je me rouille. Il me faut les grands espaces, là où les hommes sont des hommes et où les enfants tètent le lait des farouches grizzlies...

Ce disant, il se lève et se fout par terre en se levant. Il se relève sur-le-champ avec dignité, s'époussette.

Il sort en boitant, mais d'un air altier, après avoir adressé un regard lourd de reproches à son épouse; laquelle le suit d'un regard désolé.

33. – Plan de Célestin entrant dans la maison. Véronique, au bout d'un instant, se dirige à son tour vers la maison et y entre.

VOIX DE
ZONEILLES : Ma mère désespérée, virgule, voyant son époux, virgule, mon père, virgule, dépérir, point point point.

34. – Chambre à coucher. Célestin, accroupi entre l'armoire et le mur, pleure la tête entre les mains.

Véronique entre, vêtue d'un déshabillé affriolant. Elle s'approche de lui, le regarde longuement, puis se penche vers lui, lui parle à l'oreille, se relève.

Le visage de Célestin se transforme, il devient Saint-Galmier. Une expression lubrique l'envahit. Il se lève et marche vers Véronique qui recule.

35. – Célestin continue de marcher sur Véronique, laquelle semble prête à subir les derniers outrages. Extrême lubricité du visage de Célestin.

Arrivés auprès du lit, les deux s'arrêtent. Véronique est frémissante et offerte.

Célestin, concentré, si j'ose dire, passe une main derrière Véronique, laquelle a un long frisson, et va décrocher l'un des fusils à deux coups qui sont au mur.

Il prend le fusil et montre à Véronique comment épauler, lui fait appuyer le doigt sur la gâchette. Il a une main sur le sein de Véronique.

Quand elle appuie sur la gâchette,

Poum!

il simule un léger effet de recul. Véronique gémit à demi pâmée :

VÉRONIQUE : Oh! tu me fais mal!

Célestin très excité :

CÉLESTIN : Et ce n'est pas fini! Mais le second coup est plus facile...

Second coup :

Pim!

36. – La cheminée avec les tireurs en amorce. Deux potiches tombent en même temps, des deux côtés de la cheminée. Les fleurs au milieu n'ont pas bougé.

VOIX DE ZONEILLES : Les leçons de mon père portèrent leurs fruits...

37. – Plan de forêt. Célestin et Véronique en habits de chasseurs. Véronique est visiblement enceinte.

CÉLESTIN : Ce soir, nous mangerons des alouettes rôties. Fini, les potiches!
ELLE : Tu n'as pas la pétoche?
LUI : Tu me prends pour un potache! Tu vas me flanquer la pistache.
ELLE : Un mot de plus, et je reprends la patache...

Mais elle s'assied, juste au-dessus d'un terrier de lapin, qui s'ouvre entre ses jambes.

ELLE : Va, Célestin! Je t'attends ici...

38. – Plan pris du terrier, avec, en amorce de chaque côté de l'image, les jambes de Véronique. Célestin s'éloigne vers la plaine en fredonnant une marche guerrière :

Alouette, gentille alouette!

S'arrête, vise et suit du canon quelque chose qu'on ne voit pas; il se retourne et jette un regard d'intelligence vers Véronique.

39. – Véronique vue par Célestin, s'occupant à un ouvrage de dame sans fil, tricot à manivelle ou autre. Elle cesse un instant de tricoter – à manivelle – et jette un tendre regard vers Célestin.

40. – Célestin se met à courir, le canon à ras de terre, et finit par plonger son fusil dans un trou de lapin. Il tire.

41. – Plans successifs et zigzagants d'explosions.

42. – La dernière explosion a lieu à quelques mètres à gauche de Véronique. Un lapin apparaît entre les jambes de Véronique qui s'évanouit en poussant des cris horribles.

43. – Plan de Gramo et Zoneilles assis sur le banc. Gramo, intéressé et désinvolte. Zoneilles accablé, la tête entre ses mains.

> ZONEILLES : Et comme c'était la première fois que ma pauvre mère allait à la chasse, elle avait pris un lapin pour un lièvre. Et maintenant, vous savez tout...

Il se lève pour prendre congé, fait un pas en avant, se retourne vers Gramo et lui dit :

> Je m'excuse d'avoir retenu votre attention avec une histoire aussi extraordinaire et qui ne peut intéresser personne...

Gramo fait un autre pas et va sortir du champ. Gramo, encore sous le coup de l'histoire qu'il vient d'entendre, se lève brusquement et s'approche de Zoneilles :

> GRAMO : Laissez-moi vous raconter la mienne, d'histoire...

44. – Zoneilles et Gramo (en avantageant Zoneilles au début du plan).
Zoneilles avec une certaine nervosité :

> ZONEILLES : Je crois que je la connais déjà...

Et il veut s'en aller. Mais Gramo qui est arrivé près de lui, le prend par les épaules et lui saisit rudement le bouton de son vêtement :

> GRAMO : Moi, mes parents...

Il s'interrompt brusquement et, tragiquement :

> Je vous en prie, écoutez-moi, vous me ferez du bien...

Il lui arrache le bouton de sa veste.

> *(Grande sonnerie de cloches.)*

Gramo reprend, après un petit temps :

> GRAMO : Moi, mes parents n'aimaient pas la chasse.
> *(Petit silence. Léger carillon dans le lointain, Angelus. Puis une musique on ne peut plus de film s'enchaîne sans discrétion sur le carillon.)*

45. – Gramo, le regard perdu, semblant écouter les cloches.
Zoneilles est amorcé. Gramo reprend un peu avant le début de la musique :

> GRAMO : Ils aimaient les disques. Et comme ils s'aimaient très fort, ils ont fait...

Il s'interrompt de nouveau et regarde avec fureur hors du champ :

> Gramo : Avez-vous déjà remarqué que la musique de film vient toujours comme des cheveux sur la soupe.

46. – Gramo se retourne vers Zoneilles et dit :

> Gramo : Ainsi, maintenant, au moment où j'allais vous parler de moi...

Exaspéré il sort du champ.

47. – Un décor très « studio », avec un pick-up. Gramo entre dans le champ, s'approche rapidement du pick-up et en fait brutalement retomber le couvercle.

> *(Bruit de disque cassé tournant. Dégueulando et puis silence.)*

Il sort du champ.

48. – Même cadrage que 46. Gramo rentre dans le champ et rattrape Zoneilles qui cherchait à s'esquiver à l'anglaise. Gramo retient impitoyablement Zoneilles :

> Gramo : Mes parents, disais-je, ont fait un fils. C'était moi.

Zoneilles réussit presque à s'échapper. Gramo lui fait un croc-en-jambe et le fiche par terre, tout en continuant de parler :

> Gramo : Mais n'anticipons pas. Chez mes parents, lesquels étaient...

49. – Gramo termine son récit, accroupi et penché sur Zoneilles.

> Gramo : ... de moyens modestes, il y avait, faute de place, des disques partout. Partout, partout, même sous le toutou...

En surimpression, dans un coin de l'image, apparaît un répugnant toutou assis sur un tas de disques.

> ... J'attendais ma naissance. Un jour, ma mère qui l'attendait non moins impatiemment que moi-même, voulut prendre un drap dans l'armoire. Un drap et pas un autre. Elle le choisit, veut le tirer. L'action suit la volonté. Elle tire le drap, et pan ! Je vous laisse deviner le reste...

Commentant visuellement le récit de Gramo, l'appareil panoramique en spirale sur une armoire à glace. On voit Mme Gramo mère, fortement enceinte, entrer dans le champ, ouvrir l'armoire, tirer le drap, casser les disques.
Fin de la surimpression.

50. – Gramo est penché sur Zoneilles qui sourit faiblement et murmure :

Zoneilles : Je devine, je devine...

Gramo a un petit rire de bonne compagnie :

Gramo : Ah, ah!...

Puis, avec une très grande gravité :

Gramo : Jusque-là, mon histoire est absolument banale, absolument banale, etc.

Rapide comme l'éclair, il a tiré un coutelas et charcute sauvagement Zoneilles au rythme de sa phrase.

(Un bruit de pompe à bicyclette bouchée ponctue chaque coup de couteau.)

L'appareil, à la fin, s'approchera de la tête de Zoneilles jusqu'à l'avoir en très gros plan. Soubresauts d'agonie des oreilles de Zoneilles.

FIN

MARIE-TOI

1950-53

Plan du scénario.   **I.** *Résumé très bref.*

(un exemple)

Un jeune chef d'orchestre, à la veille d'une tournée, reçoit l'offre d'une situation exceptionnelle; mais parmi les conditions imposées par le gouvernement dont les représentants lui ont offert cette situation figure une clause selon laquelle il doit être marié pour obtenir ce poste. Les délais sont si brefs qu'il lui faut absolument se marier *pendant* sa tournée. Tous ses musiciens l'aident à chercher une femme; mais par un hasard malencontreux, chaque fois qu'ils en trouvent une, elle s'amourache d'un musicien autre que le chef. Finalement c'est dans son entourage proche qu'il découvre sa compagne, la jeune secrétaire chargée d'accompagner la tournée et qui s'était enlaidie volontairement pour ne pas que tous ces jeunes gens lui fassent la cour. Il se mariera à temps et pourra partir vers la fortune. (Le même sujet peut comporter une infinité de variantes.)

2) *Un exemple de pré-traitement.*
Synopsis un peu développé.

I   A. *Explication développée du point de départ*

— C'est chic de ta part de me donner un coup de main! dit chaleureusement Jean-François, émergeant de sa minuscule salle de bains en tenue légère, les cheveux enduits de shampooing, la figure pleine de crème à raser et un coupe-ongles à la main, un seul soulier au pied.
— Mais qu'est-ce que tu fabriques! observa son ami René qui débarrassait posément le piano quart de queue de la trois mil-

lième partition. Tu te rases, tu te laves la tête ou tu te coupes les ongles?

— Je suis affolé! dit Jean-François. Je suis tellement ému que je ne sais plus par où commencer. J'ai si peur de ne pas être prêt!

— T'en fais pas! dit le nonchalant René. On va y arriver.

— Ce que je te remercie! dit Jean-François. Sans toi, jamais, jamais je n'aurais été prêt à temps!

Il rentra dans la salle de bains, hilare. Il était heureux. La jolie Corinne avait enfin accepté de venir goûter chez lui. Il continuait la conversation avec René.

— Tu sais, dit-il, je crois que je vais l'épouser.

— Ça fait trois ans que j'entends ça! dit René, sceptique.

— Mais cette fois c'est sérieux, mon vieux. Voilà comment je vais faire...

Il exposa sa stratégie. Ne rien brusquer, la séduire, l'entraîner sur le divan; et là, au lieu des propositions déshonnêtes auxquelles elle s'attendrait, une offre de mariage.

— Mon vieux, elle va être soufflée! dit Jean-François en concluant son exposé.

— Et si elle refuse! dit René, railleur.

Et puis il baissa vite la tête pour éviter l'éponge que Jean-François lui flanqua à la figure, faussement furieux.

— On part toujours ce soir en tournée? fit René.

— Oui, dit Jean-François. Je l'épouse dès le retour.

— Ah, là, là, quelle corvée! protesta René. Il va falloir se surveiller tout le temps! Ne plus jurer!... etc.

— Assez! gronda Jean-François. C'est moi le chef, hein!

— Oui! chef! dit René au garde-à-vous. Et puis c'est pas encore fait!...

II

— C'est elle! dit Jean-François. File!

René tapota les rideaux et se dirigea vers la porte, accompagné de Jean-François. Ce dernier était anxieux.

— Tu crois que ça va?

— Mais oui!

René ouvrit. Une ravissante se tenait sur le seuil. Il s'inclina, passa sur le palier et ouvrit la porte en face pour rentrer chez lui, discret, avec un dernier clin d'œil à Jean-François. Ce dernier se confondait en sourires.

— Corinne! dit-il. Ma douce amie! Aujourd'hui je vous réserve une belle surprise.

Il repoussa négligemment la porte qui ne se ferma pas.

Jean-François avait réussi à entraîner Corinne sur le divan et il était sur le point de se déclarer, après mainte hésitation, lorsque des coups violents retentirent à la porte. Corinne se dégagea brusquement, visiblement furieuse et se redressa. Jean-François était très embarrassé.

Il entendit la seconde porte s'ouvrir. Un individu en casquette se tenait sur le seuil.

— Monsieur Jean-François Mistral?

— C'est moi, dit Jean-François, très contrarié.

— La voiture attend, monsieur. Si vous voulez me suivre... c'est urgent.

— Mais... enfin...

— Monsieur Durax m'a chargé de vous ramener, Monsieur. Il m'a chargé de vous dire que si vous ne me suivez pas, il laisse tomber la tournée.

— Ah! zut! protesta Jean-François. Vous arrivez comme des cheveux sur la soupe, mon vieux!...

— Je m'excuse, monsieur, la porte était ouverte.

— On entre comme dans un moulin chez vous, dit Corinne, acerbe.

— Mais, Corinne... mes intentions étaient pures!...

— Pas les miennes! dit-elle furieuse.

Elle se leva, et ramassa ses affaires.

— Allez, filez! dit-elle. Ne faites pas attendre l'intéressant Monsieur Durax!... Il a les cheveux blonds ou roux?

— Mais... mais...

— Filez!...

Elle le poussa hors de chez lui et il suivit le chauffeur impassible. Lorsque Corinne sortit à son tour de l'appartement René, attiré par les éclats de voix, était sur le palier.

Regardant la cage, elle haussa rageusement les épaules.

— Quel mufle!

— Ah, là, là! approuva René.

— Vous le connaissez, dit-elle?

Au bout de cinq minutes de conversation, elle accepta d'entrer. Cette fois, la porte se referma. Puis se rouvrit. Une main retourna la miniature pendue à droite et la porte se ferma pour de bon.

III

— Enfin! dit Monsieur Durax.

C'était un homme d'une soixantaine d'années, un peu chauve, l'œil sarcastique, un œillet à la boutonnière. Il parlait d'une voix saccadée, en accentuant certaines syllabes. Son bureau, bureau typique d'organisateur de concerts, était garni d'affiches bariolées parmi lesquelles celle de l'orchestre Mistral figurait en bonne place.

— Mais... commença Jean-François, furieux.

— Taisez-vous! dit Durax en levant une main. Surtout, taisez-vous. Monsieur Jean-François Mistral, je suis heureux de vous voir. Demain, vous partez en tournée?

– Oui, dit Jean-François abasourdi, vous le savez bien.

– Votre tournée se termine le sept août?

– Oui, dit Jean-François, que la colère regagnait.

– Hum, hum... c'est bien juste, c'est bien juste!... dit Monsieur Durax. Voyons, voyons... vous donnez votre dernier concert le sept au soir? Le huit à midi vous vous embarquez à Marseille [au Havre?] sur le *Rio Nunez* à destination du Guatemala... avec votre femme. C'est d'accord? Signez là.

– Dites donc! dit Jean-François inquiet. Ça va mal? Faut vous rafraîchir, Monsieur Durax.

– Trêve de plaisanterie! dit sévèrement Monsieur Durax. Voilà. Le gouvernement guatémaltèque...

– Qu'c'est qu' ça?

– Le gouvernement du Guatemala offre une bourse de vingt mille dollars à un jeune musicien français, désireux de venir s'établir un an là-bas, pour diriger un conservatoire local fondé par un riche propriétaire.

– Vingt mille dollars!

– Grâce à mes relations, j'ai pu vous faire désigner par le ministre de l'Instruction Publique de là-bas, dit Monsieur Durax. Mais une condition s'impose; le postulant doit être marié.

– Marié! gémit Jean-François. Mais vous venez de me faire rater mon mariage!

Il regarda sa montre.

– Courons! Venez!...

IV

Dans la voiture, Monsieur Durax apprit à Mistral que la faveur n'avait pas été très difficile à obtenir.

– Je suis le frère du ministre, expliqua Monsieur Durax.

– Mais alors vous êtes...

– Guatémaltèque! dit Monsieur Durax. Mais Français de cœur.

– Ah! ce que je suis inquiet! dit Jean-François. Songez donc, si Corinne ne m'a pas attendu!

– Mais elle sera chez elle!

– C'est que... je connais René, dit Jean-François.

Ils bondirent dans l'escalier. Au troisième palier, Jean-François se précipita sur la miniature.

– Elle est retournée! gémit-il. C'est foutu!

– Je ne comprends pas... dit Monsieur Durax, essoufflé.

– Quand René a une visite galante, il retourne la miniature. Comme ça, il sait que je ne le dérangerai pas! dit Jean-François en cognant de toutes ses forces sur l'huis.

La porte s'ouvrit. René parut en pyjama, des cernes sous les yeux.

— Oh! dit-il avec reproche en montrant le petit cadre.

— Ah! zut! dit Jean-François.

— Écoute, dit René, tu as bien fait de partir. C'est pas une femme pour toi. Non, continua-t-il en voyant Jean-François prêt à exploser. C'est moi son type. Tu aurais été malheureux avec elle. D'ailleurs on se marie dès le retour...

V

Tous les musiciens de l'orchestre Mistral se retrouvaient devant le car qui devait les emmener dans leur grande tournée française. Et René mettait chacun d'eux au courant.

— Alors il faut qu'il se marie avant le sept août? dit Pierre, le premier trompette.

— Mais on a des concerts tous les jours! protesta Claude, saxo ténor à la belle barbe rousse.

— Ça, c'est du sport! dit Robert, le batteur à la mine diabolique.

— Quand va-t-il la chercher? commenta Joseph, le placide contrebassiste.

— Quelle histoire! dit le guitariste Francesco.

— Ah! se lamenta René, c'est ma faute. Et ce qu'il y a de plus dégoûtant, compléta-t-il, c'est que je suis ravi! Elle est tellement délicieuse!...

— C'est pas tout ça! dit Fred, le chanteur qui s'était tu jusqu'à présent. Les amis, on signe un pacte. On va trouver une femme à Jean-François!...

— C'est juré! s'exclamèrent les autres.

— En voiture! s'exclama la secrétaire de Durax, une fille peu attrayante garnie de lunettes, le corsage et les souliers plats, les cheveux tirés.

— En voiture! c'est l'heure.

— Ah, la barbe, maugréa Pierre. Dire qu'on va avoir le professeur sur le dos pendant toute la tournée!

— Mon vieux, c'est la règle! dit Robert, sentencieux. Durax, il a une jolie secrétaire pour les visiteurs, mais il a pas confiance; elle est là pour l'étalage. Il lui fait rien faire. Le professeur, elle est mocharde, mais il lui confie le boulot sérieux. C'est un type qu'est pas fou!

— Ben moi, j'aurais mieux aimé l'autre, dit Pierre, nostalgique.

Dans son coin, Jean-François, l'œil sur le chauffeur, rongeait son frein. Le bus s'enfonçait dans la nuit et déjà, certains s'arrangeaient pour dormir.

B. *Résumé succinct de la suite*

VI

Dès le premier concert, dans la ville de X..., les musiciens repérèrent des affiches sur lesquelles s'étalait la photo d'une belle inconnue, Dany Danya, qui chantait dans un petit club, le Kangourou. Après leur propre passage sur scène, deux d'entre eux s'en furent assister au spectacle du cabaret pour s'assurer qu'elle était conforme à ses photos. Ils ressortirent ravis. Ça allait. Digne du chef. Fred acheta des fleurs et fut désigné pour les porter à la fille. Mais dès qu'il entra dans sa loge, elle s'exclama : « Oh ! Un brun aux yeux bleus ! Juste comme je les aime ! » Et les autres qui entraient la trouvèrent en train de vampiriser Fred. Le lendemain, elle partait avec le car. Fred, tout penaud, allait se marier avec elle et expliquait la chose à Jean-François.

VII

A l'étape suivante, Jean-François, ayant décidé de s'occuper lui-même de ses affaires, se met en chasse à son tour. Il a une vieille cousine dans la ville et il va chez elle lui demander si elle n'a personne à lui proposer pour se marier. Elle est un peu sourde, conversation pénible, finalement elle l'invite à prendre la verveine après le souper et promet de réunir quelques jeunes filles. Qu'il amène lui-même ses amis. Il vient, plein d'espoir, avec trois de ses musiciens. Font un peu de musique et attendent l'arrivée des jeunes filles. A ce moment une mère se met au piano pour faire danser la jeunesse. La jeunesse en question se présente sous les espèces de quatre horribles laiderons boutonneux terrifiants. Les quatre musiciens battent en retraite sous les yeux concupiscents des quatre, très excitées par ces beaux garçons. Ils fuient sous le prétexte du car. Seul Pierre reste coincé. Robert, le batteur, de retour au car, se rue sur le professeur et l'embrasse : Je vous jure que vous me paraissez jolie, ce soir, dit-il. Elle le gifle. Pierre revient enfin, atterré. On lui a fait promettre le mariage. « Elle » l'accompagne même au départ du car, avec ses parents. Pierre est effondré... « Va falloir que je me marie aussi en route avec quelque chose de mieux, dit-il, sans ça j'y coupe pas. »

VIII

A l'étape d'après, c'est Robert qui décide d'appliquer son système. Il fait la tournée des maisons cossues sous les espèces d'un représentant de chez Max Facture, le célèbre visagiste, et demande les jeunes filles de la maison. Il en repère une sans ses parents, lui dit : « C'est une ruse : un homme qui vous a vue et qui vous aime viendra ce soir vous donner la sérénade, parez-vous pour l'attendre. » Le soir, Jean-François, fleurs en main, viendra conduire la sérénade sous les fenêtres de la belle. Mais entre-temps, la jeune fille sort pour faire des courses et tombe, chez un marchand de fleurs, sur deux types qui achètent des fleurs : ce sont Joseph et André, le saxo alto. Elle entame la conversation. André lui plaît. Il lui apprend qu'il fait de la musique et la conversation tourne de telle façon qu'elle croit que c'est lui son soupirant. Le soir, lorsque Jean-François vient lui donner la sérénade, elle sort sur le balcon au bras d'André.

IX

A la quatrième étape, Francesco le guitariste, qui a pris des airs mystérieux, a passé une annonce pour convoquer des mannequins, Jean-François ayant expliqué qu'il préférait une fille jolie et intelligente, et qu'à la rigueur il se contenterait qu'elle soit jolie. A la porte de l'hôtel, une file de candidates attendent. Jean-François, grimé, les observe avec Francesco camouflé en imprésario dans la chambre de ce dernier. Toutes sont éliminées sauf deux. Francesco s'occupe de l'une. L'autre reste avec Jean-François. Elle est charmante ; elle est mince et très jeune, l'air d'avoir dix-sept ans. Et elle finit par expliquer que quand on a cinq enfants, il faut bien travailler pour gagner sa vie. De nouveau, Jean-François s'écroule tandis que Francesco sort la corde au cou ; lui aussi épousera sa conquête, les filles de France sont trop jolies.

X

Il ne reste plus à marier que Joseph et Claude et toujours Jean-François. René, déjà fiancé à Corinne, paraît seul ne présenter aucun danger ; les autres, tout à leur bonheur, sont dans le bleu. Le huit août approche et Jean-François commence à se désespérer. De guerre lasse, comme ils arrivent sur une plage du Midi, il suit Claude et Joseph à la plage. Tous les autres restent à écrire à leurs fiancées, sauf Pierre fiancé à son laideron, mais qui justement, désirant autant que Jean-François se marier, est un danger certain. Enfin, sur la plage, il ébauche un flirt sérieux avec une fort gracieuse créature que lui amènent gentiment Claude et Joseph. Mais au milieu de la conversation, voilà que surgit le professeur, qui le cherche pour discuter un détail du concert et l'arrache à sa fille, que, navrés, récupèrent Claude et Joseph – navrés pour Jean-François, naturellement, mais pas pour Joseph qui prend volontiers la suite. Engueulade du professeur et de Jean-François – il lui reproche notamment de lui avoir fait honte et de l'avoir rendu ridicule en venant le chercher sur la plage élégante dans cette tenue d'institutrice. Elle se vexe. Le soir, au concert, une superbe inconnue se montrera au premier rang et suivra Jean-François avec intérêt, de ses jumelles, toute la soirée. Naturellement, il s'énerve, la piste, finit par la coincer dans une chambre – d'où elle ressort, par une autre issue, avec son costume habituel de secrétaire. Jean-François ne l'a pas reconnue, et il est désolé parce que maintenant, il a envie de se marier avec cette inconnue et plus avec n'importe qui. Naturellement, au dernier moment, elle se démasquera et les dernières images les montreront sur le pont du bateau qui part, le matin du huit août.

Appendice

II. *Caractéristiques du scénario.*

1) A mettre entre toutes les mains. Sujet parfaitement *moral*.

2) Aucun élément tragique; mais un élément de *tension* : il s'agit en somme d'une course « contre la montre ». Arrivera-t-il à se marier à temps?

3) Peut se traiter *exactement* dans l'esprit qu'on veut, avec ou sans moyens considérables.

4) Peut comporter *autant* de séquences musicales que l'on veut et *autant* de sketches que l'on veut suivant le nombre de musiciens choisis.

5) Du point de vue publicitaire : tout d'abord,

a) On peut faire une vraie tournée de l'orchestre pour tourner les extérieurs dans les villes de province où l'action est censée se dérouler. Cette vraie tournée peut profiter d'un soutien publicitaire de nombreuses grandes marques et coïncider avec des concours, élections de miss, etc.

b) Une grande partie du film se déroulant en province, ceci constitue une excellent argument de distribution.

6) Étant donné le succès remporté par des chansons comme *A Paris*, on peut imaginer d'organiser un concours dans chaque ville ayant pour but de rechercher la meilleure chanson célébrant cette ville, que l'orchestre sera censé jouer dans la ville en question à son passage : *A Bordeaux*, *A Toulouse*, *A Marseille*, etc. Ceci permettrait par exemple de commencer immédiatement la campagne publicitaire, soutenue par un grand journal, hebdomadaire par exemple; on ferait paraître en feuilleton le roman du film et on demanderait *d'avance* aux spectateurs leur avis sur le scénario, quitte à le modifier selon les suggestions reçues si elles sont bonnes.

En somme, infinité de moyens propres à lancer le film six mois avant sa sortie et à entretenir l'intérêt *sans frais considérables*. Le tournage en principe pourrait être fait en été, coïncidant avec les vacances.

AVANT-PROJET
DE SCÉNARIO

1953

Thème général : Un homme pris à une mécanique qu'il a ordonnée lui-même.

Données particulières : Choisir le héros dans une famille convenable – bonne éducation, instruction, parents sans fantaisie, atmosphère un peu étouffante, représentée de façon à montrer qu'un individu élevé dans ces conditions et avec cette morale ne peut en réalité aboutir qu'à une situation mesquine s'il ne se décide pas à « abjurer », à rejeter son milieu.

Montrer les démêlés du garçon cherchant, au sortir du lycée, à trouver une situation, étant simple bachelier. Vie quotidienne minable, brimades, attente de l'autobus ou du métro, milieu moche et routinier. Amours vulgaires avec filles sans vraie pureté, qui font tout mais ne veulent pas qu'on le sache.

Décision de rompre avec tout cela à la suite d'une soirée qui lui fait approcher une vie plus vivante en apparence.

Recherche d'une solution, mais malchance acharnée. Perte des parents, rupture avec amis à la suite de malentendus en cascade.

Décision de vivre irrégulièrement. Monte petites escroqueries, soigneusement, sans risques.

Se rend compte qu'il aboutit ainsi à la même vie mesquine.

Se décide à y aller plus fort. Organise sorte de gang et planifie une attaque soignée avec meurtre et tout. Doit se dérouler en province. Minutage rigoureux du crime. Quelques jours avant, envoie sa bande là-bas. Doit les rejoindre au dernier moment pour l'exécution.

Rencontre enfin une sorte de pureté sous les espèces d'un couple de cinglés, le frère et la sœur, à la suite d'un événement quelconque, mais tenant du hasard pur : de l'ordre chute d'une tuile.

Trouve situation formidable grâce à la fille le lendemain de la rencontre. Mais l'ordonnancement minutieux du crime continue à se dérouler sans rémission. Ne peut arrêter la bande dont il dépend comme elle dépend de lui.

Ses complices exécutent sans lui le meurtre projeté car il n'a pas voulu se rendre au rendez-vous. Toutes les preuves sont contre lui. Reviennent et le donnent. La police le retrouve et il est blessé au cours de l'attaque. Sa compagne l'achève.

Projet scénario ou roman.

Jeune homme bonne famille, bachot, etc. Pas de parents (ou pauvres et moches). Vie minable, emplois horribles. Décide monter escroqueries scientifiquement – ou plutôt soigneusement. Organise une espèce de gang. Affaires moyennes, sans meurtres. Puis voit que ça va pas. Se décide au meurtre après hésitations très affreuses. Lance ses gars dans la nature et au moment où il va partir lui-même, rencontre fille-douce-très belle-très jeune-vierge et tout. Se donne à lui *(sic)*. A peur. Les copains devaient commettre le meurtre dès son arrivée, deux jours après (trouver raison). Trouve situation grâce à la fille (hasard). Peut plus tuer. Reviennent ses potes. Ils l'ont fait sans lui et l'ont grillé ; compromis, etc. Se bat avec eux. Tudé.

LE COW-BOY
DE NORMANDIE

1953

PERSONNAGES PRINCIPAUX

JIM LACY — Cow-boy nostalgique et milliardaire.

TOM — Son vieux compagnon.

BILL LE KID — Un petit Normand de 6-7 ans.

DANY — La fille du maire de Fleurville.

LE MAIRE DE FLEURVILLE — Paysan normand de 55 ans.

LE FIANCÉ DE DANY — Affreux trafiquant huileux.

Secrétaires de Jim et Tom, paysans, etc.
Et un cheval intelligent.

LE COW-BOY DE NORMANDIE

(titre absolument pas obligatoire)

PROLOGUE

Jim Lacy, cow-boy de la vieille école, est assis devant un petit feu de camp dont la fumée nostalgique s'élève au crépuscule. Derrière lui, c'est un coucher de soleil dans le Nevada, avec les couleurs violentes du technicolor, les grands arbres verts, les collines couvertes de sauge violette. Jim joue de la guitare et chante une vieille chanson de cow-boy : « Rendez-moi mon cheval et ma selle, et rendez-moi les grands espaces libres, là où les hommes sont des hommes... » Pendant qu'il chante, un de ses camarades, un gros costaud, vêtu comme Jim de l'uniforme typique du cow-boy, arrive, laisse tomber par terre un sac pesant, et s'assied à côté de Jim près du feu. Il s'éponge le front. Jim termine sa chanson.

Jim : Alors, Tom ?

Tom : Oh, ça va.

Jim : Tu n'as pas fait de blagues, au moins ?

Tom : J'ai laissé tout ce que j'ai pu, Jim, mais il a bien fallu que je prenne le reste.

Jim (*montre le sac*) : Tout ça ?

Tom (*hoche la tête*) : Tout ça, vieux.

Jim (*accablé*) : Jamais je ne pourrai y arriver, Tom...

Tom (*hausse les épaules*) : Qu'est-ce que tu veux que j'y fasse...

Une petite cloche retentit soudain et Jim regarde sa montre. « C'est l'heure », soupire-t-il écœuré. Il se lève, la caméra fait un travelling arrière et on s'aperçoit qu'il fait grand jour, et que Jim est assis, avec son feu, devant un vaste décor peint en trompe-l'œil représentant, en couleurs crues de vrai western, un crépuscule au Nevada. En réalité, tout autour, s'étendent des prairies où s'élèvent d'innombrables « derricks », ces échafaudages dont sont surmontés les puits de pétrole. Jim regarde tout ça, soupire, et contemple la maison énorme découverte par un panoramique et sur le toit de laquelle se détache un panneau géant : « JIM LACY, OIL FIELDS, INC. » (*sous-titre : Champs pétrolifères. JIM LACY, S.A.*).

Jim : Bon Dieu... encore ces sacrés papiers d'affaires à signer !

Tom : Qu'est-ce que tu veux que j'y fasse, c'est à toi tout ça, Jim...

Jim détache son cheval, l'enfourche et file au grand galop vers la maison. Tom, oubliant près du feu le sac qu'il a apporté, se baisse et coupe le gaz qui alimentait le petit feu de camp, puis il suit Jim lentement. Jim est entré à cheval dans sa maison. Un valet très anglais, monté sur des échasses, lui prend son chapeau et sa guitare. Jim passe dans son bureau où, dans un coin, il y a un petit box pour le cheval. Deux hommes d'affaires très tristes l'attendent. Jim met pied à terre, le cheval gagne son box.

Jim : Alors?

1er HOMME D'AFF : Mauvaises nouvelles pour vous, monsieur Lacy. Le nouveau puits foré hier a un débit double du précédent.

Jim : Comment! Double?

2e HOMME D'AFF : Monsieur Lacy, il faut regarder les choses en face... Dès aujourd'hui, ce puits vous rapporte vingt mille dollars par jour...

Jim (*accablé de plus en plus – à Tom qui arrive*) : Tom... Tu ne m'avais pas dit... pour le dernier puits...

Tom : Je voulais que tu le saches le plus tard possible, Jim... Oh... bon Dieu... du coup, j'ai oublié le sac...

  (il va pour sortir)

Jim : Laisse... ça ne presse pas...

Tom : Mais il y a cinq cent mille dollars dedans, Jim...

Jim : Tu ne vas tout de même pas retourner là-bas pour ça... *(aux hommes d'affaires :)* Allons, donnez-moi ça que je signe...

Il commence à signer, accablé. Un peu plus tard, nous le retrouvons assis sur son lit, en pyjama, les mains sur les genoux. La caméra recule et découvre le cheval Silver couché dans le même lit immense; il a déjà la tête sur l'oreiller. Jim monologue. Le décor de sa chambre est très western : tout en bois, avec des meubles taillés à la hache, etc. Jim, tout à coup, explose :

Jim : J'en ai marre! J'en ai marre, de ces puits de pétrole, de tout cet argent, de ces signatures, de ces affreux machins qui se dressent dans tous les coins, de cette odeur infecte! J'en ai marre! Je vais y foutre le feu! Tout faire flamber! Allez, hop! Tom! Tom!

La porte s'ouvre, apparaît Tom en pyjama qui a sa cartouchière en travers du ventre et son chapeau de cow-boy.

Jim : Tom! Prends des allumettes et suis-moi! On va flanquer le feu à tout ça!

Tom : A tout quoi, Jim?

Jim : Aux puits de pétrole! A *mes* puits de pétrole!

Tom : Pour quoi faire?

Jim : J'en ai assez de cet argent! Je n'en veux plus... je veux retrouver mes grands espaces vides... là où les hommes sont des hommes... sans argent!

Tom : Mais tu es assuré, Jim... Si tu y flanques le feu, ils vont te donner tellement de fric que tu pourras allumer ton poêle tous les jours avec des billets de mille dollars sans même t'en apercevoir...

JIM *(effondré)* : Oh! là là! Quel calvaire!

TOM : Mais enfin tu n'es pas malheureux, Jim...

JIM : Comment, je ne suis pas malheureux! Je mène une vie d'abruti, je signe des machins du soir au matin, mon cheval Silver engraisse que c'en est une horreur! Non, Tom... Je veux partir... Je veux trouver un coin où on vive encore en hommes, avec les vaches et les prairies et la terre et le ciel et pas d'eau courante et pas d'électricité...

TOM : Et pas de... Bouge pas, Jim! Je sais ce qu'il te faut! Pendant la guerre, j'ai connu un coin comme ça en France... en Normandie... ça s'appelait... voyons... Machinville... Trucville... Fleurville! Voilà! Fleurville!

JIM : Y a pas d'eau courante?

TOM : Y savent pas ce que c'est!
    (Pendant tout ce dialogue, on peut voir des images de Fleurville, lavoir, fontaine, etc. C'est un village ancien, charmant, très retiré.)

JIM : Pas de confort?

TOM : Confort! Tais-toi! Quand on avait le malheur de se lever la nuit, fallait faire trois cents mètres en chemise dans la cour.
    (Flash de Tom poursuivi, sous la pleine lune, par deux énormes chiens.)

JIM : Pas de pétrole?

TOM : En bouteilles d'un litre, chez l'épicier... pour les lampes... y a même pas d'électricité! Crois-moi, Jim, c'est l'endroit qu'il te faut!

JIM : Et mon cheval Silver? Il sera bien?

TOM : S'il sera bien! Mais Jim... C'est le pays des chevaux! Pense donc... juste à côté du cantonnement, y avait le haras d'un type... un nommé Boussac... un gars qui a les plus belles juments de course de toute l'Europe!
    (La tête du cheval Silver, qui s'est levé, vient passer entre la tête des deux hommes et on le voit nettement articuler en gros plan :)

SILVER : Tu disais... les plus belles juments?...

FIN DU PROLOGUE

Fondu enchaîné sur l'aérodrome. Jim, toujours vêtu en cow-boy, descend d'une somptueuse Cadillac et ouvre la porte à Silver qui est installé dans une remorque spéciale. Tom est descendu de l'autre côté, et il a à la main le sac à dollars du prologue. Ils s'approchent du guichet, Jim tenant Silver par la bride. Discussion avec l'employé du guichet qui refuse de laisser passer ce cheval qui va prendre la place de quatre ou cinq passagers. « Celui-là, vous ne lui faites pas payer double tarif? » proteste Jim en désignant un très, très gros monsieur. Finalement, l'employé

abandonne car Jim décide de louer l'avion au complet. « Paye »,
dit-il à Tom. « Combien en voulez-vous? Une livre? » demande
Tom qui se met à peser des paquets de billets sur une balance
romaine portative. Et peu après, l'avion décolle accompagné par
les regards émus de Tom; d'un côté la tête de Jim dépasse, de
l'autre, celle de Silver. Les voilà partis pour la France. Arrivés à
la gare des Invalides, Jim et Silver attendent leurs bagages, et Jim
enfourche Silver, guitare en bandoulière, le sac de dollars pendu
à la selle. Jim fait un petit tour vers les Champs-Élysées. Il descend de cheval et se découvre devant l'Arc de Triomphe; une
vieille dame lui met vingt francs dans son chapeau. Jim demande
alors poliment à un agent la route de Normandie. « Par là!
répond l'agent sans s'étonner. Circulez! » Et Jim s'éloigne, fredonnant sa chanson, sous les regards indifférents de la foule. Il
passe devant une banque, entre avec son cheval pour changer son
argent; tout se passe très naturellement; Jim, un peu vexé de ne
pas être plus remarqué, ressort de la banque et croise le roi
Farouk monté sur un chameau. Ils se font un signe et passent.
        (*Toute cette partie, animée de seuls gags visuels, doit être
        traitée musicalement comme un ballet.*)
    Jim aperçoit des groupes entiers de touristes américains, les
évite soigneusement et finit par trouver la sortie de la ville.
    Le voilà sur la route; il chevauche, ravi, sur le bas-côté, respi-
rant l'air pur et regardant le paysage. Son voyage se déroule sans
encombre, et le voici enfin arrivé à Fleurville dont on aperçoit la
pancarte indicatrice. Des femmes lavent du linge au lavoir. Il
chante, elles lui répondent.
    Il est onze heures du matin, tout le monde est aux champs, le
village est vide. Jim Lacy entre dans le village. Il hume avec
délices le parfum des fermes.
    Soudain, d'une maison, sort un gosse, habillé en cow-boy, qui
met Jim en joue avec un pistolet à bouchon.
    Le gosse : Haut les mains!
    La situation s'éclaircit assez vite lorsque le gosse explique qu'il
est Billy le Kid, la terreur du Texas, et qu'il reconnaît en Jim un
confrère. Jim l'invite à monter en croupe sur le cheval Silver. La
conversation se poursuit. Le gosse révèle à Jim qu'il est seul et se
débrouille en faisant de menus travaux pour les gens de l'endroit.
— Fais-moi faire le tour du village! lui demande Jim, et les voilà
partis. Une petite 2 CV, à un croisement, débouche à toute vitesse
et manque d'emboutir Silver qui se cabre. Jim, furieux, descend
et s'apprête à engueuler le conducteur lorsqu'il s'aperçoit que
c'est une fille ravissante. — Allez-y, dites-le-moi que je conduis
comme une folle! commence-t-elle. — Je m'excuse d'avoir failli
vous écraser, répond Jim qui se découvre avec un grand sourire.
Très vexée, elle embraie et repart sous l'œil intéressé de Jim. Bill
lui explique que c'est la fille du maire de Fleurville et Jim hoche
la tête.

Chemin faisant, ils croisent le garde champêtre que Bill s'obstine à appeler le shérif et que Jim salue d'un geste large, et enfin ils arrivent dans un petit chemin où une énorme voiture américaine barre le passage. Le gosse maugrée quelque chose et Jim l'interroge. C'est la voiture d'un sale type, qui s'appelle Laroche, dit le gosse. Il a acheté la moitié des fermes du pays pour une bouchée de pain et les loue très cher à des métayers. Lorsqu'ils ne peuvent plus payer, il leur propose de leur racheter leurs propres terres. Il n'est pas méchant, mais dur et inflexible et ne s'intéresse qu'à l'argent. À ce moment, on le voit sortir de la ferme et remonter dans sa voiture, qui s'éloigne. Une femme sort de la ferme, l'air accablé. Jim la salue. – Le sans-cœur! soupire-t-elle. Trois jours pour payer! Jim, gêné de voir cette misère, fait demi-tour.

A partir de ce jour, une solide amitié lie les deux gaillards. Jim est attiré par le village et peut-être cherche-t-il un peu une occasion de revoir la fille du maire, mais il n'y parvient pas. Cependant Silver, lui, est surtout attiré par le haras de Boussac, et ce sont des luttes épiques entre Jim et lui.

Jim s'est construit une petite cabane dans les bois, sur un terrain qu'il a loué au fermier qui emploie Billy. Il s'occupe de l'éducation de ce dernier, qui est un gosse à moitié abandonné, et lui donne des leçons d'anglais et de guitare. Il va souvent au village. Les premières fois, il est victime d'une quantité de mésaventures. Ainsi, il attache Silver près du bistrot, une maison comme les autres, et quand il revient, le maréchal-ferrant qui habite juste à côté est en train de ferrer Silver. A chaque pas, il lui arrive des choses de ce genre. Peu à peu, pourtant, il influe sur le village et le village déteint sur lui; le garde champêtre porte un stetson, le gendarme mâche de la gomme, et les gens se font bonjour de la main en disant : « Hi! » – Avec un seul individu, Jim n'arrive pas à s'entendre : le fiancé de la jolie Dany, qui, dans tous les lieux publics, a un comportement correct mais extrêmement méprisant pour Jim et les gens du village. Cependant Jim s'en moque et se lie d'amitié avec tous.

Tantôt il essaie d'apprendre au vieux tenancier du café comment glisser les verres sur le comptoir, et il casse tout, tantôt il veut montrer son adresse au revolver et un jeune paysan plus adroit que lui coupe à la carabine le support qui retient la cible... Les gens du village s'habituent à Jim et l'aiment bien malgré ses bizarreries.

Un jour, Jim rencontre au café un solide paysan qui est le maire du pays. Jim se vante un peu comme de coutume, et finit par déclarer que le fameux calvados, c'est une plaisanterie. Le maire, piqué, le prend au mot; le calvados du bistrot, oui, c'est du vert, du neuf, ça passe tout seul; mais que Jim vienne seulement dans sa cave et il va voir ce que c'est que le vrai calvados. Voilà Jim parti – derrière le maire, au grand scandale du Kid qui trouve honteux que son ami se soit déjà mis dans cet état. Les deux hommes se livrent dans la cave à une orgie de calvados, et Jim apprend une chanson de cow-boy au maire tandis que ce dernier réplique par une vieille chanson à boire. Finalement, le maire, complètement ivre, se met à pleurer et à conter ses peines à Jim. Malgré les apparences, il est endetté vis-à-vis du riche propriétaire au point qu'il a dû consentir au mariage de sa fille avec Laroche, qui le tient, et qu'elle n'aime guère. Lorsqu'il comprend qu'il s'agit de Dany, Jim, affolé, propose au maire de l'aider. « Comment veux-tu, dit le maire... Tu ne te rends pas compte, je lui dois presque deux millions. » Jim va les lui offrir, mais se ravise. Il doit jouer le rôle du pauvre cow-boy. « Voulez-vous qu'on enlève cette crapule et qu'on lui fasse payer une rançon ? suggère-t-il. — Pas commode en France, répond le maire, ce serait mal vu. » Et complètement ivre, il confie à Jim qu'il a un secret qui le tirera d'affaire. Il l'emmène dans un champ et lui montre un matériel de sondage à pied d'œuvre. « Ici, j'en ai la conviction, assure-t-il, je trouverai du pétrole et tout ira bien. Mais si Laroche exige sa créance, je suis fichu... il faut que je vende. » Jim est effondré. Le maudit pétrole va recommencer à le martyriser ; le voilà devant un affreux dilemme. Il continue cependant à boire avec le maire et finit par aller rouler, complètement ivre, dans une grange. Il est tiré de son sommeil, au petit jour, par un seau d'eau vigoureusement lancé par le Kid, suivi d'une douzaine d'autres seaux qui viennent des copains. « Et Tom qui m'avait juré qu'il n'y avait pas d'eau courante à Fleurville ! » soupire Jim. Mais sa honte est encore plus grande lorsqu'il aperçoit Dany, la fille du maire qui, venue chercher un baquet, le surprend ruisselant et piteux, et éclate de rire.

Jim est pourtant décidé à faire quelque chose. Son intérêt est éveillé par le maire, et il veut tirer ce brave homme des griffes de son créancier. Sans se l'avouer, il doit bien reconnaître qu'il a un vif penchant pour Dany. Malheureusement, les choses sont déjà très avancées pour elle, au point qu'on annonce la réception en l'honneur des fiançailles. Tout le monde se prépare à la fête ; Jim cherche fiévreusement une solution, mais il trouve le temps de donner aux jeunes gens et aux jeunes filles des leçons de square-dance pour préparer un numéro le jour des fiançailles. Enfin, il écrit à son ami Tom, en grand secret. Quelques jours plus tard, Tom, habillé en gros homme d'affaires américain, vient s'installer à l'auberge du pays accompagné de ses deux jolies secrétaires un peu excentriques. Il affecte d'ignorer Jim. Et il prend contact avec le maire pour l'achat du présumé terrain pétrolifère de celui-ci.

Mais Jim a fait un fameux scandale le soir de sa soûlographie avec le maire, et la fille du maire lui en veut depuis ce jour-là. Il a beaucoup de mal à reprendre contact avec elle, et les choses ne s'arrangent pas lorsqu'il la surprend dans les bras d'un autre gars du pays. Jim le chasse à coups de poing et engueule la fille, qui finit par avouer qu'elle n'aime pas ce garçon, mais qu'elle ferait n'importe quoi pour échapper au commerçant ; du reste il n'y a pas d'hommes dignes de ce nom dans le pays. Jim, furieux, proteste, et elle lui rit au nez en lui rappelant la soirée d'ivrogne. Il a le temps cependant de voir qu'il ne lui est pas indifférent ; mais elle a donné sa parole. Le jour des fiançailles arrive. Le matin, Tom se rend chez le maire et négocie l'achat du terrain. Le maire a l'ordre de ne rien dire avant le soir. Le soir, c'est le grand bal. Le bal commence, le fiancé de la fille du maire est venu là avec quelques amis de Paris qui ont de vilaines figures de trafiquants. Les square-dances réglées par Jim avec les paysans et les secrétaires de Tom ont beaucoup de succès. Le commerçant et ses amis font tout pour les saboter – finalement Jim, furieux, danse avec la fille du maire et l'embrasse devant tout le monde. Laroche, furieux à son tour, se lève. Les choses s'enveniment et l'intervention maladroite d'un petit poseur de la bande fait monter la moutarde au nez de Jim qui le gifle. Peu à peu, sans qu'on s'en aperçoive, le ton s'anime et monte, et tout à coup, c'est la grosse bagarre dans le meilleur style western revu par la Normandie. Le maire s'en mêle et fait de superbes coups d'éclat. Enfin, Laroche, enragé, empoigne la fille ; Bill a crevé les pneus de sa Cadillac, aussi il s'enfuit dans la 2 CV qui est garée devant la porte. Jim saute sur son cheval Silver et se lance à la poursuite du ravisseur, qui coupe à travers champs, tandis que Tom et Bill le Kid flanquent une bonne fessée aux snobs. Profitant d'une côte abrupte, Jim s'élance de son cheval dans la 2 CV et réussit à maîtriser le vilain bonhomme qui est chassé honteusement. Au village, le maire et Tom ont tout raconté. On sait maintenant que Jim Lacy est milliardaire et qu'il préfère à ses milliards la vie simple de Fleurville. Le maire, ému, lui remet le diplôme de Normand d'Honneur ; tout le monde est réuni sur le terrain du maire ; un feu d'artifice a lieu sur l'échafaudage de sondage, puis on le fait flamber ; et l'on se remet à danser autour du feu, tandis que Jim et la fille du maire, suivis de Bill le Kid sur son petit poney, s'éloignent dans la nuit, sur Silver, au son de la guitare.

20.10.53.

LE BARON ANNIBAL

1954

I

Le baron Annibal de Mareuil avait trop d'argent pour commettre l'erreur de s'habiller élégamment lorsqu'il venait boire un verre chez Louis, au Bibliodrink de Saint-Germain. Ce soir donc, vêtu d'un vieux chandail moutarde de l'armée et d'un pantalon de flanelle à la couleur imprécise il discutait, le coude au bar, avec une créature de sexe mal déterminé, mâle par le regard mais femelle par la poitrine, qui établissait une sorte de jonction entre le baron et un groupe de deux ou trois mâles élégants occupés à descendre avec méthode une bouteille de John Haig.

Plus par désœuvrement que désir, le baron avait continué à bavarder avec cette créature beaucoup moins soignée que sa propre femme mais dont la hardiesse l'intéressait. Comme par hasard, la conversation s'était mise à rouler sur les relations entre les deux sexes.

— Vois pas pourquoi une fille ne se choisirait pas un type de la même façon qu'un type se choisit une fille, assura froidement Barbara en sifflant son verre avec une forte maestria.

— Il y a tout de même une différence, remarqua Annibal. En général, avec de l'argent, n'importe quel homme a sa chance auprès d'une fille. Tandis qu'un homme se moque pas mal du fait qu'une fille soit riche ou pauvre.

— C'est vous qui le dites. Du moment qu'on se fréquente dans la lucidité, rétorqua Barbara, on prend qui on veut. Vous me payez un autre gin-fizz?

Elle remarqua l'aspect miteux du baron et poursuivit :

— Non... ça va grever votre budget... Je vais taper les caves d'à côté...

Le baron allait esquisser un geste de protestation mais elle empoignait déjà par la manche son voisin le plus proche, un quadragénaire costaud et très à l'aise.

— Louis, tu me payes une recharge, je suis à sec.

Louis fit un signe au barman et ce dernier s'empressa. Quelque chose dans les traits de Louis paraissait familier à Annibal. Il se leva, s'approcha.

— Louis Daguerre?

— Oui, dit l'autre, peu intéressé.

Il se retournait déjà, mais se ravisa.

— Scipion! C'est une rencontre!

— Scipion? s'étonna Barbara. Je croyais qu'il s'appelait Annibal.

— Mon nom de Résistance, expliqua le baron, plein d'espoir comme un jeune chien qui attend l'os.

— Qu'est-ce que tu deviens? enchaîna-t-il.

— Ça va, ça va bien, dit Louis, peu empressé de commencer une longue conversation.

Il regarda le chandail et le pantalon miteux d'Annibal.

— Et toi? Tu te défends? Je suis content de t'avoir retrouvé, vieux. Tu prends un verre?

Et comme Annibal balbutiait, il ordonna au barman :

— Du scotch pour tout le monde.

Puis se retournant vers Annibal :

— Tu m'excuses, vieux... une affaire en train.

Il lui claqua l'épaule.

— Ce vieux Scipion!

Et il se remit à sa discussion.

Annibal, morose, laissa son whisky intact et tira de sa poche la clé de sa voiture.

— Je vous dépose? proposa-t-il à Barbara.

— Vous me déposez avec quoi?

— Ma bagnole est dehors.

— Bon, soupira-t-elle. Allons-y pour la préhistoire. Et ne descendez pas en arrivant. Je dors seule.

Ils sortirent et Annibal suivit la rue en compagnie de Barbara. Devant une longue Mercedes gris argent, il s'arrêta.

— Ça vous suffira? dit-il, acerbe.

Elle s'esclaffa.

— Allez, faites pas l'andouille. Fauchez pas un truc comme ça, c'est trop voyant... Ce que ça me plairait!

Le baron ouvrit la Mercedes et s'y installa.

— Vous venez?

Elle écarquilla de grands yeux.

— Elle est vraiment à vous?

— Oui, dit simplement le baron.

Elle s'assit à côté de lui, ajusta son chandail et rejeta ses cheveux en arrière.

— Si on allait dans une petite auberge en dehors de Paris? proposa-t-elle.

— On prendra deux chambres, ou une seule? demanda le baron, impassible.

Elle rit d'un rire indécent.

— Une seule, bien sûr...

Il se leva, ressortit, lui tendit la clé de l'auto.

— Puisque c'est elle qui vous a séduite, passez donc la nuit avec elle, dit-il sèchement. Je prendrai un taxi. Voilà la carte grise. Gardez-la quelques jours si ça vous chante.

Il s'éloigna d'un pas rapide. Interloquée, Barbara regarda la carte. C'était bien le même numéro. Elle ressortit à son tour et, surexcitée, revint au bar.

— Tu le connais, le gars de tout à l'heure? demanda-t-elle à Louis, l'interrompant.

— Fous-nous la paix, dit Louis, tu veux?

Elle s'accrocha.

— Mais il est bourré de pognon, ce dingue! regarde ce qu'il m'a laissé... sa bagnole, autant que je veux... Tu te rends compte?

— Un rossignol... commença Louis...

Puis il lut, sur la carte grise :

— MERCEDES, type 300 SL.

— Hé là! susurra-t-il. Un instant. Tu permets!

Il nota l'adresse. Puis, d'un geste élégant, il empocha la carte grise et la clé.

— C'est pas un jouet, ce truc-là. Passe-moi ça, demain je la lui ramène. Je te paye un scotch, ça va?

Il lui claqua vigoureusement les fesses. Conquise, Barbara se repercha sur son tabouret de bar.

— Tu me ramèneras? dit-elle.

II

Au petit déjeuner chez les Mareuil, Annibal se présenta ce matin-là pas rasé et revêtu de son minable accoutrement de la veille.

Solange, sa belle-mère, commença de s'émouvoir.

— Annibal, vous avez l'air d'un repris de justice.

— Belle-maman, répondit Annibal, je m'en fiche éperdument.

Évelyne, la ravissante épouse d'Annibal, le contemplait avec délices.

— Moi, je l'adore, comme ça, s'exclama-t-elle. Il est exactement comme il était quand on s'est rencontré à la Croix-Rouge.

Maussade, Annibal se laissa cajoler.

— Tu ne t'es pas couché, monstre! gronda Évelyne. Tu as encore passé la nuit avec des filles perdues!

— Pas perdues pour tout le monde! grommela Solange.

Annibal revit sa triste fin de soirée dans un bistrot vide aux Halles, un verre de Vichy devant lui et un hoquet affreux lui secouant les tripes. Il haussa les épaules.

– Qu'est-ce que ça peut vous faire? grogna-t-il. D'ailleurs, vous ne comprendriez pas.

Solange se rebiffa.

– Dites donc, mon gendre, je ne suis pas si bête!

– Je reconnais que pour faire fructifier mon argent, vous vous y entendez, dit Annibal, mais qu'est-ce que vous voulez que j'en fasse, de cet argent?

– C'est si amusant à gagner! dit Solange.

– Et à dépenser! renchérit Évelyne.

– Je ne vous empêche pas, dit Annibal, mais moi je trouve qu'on s'emmerde.

– Oh! glapirent les deux commères, choquées.

– Ah, là là, si seulement j'étais encore dans la Résistance! dit Annibal hypocrite. Là, on vivait.

Cependant qu'en lui-même, il évoquait, un peu moins nostalgique, d'effrayantes corvées de patates. Il était cuistot du groupe.

Solange se levait, regardait sa montre.

– Je vais à l'usine. Nous devons livrer dix mille peaux ce matin. J'aime mieux être là.

– Une de plus, une de moins, grommela le baron. Vous n'allez tout de même pas les compter.

Il se versa un café bien noir.

– Chéri, dit Évelyne en lui caressant la joue, tu vas encore avoir des palpitations.

Le poing d'Annibal s'écrasa sur la nappe.

– Si seulement! explosa-t-il. C'est ça que je demande! Des palpitations... De l'excitation... De l'aventure... et pas des peaux de mouton!

– Oh! je t'adore, quand tu es comme ça, dit Évelyne. Tu as tellement l'air d'un homme. Tu l'aimes, ta biche?

Elle se blottit sur ses genoux.

– Tu ne veux pas voir ma dernière robe? Elle me va tellement bien.

Désarmé, le baron laissa retomber ses épaules et embrassa doucement Évelyne.

– Allons voir cette robe.

Ravie, elle le précéda, défaisant son peignoir. Le téléphone se mit à sonner.

Un domestique décrocha.

– Monsieur le baron...

– De la part? demanda Évelyne avec une moue.

– Un M. Louis.

Annibal s'empara du téléphone.

– Excuse-moi pour hier soir, disait Louis, j'ai eu l'air de ne pas te reconnaître mais il y avait des raisons spéciales.

Il fit sauter la clé de la Mercedes dans sa main.

– Je peux te voir tout de suite? C'est important.

Annibal balbutia...

– Mais... oui... évidemment... tu sais où...

– J'ai ton adresse, dit Louis. Tu penses bien que je ne t'avais jamais perdu de vue.

Il relut la carte grise. Annibal de Mareuil, 237, avenue Henri-Martin.

– Je t'attends, dit Annibal très ému. Tu crois que je peux t'aider?

– Ne sois pas ridicule, dit Louis, bourru.

Il raccrocha. Quelques minutes plus tard, la Mercedes d'Annibal s'arrêtait devant la grille de fer forgé de l'immeuble.

Louis descendit, vivement intéressé par le bâtiment. Un portier vint ouvrir.

– Je suis attendu, dit Louis.

Il tendit la clé de la Mercedes à l'homme.

– Vous rentrerez la voiture de monsieur le Baron.

Passant devant le portier interloqué, il monta lestement l'allée et gravit en trois enjambées le perron.

Annibal lui-même ouvrit la porte. Louis eut un sursaut en le voyant.

– Tu ne te rases donc jamais? lui dit-il.

Puis il se reprit et sourit.

– Excuse-moi... Où ai-je la tête?

Mystérieux, il ajouta :

– T'es sur un coup, évidemment?

Annibal, abasourdi, acquiesça mollement.

– Ah! le Service, quand ça vous a mordu, dit Louis en lui flanquant une grande claque sur l'épaule...

Il suivit Annibal dans le bureau de ce dernier, notant le luxe de l'installation du baron.

– Une chose d'abord, dit Louis. Personne ne peut nous entendre?

– Personne, assura Annibal.

– Bon, dit Louis. Autre chose. As-tu un peu de temps devant toi?

– Heu... oui, dit Annibal. Enfin, ça peut se trouver.

– Enfin, conclut Louis, avant de commencer, je veux savoir si tu as toujours les mêmes idées.

– Comment ça?

– Le Service avant tout... dit Louis.

– Écoute, s'exclama Annibal, tu en doutes?

– Quand je vois tout ça, dit Louis désignant l'installation, je me demande si tu ne t'es pas amolli.

– Mais j'ai toujours eu tout ça, dit Annibal. J'étais une lavette, dans le Service?

Louis l'évoque en train de peler des patates et sourit.

– Non! reconnaît-il loyalement.

– Eh bien, dit Annibal, je n'ai pas changé.

– Bon, dit Louis en se levant, c'est tout ce que je voulais savoir. Attends-toi à avoir de mes nouvelles.

Il tend à Annibal sa carte grise.

— Tiens. Je te l'ai ramenée. Ne prête pas des joujoux comme ça à des filles comme Barbara. On peut en avoir besoin.

— Merci, dit Annibal. C'était pour faire un geste, tu sais, s'excuse-t-il. Et puis, j'en ai trois autres.

Louis s'étrangle.

— Trois Mercedes?

— Non, dit Annibal, une Ferrari, une Aston et une XK 140.

— XK 140?

— Une Jaguar, dit Annibal. De toute façon, il y a aussi celle de ma femme et celle de ma belle-mère.

— Ah... oui, dit Louis. C'est plus commode. Je t'appelle demain soir, conclut Louis. Prépare-toi. Ça peut être dangereux.

III

Louis regagne son Q.G. où l'attendent ses copains, Robert, Alberto et Lucas.

C'est un bistrot luxueux de l'avenue des Ternes. Ils sont tous installés dans l'arrière-salle et le patron est un ami.

— Les enfants, explique Louis, c'est un coup inespéré. Il ne sait vraiment pas quoi faire de son fric.

— Il est bon pour combien? demande Robert.

— C'est ce qu'on va voir, Robert, c'est le moment de te rappeler que tu as été comptable.

— Oui, dit Robert.

— Alors, j'annonce les signes extérieurs. Voilà. Un type qu'a une Ferrari?

— Sept briques, enchaîne Robert.

— Une Mercedes 300 SL?

— Cinq briques.

— Une Aston Martin?

— Quel modèle?

— Compétition, sûrement.

— Dans les quatre briques.

— Et une Jag. La 140.

— Deux et demie, à vue de nez. Ça fait déjà près de 20 millions de bagnoles.

— La belle-mère doit avoir une Cadillac et la femme une Ford sport.

— Il habite où?

— Avenue Henri-Martin. Jardin – 600 mètres. Et hôtel de dix, quinze pièces.

— En province, il a quelque chose?

— Je ne sais pas. Je vais téléphoner, dit Louis.

Il consulte l'annuaire, fait le numéro. Il décroche :

— Allô... Monsieur de Mareuil?

Annibal arrive.

– Louis, fait Louis. Dis donc... est-ce que par hasard tu disposes d'une propriété en province ? Quelque chose de discret.

– En Sologne, dit Annibal.

– Pas de voisins ?

– J'ai 1 200 hectares. Et en Normandie, quelques fermes. Trois ou quatre, c'est moins grand. Dans les 4, 500...

– Parfait, dit Louis. Normandie... Sologne... en ligne droite... bon... je vois. Merci.

Il raccroche.

Il revient.

– 1 200 hectares en Sologne et 500 en Normandie. Quatre fermes.

– Ça va, dit Robert.

Il couvre rapidement une feuille de calculs.

– Il est bon pour quatre-vingts briques, dit-il. Et sans que ça le gêne.

– Parfait, dit Louis. On n'en demande pas plus. Et ça m'aurait ennuyé que ça le gêne. Après tout, c'est un copain.

– Alors, tu nous expliques ? dit Lucas.

Louis s'accoude à la table et expose son plan.

IV

Annibal fait ses confidences à Louis.

– En fait, explique-t-il, je m'ennuie. Ma belle-mère fait marcher l'usine.

– Il y a une usine ? demande Louis.

– Neuf cents ouvriers. Elle les fait marcher comme un seul homme. Usine de cuirs et peaux. Elle me fait gagner un fric fabuleux. C'est une femme terrible. Ma belle-mère a l'usine. Et moi, je m'embête. Vraiment. Je voudrais servir à quelque chose. Servir, tout court.

– Comme autrefois ! dit Louis.

– Ah ! Les renseignements, dit Annibal. Ça, c'était vivre.

Il a oublié les patates et ne revoit plus que le côté romanesque du petit réseau assez suspect dirigé par Louis.

– Et si on te proposait de servir de nouveau, dit Louis, le regard clair. Mais servir pour de bon ! A tes risques et périls...

– Demain ! dit Annibal. Aujourd'hui ! Tout de suite.

– Je n'ai pas encore le droit de t'en parler, dit Louis, mais avant la fin de la semaine, tu auras de mes nouvelles. Je te quitte.

V

Louis rejoint son groupe.

– Rectifie les chiffres, Robert. Il y a, en plus du reste, une usine. Cuirs et peaux : neuf cents ouvriers.

Robert calcule rapidement.

— Ça va, dit-il. On arrondit à cent briques. C'est plus commode pour les calculs d'ailleurs...

VI

Au bar, Annibal plastronne un peu.

— Il y a longtemps que vous vous connaissez, Louis et vous? demande Barbara.

— On a travaillé ensemble, dit Annibal, mystérieux.

— Ah! dit Barbara. Drôle de type, hein?

— Formidable, dit Annibal. Un organisateur de premier ordre. Le réseau, ça marchait dur, avec lui.

— Le réseau? dit Barbara.

— Clandestinité, dit Annibal. Passages en zone sud. Vraiment un as. Il était l'âme du groupe. Mais n'en parlez pas, hein. Il n'aime pas ça.

— Vous êtes quand même un type assez intéressant, dit Barbara.

— A cause de ma voiture? demande Annibal, agressif.

Elle hausse les épaules.

— Vous me prenez pour une grue. Je m'en fous, de votre voiture. Tout le monde aime les jolis jouets, c'est tout. Et on n'a pas de scrupules avec un type qui aime les jouets. Je ne me considère pas comme autre chose.

— En somme, c'est de la rigolade, dit Annibal.

— Exactement.

Il ne répond pas et boit.

— Peut-être que vous me prendrez au sérieux un jour, dit-il.

Le téléphone sonne. Le barman répond.

— Pour M. de Mareuil, dit-il.

Annibal, ravi, va répondre. Louis est à l'autre bout du fil.

— Faut que je te voie, dit Louis. C'est urgent. Viens sans te faire repérer au bar du coin de l'avenue des Ternes et de la rue Saint-Ferdinand.

— Bon, dit Annibal qui raccroche.

Il se tourne vers Barbara.

— Je m'excuse. Une affaire urgente.

— Vous me ramenez?

— Impossible, dit Annibal. Tenez, prenez un taxi.

Il lui laisse un billet de mille et sort.

Arrivé au bar du rendez-vous, il regarde si personne ne le suit, et, le cœur battant, entre. Louis est là dans un coin, attablé avec Lucas. Celui-ci ne dira pas un mot durant tout l'entretien.

— Est-ce que tu es prêt à faire quelque chose? demande Louis.

— Quelque chose! Mais je ne demande que ça, dit Annibal. Si tu savais ce que je m'embête.

— C'est pas une distraction, ce que je te propose, coupe Louis, brutal. C'est dangereux. Et ça peut te coûter cher.

– Bah, fait Annibal. Ça ne fait rien. Je ne suis pas exactement fauché.

– Ça va chercher loin, dit Louis.

Il tire de sa poche une liasse de billets et la pose sur la table.

– Il y a là dix millions, dit-il. C'est tout ce que j'ai pu ramasser. Et je te jure que j'ai gratté. Je ne vis pas de mes rentes. Ça, c'est juste suffisant pour la première étape. Moi, je suis prêt à risquer le tout. C'est pour le Service. Et c'est pour le pays.

– Je n'ai pas changé, dit Annibal.

Louis lui serre la main.

– Je vois, vieux.

Il rempoche sa liasse.

– Bon, continue-t-il. Alors je te casse le morceau.

Et Louis explique au Baron une histoire fort compliquée. Il y a une bonbonne d'uranium en jeu. Vingt kilos.

– De quoi mettre en service un réacteur. Et tu sais ce qui en sort, ajoute Louis.

– Je sais, dit Annibal un peu pâle. La bombe.

– Certains pays ont intérêt à ce que le nôtre reste à la traîne question atomique, continue Louis. Tu vois qui je veux dire.

– Je vois..., dit Annibal qui ne voit rien.

– Le Colonel N....., dit Louis, a intrigué auprès du State Department pour obtenir cet uranium. Pas besoin de te faire un dessin pour que tu comprennes la situation si une bombe H parvient au Moyen-Orient.

– La Palestine... murmure Annibal.

– Et l'Arabie Saoudite! renchérit Louis. Sans compter...

Il regarde Lucas. Ce dernier acquiesce. Annibal pâlit.

– Actuellement, dit Louis, l'uranium est à Marseille. D'ici deux jours, il doit partir. Il est convoyé par deux agents du State Department. Des Européens, des Poldèves. Tu sais que ces gens-là mangent à tous les râteliers. Pour cent briques, ils remplacent la bonbonne par une fausse, et ils nous refilent la vraie. Et tu sais ce que nous en ferons. Nous la revendons, à prix coûtant, à la Recherche. Pas un rond de bénef.

– Naturellement, dit Scipion.

– Les cent briques, c'est une avance, explique Louis. On les récupère. Les dix millions que j'ai ici, je les donne tout à l'heure à l'informateur, continue Louis. La question, c'est comment se procurer les cent briques. Et une fois le coup fait, comment échapper au contre-espionnage. Tu penses bien que les fournisseurs s'occupent un peu de leur marchandise. Et le F. B. I. américain, il surveille un peu ses agents, surtout les Poldèves. Et il ne lésine pas sur la bastos.

– La bastos?

– Le calibre quarante-cinq, précise Louis. Deux temps, on paie, on prend la camelote. Secundo, on tâche de semer la concurrence. On livre et on encaisse. Une fois à la Recherche, ça ne risque plus rien. Et on a récupéré l'avance.

— Qu'est-ce que je fais? dit Annibal.

— Le problème, dit Louis, c'est les cent briques en liquide.

— C'est tout, dit Annibal. C'est rien. Mais la concurrence, qu'est-ce que tu voulais dire?

Louis en remet :

— Un détail. Il y a une certaine puissance qui serait ravie de s'approprier la chose. Mais sans bourse délier. Tu vois ce que je veux dire. Les Écarlates ont quatre hommes sur le coup.

— Mince, dit Annibal.

— Le problème, c'est de les dresser les uns contre les autres et de se tirer des pieds avec la camelote, dit Louis. On est quatre dans le coup. C'est un peu juste. Veux-tu en être?

Annibal, radieux, le regarde.

— Tope! dit-il.

— Il faudrait l'argent après-demain au plus tard! dit Louis. Le bateau part vendredi, on est lundi. Ça nous laisse une marge de trente-six heures. Ça doit suffire. Ce qui est formidable, c'est qu'ils ne te connaissent pas. Ça facilite singulièrement les choses.

— Cent millions liquide... dit Annibal.

— Ça ne te rapportera pas un clou, dit Louis. Si tu le fais, c'est pour le Service. Et pour ton pays. Tu peux refuser. C'est un gros sacrifice. De toute façon, même si tu refuses, ne t'étonne pas si tu es filé en sortant d'ici. C'était déjà dangereux de venir à mon appel. Mais je ne te prends pas pour un dégonflé. Et rappelle-toi, les cent millions, c'est une avance.

— Tu as raison, dit Annibal.

Il se lève.

— Mercredi, tu auras l'argent, en billets de dix. Et je tiens à m'occuper moi-même de la camelote. Avec moi, ils ne se méfieront pas.

Louis se lève et lui serre la main.

— C'est bien, ce que tu fais là, vieux. Je ne t'en dis pas plus. Rentre en vitesse. Je t'appelle demain soir.

Annibal sort. Louis et Lucas se regardent.

— Champagne! fait Lucas au barman.

VII

Au déjeuner, le lendemain, Annibal est d'une humeur charmante. Solange n'en revient pas. A l'issue du repas, Annibal prie Évelyne de le laisser avec sa belle-mère.

— On a des choses à discuter entre hommes, lui dit-il.

Évelyne n'en demande pas plus.

Resté seul avec Solange, Annibal lui explique l'affaire.

— C'est une somme importante, remarque Solange.

— Évidemment, dit Annibal. C'est pour ça que je vous en parle. Mais on la récupère aussitôt.

— Ne serait-il pas plus simple d'informer l'Intérieur? suggère Solange. Un coup de fil à Beauvit et on fait ramasser ces bandits.

— S'ils ont le moindre soupçon, dit Annibal, ils feront disparaître la marchandise. Et s'il est important qu'elle ne tombe pas en de mauvaises mains, il est au moins aussi important qu'elle serve au pays. C'est la seule chose qui justifie l'emploi de cet argent. Nous pouvons prendre ce risque pour notre patrie, sans en mourir.

— Vous savez que cela fait beaucoup d'argent, tout de même, dit Solange. J'aimerais que vous consultiez votre ami.

— C'est ennuyeux de prendre du retard, dit Annibal.

— Voyons-le ce soir, dit Solange.

Il réussit à contacter Louis le soir même comme prévu, et avec mille précautions, le convoque chez lui.

Louis se rend compte que cela tire un peu. Robert va entrer dans le coup. Il le revêt d'un uniforme de général et, en sa compagnie, se rend chez le Baron.

Dans l'ascenseur qui les descend au rez-de-chaussée de leur hôtel, il se rend compte que le général n'a pas de nom. Rien de plus facile : la marque de l'ascenseur fera l'affaire. Le général Otis-Pifre est né.

Louis et le général pénètrent chez le Baron. Le poids de la parole et de l'uniforme de ce militaire réussissent à convaincre Solange qu'il n'est pas sage de prévenir la Sécurité du Territoire et que les cent millions ne courent aucun risque.

— Mais Beauvit me prêterait autant d'hommes que je veux! argumente Solange.

Le général rit doucement.

— Chacun d'eux a sa fiche dans la cervelle des gens à qui nous avons affaire, dit-il. Ils se feront descendre comme des mouches, et nous aurons la police locale sur le dos. Vous savez qu'ils se haïssent.

Solange vient à résipiscence.

— Tout de même... dit-elle, c'est se priver d'un concours utile...

— Billevesées! conclut le général. Je vous fiche mon billet qu'avec des hommes de la trempe de votre gendre et de mon ami ici présent, il n'y a pas d'anicroche possible.

VIII

La chose a l'air réglée. Louis et le général rejoignent le reste de la bande.

Il s'agit maintenant de tout préparer : la bonbonne, le lieu de rendez-vous, l'action des trafiquants, du contre-espionnage, et des puissances adverses.

D'ores et déjà, Louis décide de faire filer ostensiblement Annibal.

Lucas et Robert, redevenu comptable, prennent immédiatement le train pour le Midi. Il est convenu de faire circuler pas
mal le Baron. Les faux agents Écarlates interviendront au départ
et transféreront l'affaire à Genève, lieu plausible pour une lutte
d'espions internationaux.

Robert établit une note de frais et se montre d'une ladrerie peu
commune. Ils acceptent de voyager en seconde et de réduire au
minimum.

— On n'est pas là pour rigoler, dit Robert. Ce pognon, on ne va
pas commencer à le flanquer en l'air.

Il récapitule sur un vaste planning mural l'ordre des opérations : agents des Étoiles, agents Écarlates, agents du Colonel
N....., faux représentants de la D.S.T., caissier. Avec les dates et le
matériel. Robert est le régisseur de l'opération et établit la liste
des accessoires. Location du yacht, figurants, voitures, etc.

Solange, durant ce temps, réunit l'argent.

Tout va commencer.

Mais il reste quelque chose à créer : l'atmosphère.

Il faut absolument persuader Annibal que c'est de l'espionnage,
et de l'espionnage sérieux.

Où va-t-on lui faire remettre la bonbonne? Louis a un trait de
génie.

— J'y suis! dit-il. Lionel Crabbe!

Les autres se regardent inquiets, mais Louis a toute sa tête.

— N'oubliez pas que c'est toi, Robert, et toi Alberto, qui devez
lui remettre la bonbonne. Il ne faut pas que vous puissiez parler.
Vous êtes supposés être étrangers. La solution est évidente : tout
se passera sous l'eau.

— Sous l'eau? dit Robert.

— Des hommes-grenouilles! s'exclame Louis. Au large de la
côte.

— Ho là! c'est cher, ça! proteste Robert.

— Ah, écoute, ne lésine pas, dit Louis. La remise de la bonbonne
va se passer sous l'eau. Après quoi on le laisse filer et à cinquante
kilomètres de la côte, on l'arrête et on lui pique la bonbonne. Ni
vu ni connu. Le coup a loupé, c'est tout!

— Bon, fait Robert. D'accord. Mais ça fait trois costumes
d'hommes-grenouilles.

— Y a qu'à les louer, dit Louis.

— Allez, ça marche! fait Robert. Mais c'est tout, hein! pas
d'avion, pas de combines comme ça!

— Deux chriscrafts, dit Louis. Ça se loue aussi.

— Je m'en occupe, dit Robert.

Robert et Alberto se rendent dans le Midi pour régler tout. Ils
trouvent une grosse vessie de plastique qu'ils remplissent de
sable. Justement le menuisier du patelin fait pour le pâtissier-
nougatier une caisse en bois spéciale à double paroi qui paraît du
format voulu.

– Faites-en une comme ça! dit Robert.

Tout se prépare admirablement. Louis fait parvenir à Annibal un topo détaillé de la route, de la calanque et de la marche à suivre. Le menuisier livre ses deux caisses, l'une au nougatier, l'autre aux truands. Tout est presque prêt.

Annibal, dans sa Jaguar, fonce vers le Midi.

IX

Pendant ce temps-là, Louis et Lucas s'occupent de préparer le barrage à l'occasion duquel les faux espions Écarlates vont récupérer la bonbonne de soi-disant uranium.

Ils repèrent un petit village qui leur paraît convenir à leurs desseins, dans les montagnes des Maures, et se mettent en devoir de trouver une charrette à foin.

– Eh! vous ne trouverez pas ça ici! leur dit le premier paysan, avec un bon accent. Tout le monde est motorisé, maintenant!

Même réponse partout où ils s'adressent. Il leur faut pourtant une charrette.

Passant devant une cour, ils entendent un hennissement.

– Un cheval! s'écrie Lucas.

Effectivement. C'est le seul cheval du village. Il tire le corbillard local.

– On pourrait profiter d'un enterrement, suggère Lucas.

– Pas de blague, dit Louis.

Il questionne le conducteur du corbillard.

– Rien en vue?

– Hé bé! Il en est mort cinq la semaine dernière! Laissez-moi souffler! dit ce brave homme. Vous allez me le crever, mon Coco.

– Est-ce que vous pourriez nous le louer?

– Il peut pas sortir sans sa voiture! observe l'homme. Il est tellement habitué.

– Avec sa voiture, précise Lucas.

Et comme l'autre se gratte la tête, Louis a une idée.

– On paiera bien. C'est pour le cinéma.

– Ah! dit l'autre. Si c'est pour le cinéma... ça sera trente mille pour la journée.

Louis, furieux, marchande. Mais Lucas l'arrête.

– Vingt-cinq. Payés d'avance. Il marche, au moins, votre canasson?

– S'il marche! Ça fait vingt-cinq ans qu'il marche! Dis-leur que tu marches, Coco!

Louis et Lucas, à l'aide du ban et de l'arrière-ban des truands de leur connaissance, organisent un faux enterrement. Le moment venu, quand la Jaguar d'Annibal sera en vue, le corbillard se mettra en travers et deux hommes de main récupéreront le faux uranium.

Les arcans de la Place Pigalle rappliquent en deuil avec leurs nanas.

X

Cependant, Annibal, de nuit, longe la corniche et approche du lieu du rendez-vous.

Un chriscraft est à l'ancre tout près. Plus loin, en mer, un autre chriscraft se balance.

Le Baron cache sa voiture et descend. Il tire la corde qui retient le chriscraft et celui-ci s'approche docilement du bord.

Il regarde. Sur le siège avant, un équipement d'homme-grenouille flambant neuf.

Un signal lumineux jaillit de l'autre chriscraft.

Sans attendre, le Baron se déshabille et s'équipe. Il passe à son cou le précieux paquet de cent millions.

Il met le chriscraft en marche et quitte la calanque au ralenti.

Très vite, il arrive à l'autre. Un marin s'y prélasse.

– Joli temps pour un bain! s'exclame ce dernier.

Et d'un clin d'œil, il fait signe à Annibal de plonger, non sans lui avoir attaché au poignet la corde qui le reliera à son bateau.

Le Baron plonge. Deux hommes-grenouilles sont assis sur le sable. Entre eux une caisse.

Salamalecs. La caisse change de mains. L'argent aussi.

Avant de s'expliquer, le moustachu derrière son masque fait un signe et écrit quelque chose sur le sable avec son doigt :

OUVREZ L'ŒIL!

Annibal hoche la tête et remonte péniblement avec sa caisse qu'il ficelle à la corde qui le lie à son bateau.

L'autre chriscraft ronfle et pique vers le large.

Il regagne le bord, jette l'ancre et transfère la caisse à bord de la Jaguar. Puis, mettant le moteur du bateau au ralenti, il le laisse filer vers la mer, selon les instructions reçues ; il s'est dépouillé de son costume.

Il est seul sur la calanque déserte. Il regarde la feuille que lui a fait parvenir Louis. Elle lui indique la route.

Il allume une allumette et y met le feu.

Puis il part. Le matin vient de se lever.

XI

Un bizarre enterrement zigzague sur le bord de la route. Personne n'a l'air très triste.

Celui qui mène le deuil est méconnaissable sous son immense barbe. Sans barbe, il ressemblerait assez à Louis.

Chaque fois qu'on entend ronfler un moteur, le cortège redevient impeccable.

Un éclaireur, détaché à 300 mètres, envoie soudain le signal. Annibal arrive.

Immédiatement, le corbillard, avec une précision militaire, se met en travers de la route.

Dans un hurlement de freins, Annibal s'arrête.

Mais il voit les nanas rejeter leurs voiles, les truands dégrafer leur col et converger lentement sur lui tandis qu'on détache le cheval des brancards.

Il n'hésite pas. Une furieuse marche arrière, une marche avant éclair, et Annibal traverse le corbillard, qui vole en éclats, à cent vingt à l'heure.

Les truands sont stupéfaits. Et tout l'enterrement reste bouche bée.

Un car arrive et stoppe. Sans ménagements, les truands en extirpent les voyageurs et le chauffeur et se lancent à la poursuite d'Annibal.

Il faut absolument récupérer ce fameux uranium avant qu'il ne s'aperçoive de la supercherie.

Annibal dévore l'espace mais l'aiguille de son thermomètre dépasse les 100 degrés pour voltiger vers les 150.

Ça ne va pas durer. Le radiateur est crevé.

Il avise un panache de fumée. La gare n'est pas loin. Il entre en trombe dans la station, saisit l'uranium, prend un billet et réussit à sauter dans le train. Un train pour Genève.

Il trouve une place dans un compartiment qui contient quatre voyageurs. Deux enfants avec une étiquette au cou, et le pâtissier-nougatier de la ville du Midi où Robert a fait faire la caisse.

Chose curieuse – ce voyageur a exactement la même caisse que le Baron.

Chose encore plus curieuse : il y a dans ce train au moins dix voyageurs qui ont la même caisse.

C'est que le lendemain se déroule à Genève le Congrès Mondial des Maîtres Nougatiers.

Les deux affreux bambins ont déjà posé au nougatier cent questions sur sa caisse et ils savent parfaitement ce qui s'y trouve.

– Vous, c'est aussi du nougat ? demandent-ils.

Annibal répond que non.

Annibal est très embêté. Il faut absolument contacter Louis. Il laisse sa caisse par terre ; le pâtissier l'assure, et aussi les vertueux enfants, que ça ne risque rien. Il sort dans le couloir et cherche le chef de train pour lui demander s'il est possible d'envoyer un message à quelqu'un.

– A la prochaine gare ! dit le chef. Mais il n'y a que deux minutes d'arrêt, je vous préviens.

Cependant, les truands ont repéré la Jaguar morte et ont appris qu'un monsieur « avec une caisse comme ça » est effectivement monté dans le train pour Genève.

Le car est en bon état. Il s'agit de rattraper le train.

– Prochaine station? demandent-ils.

Et ils repartent comme en quatorze.

Le nougatier a envie de faire pipi.

– Touchez pas à ma caisse, les gosses! dit-il en sortant.

Les gosses protestent. Sitôt qu'il a le dos tourné, ils intervertissent les caisses. Celle d'Annibal monte, celle du pâtissier est éventrée en un clin d'œil. Le pâtissier a rencontré des amis en revenant. Les affreux bambins se gavent de nougat et réduisent la caisse en miettes qui filent par la fenêtre. Une pièce montée fabuleuse, en forme de Sacré-Cœur. Ils s'efforcent de mettre la caisse d'Annibal à la place quand Annibal surgit. Le train s'arrête, il empoigne sa caisse, les calotte et file.

Hurlements; le pâtissier rapplique.

– Le monsieur a volé la caisse! braillent les deux monstres en achevant le Sacré-Cœur.

Tollé général. C'est, en outre, une station proche de la frontière; sorti de la gare, Annibal entend ses poursuivants se rapprocher. Il fonce au hasard, pénètre dans un entrepôt : *Objets saisis en douane*. Une superbe Maserati immatriculée en Suisse est là.

– Une que je n'ai pas, s'écrie-t-il.

Il sort au volant de la voiture et sème ses poursuivants. Des éléments volubiles envahissent le bureau du coronel des Douanes qui les calme d'un geste.

– J'ai mon pendule! Il ne peut aller loin! Je le retrouverai de toute façon.

Effectivement, le pendule frétille dans la direction prise par Annibal. Le coronel met son uniforme. Il va commencer la poursuite. Le pâtissier pleure dans un coin.

Cependant, le train est reparti, et le car des truands se rapproche.

En rase campagne, les truands montent à l'assaut et commencent à détacher les wagons un par un.

– Une caisse de 40 cm de côté! a dit Louis.

Les caisses abondent. Et elles sont toutes pleines de nougat. On procède au pillage en règle de chaque wagon.

Le coronel des Douanes, dans sa 2 CV spéciale, fonce sur la route, pendule en main.

XII

A Paris, Solange, la belle-mère, commence à s'inquiéter. Annibal, vu l'allure à laquelle il roule généralement, devrait être revenu.

N'hésitant pas, elle se décide à mettre dans le coup la Sécurité Territoriale et son directeur, le fameux Beauvit.

Beauvit a un sourire compréhensif.

– Une affaire d'uranium? Ne craignez rien. Je suis déjà au

courant de quelque chose. On me signale des groupes suspects qui convergent vers Genève.

Beauvit, néanmoins, détache spécialement deux espions un peu efféminés, et qui sont, en réalité, déjà vendus aux Écarlates. Ce que nul n'ignore.

Annibal arrive à Genève et s'arrête au bord du lac. Il a l'idée de derrière la tête de passer par là pour rentrer en France. Personne ne l'a arrêté à la frontière grâce à son immatriculation suisse.

Il descend au Grand Hôtel des Espions. Simple hasard. C'est un hôtel très bien organisé. Dans la Chambre d'Écoute, chaque espion a un petit pupitre qui lui permet d'écouter toutes les communications de l'hôtel.

Un garçon transporte la caisse d'Annibal qui s'inscrit au bureau. Il remplit sa fiche.

— Vous restez longtemps?

— Sitôt que j'aurai liquidé ça! dit Annibal, assez faraud, ravi d'avoir semé tout le monde. Une caisse de nougat!

Tous les espions du hall lèvent la tête. Annibal est stupéfait. Quelques instants après, Annibal apprend du barman que « nougat » signifie « uranium » dans la langue conventionnelle de l'endroit. Il est déjà trop tard pour rectifier cette gaffe. Dans toutes les chambres, des groupes d'espions se concertent. Bluffe-t-il? Est-il idiot ou très fort?

Une chose est sûre. Chaque groupe va lui dépêcher une espionne; la Sécurité du Territoire tente sa chance avec ses deux efféminés. Et la Direction de l'Hôtel organise à la demande de ces messieurs le Grand Bal des Espionnes.

Ne sachant où laisser sa caisse, Annibal, finalement, l'a laissée sous le bar, aux soins du barman qui lui a expliqué que le bar est un terrain neutre, sacré pour tous.

Ainsi, sont maintenant dans la course à la caisse :
— L'Intelligence Service
— Le S.S. du Béloutchistan
— La S.T. française
— Le Contre-espionnage français
— Les Écarlates
— Et le coronel des Douanes qui poursuit son enquête personnelle sur la disparition du nougat.

La bande de Louis, qui a fini par rallier Genève, se rend vite compte de la situation.

— L'essentiel, dit Louis, c'est que lui n'ouvre pas la caisse. Mais avec tous ces gens-là autour de lui, c'est bien rare s'il n'y en a pas un qui arrive à la lui faucher. Pour plus de prudence, on va mettre une femme à nous sur le coup. Ce qui est formidable, c'est qu'Annibal y croit toujours!

Et de fait, Annibal compte bien suivre jusqu'au bout les instructions qui consistaient à convoyer, en principe, la bonbonne jusqu'au col des Mosses, étant bien entendu dans l'esprit des truands qu'un « accident » devait lui éviter d'aller jusqu'à cette ultime manœuvre.

Les choses commencent à s'éclaircir lorsque les deux services français adverses, d'un geste prompt, se passent mutuellement les menottes. L'agent du Béloutchistan en profite pour les envoyer au sous-sol où on les range soigneusement; c'est un service annexe de l'hôtel.

Le soir même, a lieu le Bal des Espions. Les sept espionnes principales convergent sur Annibal mais réussissent à force de ruse à se mettre toutes elles-mêmes hors de combat.

Au moment même où Annibal reprend sa caisse au barman pour entamer la dernière partie de son voyage, les agents de la Sécurité du Territoire s'en emparent. L'Intelligence Service, déjà prête, la ravit aussitôt à la S.T. Les Écarlates entament une bataille à mort avec le coronel des Douanes qui déjoue leurs ruses avec son pendule, mais finit enfermé, et le Béloutchistan récupère finalement la caisse. Mais l'espionne envoyée par Louis, la seule qui ait résisté, s'est fait séduire par le Baron et enjôle le Béloutchistan. Elle récupère donc la caisse pour Annibal qui fonce à son rendez-vous du Col des Mosses, où il doit livrer la caisse et récupérer ses cent millions.

Louis, interrogeant son espionne, s'aperçoit que le Baron a réussi, une fois de plus, à passer à travers tout comme une anguille. Reste la dernière solution. Il va se décider à aller contacter Annibal, et les autres membres de la bande les attaqueront.

La seule paille de ce plan, c'est que ce jour-là est justement celui du Grand Jubilé décennal des Yodlers du Valais, jour qu'a choisi le photographe Chevalier, de *Elle*, pour emmener douze mannequins connus poser pour des photos parmi la fête.

Et la seconde paille, c'est que le coronel des Douanes, bouclé dans sa petite cellule, a trouvé, grâce à son pendule :

1°) le passage secret qui lui permet de filer,

2°) le lieu exact du rendez-vous d'Annibal.

Annibal, conformément au plan, monte avec sa caisse le long d'un pic, cache la caisse, monte un peu plus haut et fait des signaux auxquels Louis et ses amis répondent, cependant que deux complices se glissent vers la caisse.

Mais le coronel a déjà découvert la caisse et la prend; pour passer inaperçu, il se camoufle en danseuse valaisanne.

Il est tout près de la frontière et va la franchir avec son vaste cabas lorsqu'on le photographie entre deux mannequins.

Jetant son bonnet par-dessus les moulins, il organise une fabuleuse farandole et réussit à passer la frontière sur son élan.

Il ouvre la caisse et s'exclame : C'est du sable!

— Comment! s'exclament les hommes de Beauvit qui surgissent dans les buissons. C'est du sable?

Louis et sa bande, arrêtés par les douaniers, mangent le morceau. Évidemment c'est du sable.

Et Annibal, là-haut sur son pic, attend toujours...

XIII

Le sable gît abandonné dans le bureau de la douane valaisanne.

Le fils du douanier-chef aime à bricoler l'électronique. Il s'est fabriqué un petit compteur de Geiger.

L'appareil, au voisinage de la caisse, s'emballe...

Les douaniers, prudemment, avec la pelle du boulanger, déposent le tout dehors.

Annibal, piteux, est rentré chez lui. On lui a prouvé sa stupidité. Pas d'espoir de récupérer les cent millions; on en a retrouvé à peine quarante.

Mais un petit inventeur lui a demandé rendez-vous. Il a construit un moteur qui marche à l'eau... Annibal reprend intérêt à la vie...

Les espions du Béloutchistan qui, eux, ne sont pas au courant, rôdent.

Ils découvrent la caisse éventrée, l'emportent.

Une explosion... leur voiture vient de se désintégrer dans la nuit...

L'AUTO-STOPPEUR

1955

Route vue d'en haut. Plan d'un stoppeur qui surveille la route. Lacets moyenne ou basse corniche. Vue du paysage nettement caractéristique pour qu'on le reconnaisse au premier coup d'œil, en bas, au moment où arrivera l'accident. Sur cette route une voiture américaine découverte, grand luxe, couleur claire, cuir intérieur.

Dans la voiture, couple très élégant. Homme 40, 45 ans, gris, bien : Pierre. La femme très jeune, entre 20 et 25 : Carole. L'homme conduit d'une façon à la fois dangereuse et sûre. Un peu nerveux, regarde sa montre fréquemment.

Tout à coup, à un virage très mal signalé, un embranchement. Un cycliste débouche très vite par le travers, prenant, lui, son virage à gauche. Il attaque la voiture de front. La bicyclette s'engage sur la droite de la voiture et tombe dans le vide pendant que le cycliste, projeté sur le capot, vient briser le pare-brise d'un coup de tête. La glace vole en éclats, on voit en gros plan la tête morte du cycliste. La femme s'évanouit et glisse sur le cuir de son siège.

L'homme a freiné. La voiture est tout au bord du ravin. Le corps commence à remuer. Peu à peu, il glisse le long du capot et tombe dans le ravin. On voit, tout en bas, la bicyclette arriver dans l'eau et s'engloutir.

L'homme n'a pas bougé. Il ferme les yeux, serre les dents et redémarre.

Puis, il s'aperçoit de quelque chose, s'arrête, enlève les plus gros morceaux de verre, essuie une tache de sang et repart.

La voiture monte, monte; la femme sort de son évanouissement, frissonnante. A un détour, non loin du premier plan, panneau : Arrêt autocar. Le stoppeur, debout, fait un signe impératif de stop en s'avançant. Freinage brutal. Carole regarde le stoppeur avec effroi.

Celui-ci est correctement vêtu, rasé, propre, jeune. Lorsque la voiture est arrêtée il met la main sur le bord de la portière comme s'il avait barre sur quelque chose. Il y a un silence pesant. Carole se passe la main sur les yeux, se demande si elle a rêvé. Mais le pare-brise est là.

Le stoppeur est accroché par le visage de la jeune femme et son expression change.

Le stoppeur (Jean) : On doit aller vite avec une voiture comme ça... Faut faire attention... *(il désigne le pare-brise).* Il tombe des pierres sur ces routes-là... *(il pose la main sur le montant du pare-brise et gigote avec ses doigts vers l'intérieur).*

Pierre : Alors, vous montez?

Carole fait mine de descendre pour passer derrière.

Jean *(à Carole)* : Bougez pas surtout... Je ne veux pas vous retarder...

Il flanque sa valise à l'intérieur et bondit par-dessus le bord arrière de la voiture.

Un hurlement retentit, Pierre sursaute. Il y avait un chien derrière. La voiture démarre. Jean, derrière, a l'air ravi, un peu ironique. Il regarde la fille dans le rétroviseur.

Jean : J'ai de la chance. C'est encore mieux que je ne croyais...

Il se carre confortablement, caresse le chien. Lequel le lèche et vient s'installer sur ses genoux.

Jean : Comment t'appelles-tu, toi? *(A Carole.)* Comment s'appelle-t-il?

Pierre : Répondez, Carole, c'est à vous qu'on s'adresse.

Jean *(lit la médaille)* : Fred! Tu t'appelles Fred? Moi, je m'appelle Jean. Bonjour Fred. Enchanté de te connaître. Et on va loin, comme ça? *(Silence.)*

Pierre : On vous parle, Carole. *(Silence. Il se décide.)* Nous venons de Paris. Et vous?

Jean : Moi aussi... C'est drôle, ça.

Carole : Vous avez arrêté beaucoup de voitures comme ça? *(Elle est méprisante.)*

Jean : Oh, surtout des camions... Les belles voitures ne s'arrêtent jamais. Trop pressées... Mais quand on n'en a pas soi-même, on fait du stop et tout est bon. Bien content...

Carole : Évidemment, c'est un moyen de locomotion.

Jean : Oh bien sûr!... Mes moyens me permettraient tout de même d'acheter une bicyclette... *(Froid affreux.)* Mais c'est dangereux... Et puis, j'aime pas me donner du mal... C'était drôlement chic de me prendre. *(Silence.)*

Pierre : Vous allez loin?

Jean : Ne vous inquiétez pas pour moi, je n'ai pas de but précis...

Carole *(snob)* : Nous ne restons pas en France. Nous passons la frontière.

Jean : C'est merveilleux... J'avais tellement envie de voir l'Italie... Ça, mon vieux Fred... C'est une journée, ça, tu sais!... *(Silence.)*

PIERRE : Vous avez un passeport?...

JEAN : Oh, en Italie...

PIERRE : Et comment comptez-vous passer?

JEAN : Ben... avec vous, bien sûr! Avec une voiture comme ça, c'est l'enfance de l'art... Y a plus de police!...

Pierre, nerveux, accélère et la voiture disparaît au loin, dépassant un stoppeur qui reste pouce en l'air et bouche bée.

ITALIE

JEAN : Vous voyez... J'étais sûr que tout se passerait très bien. *(Il soupire largement.)* Vous sentez comme l'air est différent?... On respire mieux, hein?

CAROLE : Où voulez-vous qu'on vous dépose?

JEAN : Écoutez, faites exactement comme si je n'étais pas là.

Au bout de quelque temps de conduite, arrêt devant un restaurant.

PIERRE : Eh bien, voilà... Nous nous arrêtons là.

JEAN : Quel coin merveilleux!

PIERRE : Alors, bonne chance.

Carole passe et entre dans le restaurant. Pierre regarde Jean.

JEAN : Vous allez déjeuner? Eh bien, pendant ce temps-là, je vais aller promener Fred... Comme ça, vous n'aurez pas besoin de vous occuper de lui... Viens... Sousoupe... Viens Fred!... *(Il saisit la laisse et ils partent en courant.)*

Pierre, après un geste de colère, entre dans le restaurant et rejoint Carole.

CAROLE : Qu'est-ce que vous faisiez dehors? Il est parti?

PIERRE : Il promène votre chien. Vous avez commandé?

CAROLE : C'est fait... Est-ce que ça va durer longtemps?

PIERRE : Aussi longtemps que ça l'amuse.

CAROLE : Ce qui veut dire que vous ne pouvez rien faire?

PIERRE : Vous pensez que je peux faire quelque chose?

CAROLE *(geste d'impatience)* : C'est une situation ridicule.

PIERRE : J'en souffre autant que vous. Si ça ne vous fait rien, parlons d'autre chose.

CAROLE : Je n'ai pas envie de parler.

Ceci pendant tout le repas. Lequel s'achève dans un silence mortel. Jean et Fred marchent l'un à côté de l'autre, confiants. Le repas finit.

Carole sort du restaurant. Elle s'installe dans la voiture. Pierre aussi, puis il allume une cigarette et reste les bras croisés sur le volant.

CAROLE *(froide)* : Qu'attendons-nous pour partir?

PIERRE : Vous tenez à votre chien? Moi je suis prêt à partir.

Carole proteste vigoureusement.

Quelques instants se passent. Carole écrase nerveusement sa

cigarette dans le cendrier. Un petit morceau de verre tombe du haut du pare-brise près de sa main. Sursaut. Retour de Jean et Fred, l'un traînant l'autre. Ils s'installent.

JEAN *(essoufflé)* : Oh tu vois, Fred! On les a fait attendre. On a trouvé un coin formidable. Il y avait une herbe délicieuse... Hop... Ah non, ne prends pas toute la place. On a mangé un sandwich tous les deux...

CAROLE *(neutre)* : Il ne doit pas manger à midi.

JEAN : Pour une fois, il n'en mourra pas. On était rudement bien, hein, Fred? *(La voiture démarre.)* J'ai bien failli rester ici avec lui... Mais j'ai pensé qu'il serait trop malheureux sans vous... et vous sans lui, bien sûr...

Silence. Pierre regarde Carole, très froid.

PIERRE : On vous parle, Carole.

CAROLE : J'ai entendu, merci.

JEAN : Hein, Fred, ça te ferait de la peine de les quitter?...

CAROLE : Ça... suffirait un chien pour... faire votre bonheur?

JEAN : Oh! pas tout le temps, quand même. Mais ça fait plaisir de voyager avec un chien aussi sympathique... bien sûr qu'on ne peut pas se contenter de ça...

En disant ça, il la regarde dans le rétroviseur. Un courant d'air violent, par le pare-brise cassé, dérange ses cheveux. Elle prend une écharpe et la noue.

JEAN : C'est embêtant, cette glace cassée. Vous ne voulez pas prendre ma place derrière? *(Silence.)*

PIERRE : On vous parle, Carole.

CAROLE *(exaspération froide)* : Suis-je vraiment obligée de répondre?

Mouvement de Jean, qui s'installe un peu vexé pour un long silence. La voiture continue à filer.

Vers le soir arrivée à un hôtel. Ils descendent.

PIERRE : Naturellement, vous descendez au même hôtel que nous.

JEAN : Vous m'avez fait faire tellement d'économies... J'ai gagné au moins trois jours de voyage. Je peux me permettre d'essayer un vrai palace.

Il saute dehors et ouvre la portière à Carole qui descend de l'autre côté et tient fermement son chien. Des porteurs s'avancent pour prendre les bagages. Entrée, chambres. Jean reste un peu en arrière, admire l'hôtel. Carole et Pierre dans l'ascenseur puis dans leur chambre. Pierre se dirige vers le téléphone.

CAROLE : Qu'est-ce que vous faites?

PIERRE : Vous ne pensez pas que cette plaisanterie va durer jusqu'à Florence? Nous repartirons dans un quart d'heure. C'est le seul moyen de nous débarrasser de cet individu.

CAROLE : Vous croyez?

PIERRE : Je connais leur genre. Dans cinq minutes, il sera en train de jouer avec les robinets de la salle de bains. Il ne s'apercevra de rien.

CAROLE : J'espère que vous ne vous trompez pas.

PIERRE : Je suis sûr de ce que je dis.

CAROLE : Vous ne pensez pas qu'il peut avoir noté le numéro de la voiture?

PIERRE : Vous perdez la tête, mon petit. Ces gens-là ne vont pas jusque-là. Il profite de la situation. Mais il n'est pas de taille...

CAROLE : Quelle journée horrible!...

PIERRE : Carole, je vous saurais gré de m'épargner ces commentaires.

CAROLE : Je regrette. *(On sonne.)* Entrez!

Le porteur entre, portant les valises.

PIERRE : Redescendez tout ça dans la voiture. *(Il lui donne de l'argent.)*

Le porteur est ahuri. Ils sortent.

Ils descendent. La voiture est garée sur le parc, capote relevée. Derrière, lumière allumée, Jean en train de fumer une cigarette. Plan d'une carte sur les genoux avec une route tracée jusqu'à Florence. Jean a un sourire épanoui en les apercevant.

JEAN : Je me disais bien que c'était bête de s'arrêter, on est si près de Florence... Dites, j'ai levé la capote. J'ai eu peur que votre femme n'ait froid.

PIERRE *(à bout)* : Est-ce que vous croyez que c'est très prudent de faire de l'auto-stop la nuit? Après tout, vous ne connaissez pas ceux que vous arrêtez?

JEAN : Voyons, comment voulez-vous que j'aie peur avec un conducteur pareil? *(Silence de mort.)*

PIERRE : Carole, voulez-vous nous laisser un instant? *(Elle s'éloigne glacée.)*

Pierre porte la main à sa poche.

PIERRE : Tout ceci n'a que trop duré. Vous avez été témoin de certaines choses... que je regrette... autant que votre présence ici... Combien?...

Il sort une grosse liasse.

JEAN *(éclate de rire)* : Mais enfin... De quoi parlez-vous? Je ne comprends pas. Vous allez à Florence? J'y vais aussi. Je n'ai rien d'autre à faire... Je ne vous demande rien qui puisse vous gêner... Je ne prends la place de personne... Qu'est-ce que ça peut vous faire de m'emmener? Je sais bien que vous voulez me semer... Mais je ne vous en veux pas. Ça m'amuse. C'est pas bien méchant...

PIERRE : Fixez votre prix.

JEAN : On ne parle pas d'argent entre amis...

PIERRE : Justement, ce n'est pas le cas.

JEAN : Voyons... Laissez-moi réfléchir. Qu'allez-vous faire à Florence? Passer vos vacances?

PIERRE : Exactement. Et nous sommes attendus à dîner pour neuf heures précises.

JEAN : Eh bien, nous dînerons à neuf heures et demie. Le mal n'est pas grand. Vous allez chez des amis?

Pierre : Parfaitement. Encore que cela ne vous regarde pas.

Jean : Avec une voiture comme ça, vous devez avoir des amis à leur aise... Ne dites pas non. Tenez... voilà... Tout ce que je vous demande, pour mettre le comble à votre gentillesse, c'est de me présenter chez eux, comme un des vôtres. Et là, je vous fiche la paix.

Pierre : C'est de la folie pure.

Jean : Allons, allons. Je sais tenir une fourchette... Je me lave les dents tous les jours, je change de linge et je ne suis pas déshonorant.

Pierre : Je préfère vous payer. Votre prix sera le mien.

Jean : Mon cher monsieur, j'ai bien assez d'argent pour passer mes vacances tranquillement. Mais je n'en ai pas assez pour être introduit normalement dans un milieu comme je m'imagine le vôtre. Et c'est ça qui m'amuse... Vous direz que je suis... Je ne sais pas, moi, le cousin de votre femme.

Pierre : Je doute que ma femme puisse avoir un cousin comme vous.

Jean : En tout cas, je vous certifie que je n'ai tué personne. *(Silence.)*

Pierre : Deux cent mille lires.

Jean : Quoi?

Pierre : Je vous offre deux cent mille lires.

Jean : Bigre! Ça doit être bien chez vos amis... Dites, si nous devons y être à neuf heures et demie, il serait temps de partir... *(Il appelle.)* Carole!...

Pierre : Espèce de...

Jean : Du calme... Je m'appelle Jean. *(Il rit.)* Et vous? Allons Carole, on s'en va. A propos, comment s'appellent vos amis de Florence?

Carole s'approche stupéfaite et les regarde sans comprendre.

Jean : Montez, chère cousine. Nos amis vont s'impatienter. N'êtes-vous pas heureuse de les voir?

La voiture démarre brutalement.

Elle arrive dans une assez somptueuse propriété. Ils sortent tous. La maîtresse de maison, jeune et divorcée, est une amie d'enfance de Carole : Marina, Italienne élevée en France. Marina s'approche de la portière qu'ouvre un domestique.

Marina : C'est vous, Pierre? Je commençais à désespérer de vous voir. Carole, mon chou!... *(Carole et Pierre sont descendus.)* Et Fred? Vous avez amené Fred, j'espère... Oh! *(Jean vient de sortir.)*

Carole : J'oubliais de te présenter mon cousin, Jean Delaroche. Il ne va pas rester... Il te dérangera peu...

Jean : Mes hommages, madame. Je suis confus de m'imposer mais ce départ a été tellement impromptu... Carole a insisté pour que je les accompagne et je suis parti sans rien... à l'aventure... Naturellement ma tenue s'en ressent.

MARINA *(un peu surprise mais n'en laissant rien paraître)* : Ça n'a aucune importance, voyons... *(Son regard va de Jean à Carole et Pierre.)* Nous ne sommes pas si formalistes... D'ailleurs, j'y pense... Si vous avez besoin de quoi que ce soit... Mon frère est exactement de votre taille... Mais, Carole, je ne savais pas que tu avais un cousin de ton âge.

PIERRE : Ma chère Marina, ne vous vexez pas. Encore tout récemment, j'ignorais comme vous l'existence de M. Delaroche.

JEAN : Je suis si rarement à Paris... Et j'ai horreur des corvées de famille. Mais, avec Carole, c'est différent. Je me sens tellement à l'aise que je n'ai même pas hésité à l'accompagner.

MARINA : La maison est à vous. Giuseppe va vous conduire à votre chambre... Ma petite Carole, je t'accompagne moi-même à la tienne. J'ai des tas de choses à te dire. *(Elle regarde Jean du haut en bas et l'évalue.)* Exactement la taille de Claudio... Vous n'avez qu'à fouiller dans ses armoires... Giuseppe va vous montrer... D'ailleurs prenez sa chambre, ça sera encore plus simple... *(A Carole)* Comment vas-tu, mon chou? Tu dois être morte de fatigue...

Vagues travellingues panoramisants sur la demeure princière de Marina. Conversation dans la chambre de Carole.

MARINA : Quel temps merveilleux! Pierre n'est pas trop fatigué? Vous avez passé la nuit à Avignon, je suppose?

CAROLE : Pierre peut conduire des heures.

MARINA : Toujours heureuse? Tu ne regrettes rien?

CAROLE : Pierre est un mari parfait.

MARINA *(pointe de dépit)* : Parfait est le mot. Pour le prendre en faute, il faudrait le faire exprès... Tu l'aimes?

CAROLE : Je n'ai rien à lui reprocher.

MARINA : Il part toujours pour Rome?

CAROLE : Toujours. Dans deux jours, je crois.

MARINA : Tu vas voir les jours merveilleux que nous allons passer. Ma petite Carole, je suis si contente de t'avoir un peu toute seule à moi... dans le plus beau pays du monde... *(Une idée désagréable la frappe.)* Ton cousin... dis-moi... Il accompagne ton mari à Rome?

CAROLE : Tu le lui demanderas.

MARINA : C'est un bien beau garçon.

CAROLE : Je ne trouve pas.

MARINA *(à qui la réponse a fait plaisir)* : Naturellement, mon chou, je suis contente qu'il soit venu... Mais je m'attendais à te voir seule... Tu sais *(elle rit forcé)* je suis toujours aussi jalouse.

CAROLE : Et toi tu es heureuse depuis ton divorce?

MARINA : Je vois mon mari une fois par an et je trouve que c'est encore trop.

CAROLE : Tu ne t'ennuies pas, toute seule, ici?

MARINA : Je sors beaucoup... Je reçois souvent... et puis, je t'attendais et je pensais que tu allais venir... et que peut-être tu resterais un long bout de temps avec moi.

CAROLE *(sans conviction)* : Tu es un amour.

Pendant toute la scène, elle s'arrange, s'habille, défait ses valises et refait son maquillage.

MARINA *(l'embrassant)* : Oh! Il faut que je te laisse. Dépêche-toi... J'avais complètement oublié ces deux vieux fous, les Stanley... Ils sont ici pour trois jours... Et, entre nous, mes chéris... vous êtes bien en retard... Ils doivent mourir de faim.

CAROLE : Penses-tu! En Angleterre, ils ont l'habitude.

Marina sort. Jean est dans l'escalier, en peignoir de bain. Séduisant.

JEAN : Oh pardon! Ne regardez pas et dites-moi où votre frère met ses souliers.

MARINA : Je vous envoie Giuseppe... Je n'en ai pas la moindre idée.

JEAN : Quelle jolie maison! *(Il remonte quatre à quatre et la caméra le suit puis on voit Marina le regarder, l'air de ne pas comprendre.)*

Le dîner. Fond sonore de conversation mi-anglaise, mi-française, avec touches d'italien. Au dîner, on apprendra : 1o que Pierre va à Rome; il suggère à Jean de l'accompagner, mais ce dernier répond dans le vague. 2o Qu'il y a le lendemain une réception donnée par Marina en l'honneur de Pierre et Carole.

La réception. Beaucoup de gens internationaux. Pierre et Carole dans un coin.

PIERRE : Il faut absolument que je le voie seul. Cette situation ridicule ne peut pas durer.

CAROLE : Il a disparu de la circulation.

PIERRE : Il doit se sentir mal à l'aise.

CAROLE : Vous vous sentez très à votre aise, vous? Ne vous inquiétez pas. Je vais le trouver. Je me doute de l'endroit où il peut être.

PIERRE : Vous me l'enverrez.

CAROLE : Laissez-moi faire.

Elle va le chercher et le trouve dans le jardin, avec Fred.

CAROLE : Ah! Vous voilà, mon cousin.

JEAN : Carole! Vous avez mis le temps, vous savez!...

CAROLE : Cessons cette plaisanterie qui n'amuse que vous.

JEAN : Il me suffit que ça m'amuse.

CAROLE : Quand allez-vous partir? Vous ne pouvez pas rester ici lorsque Pierre sera à Rome.

JEAN : Oh! La maison est grande...

CAROLE : Enfin, c'est insensé!...

JEAN : Vous entendez? Voici un bien joli morceau, venez! *(Il l'entraîne.)*

CAROLE : Mais laissez-moi, vous êtes fou.

Ils dansent. Pierre cherche Carole, Marina aussi. Tous font la gueule, sauf Jean.

CAROLE : Vous ne comprenez pas que c'est sérieux?

JEAN : Venez ce soir dans ma chambre, nous discuterons de tout ça.

CAROLE *(choquée au plus haut point)* : Je n'ai jamais appris à répondre à des grossièretés...

Jean, rejeté dans la foule des invités, essaye de se concilier les bonnes grâces de Marina.

JEAN : Grâce à vous, mon séjour à Florence aura été un enchantement. Vous êtes si charmante. Puis-je vous appeler Marina?

MARINA *(sur la défensive dès l'abord a un sourire acide)* : Mais naturellement.

JEAN : Marina, vous avez une maison formidable.

MARINA : Toutes les maisons de Florence sont merveilleuses. Florence est une ville unique.

JEAN : Je voudrais rester ici des mois et des mois...

Marina est un peu suffoquée. Jean s'attaque alors à d'autres dames étrangères à qui il fait un peu la cour.

JEAN : Madame, vous dansez à ravir.

MME : Vous me flattez.

JEAN : Jamais je ne l'aurais dit si je ne le pensais pas.

MME : C'est la première fois que vous venez en Italie?

JEAN : A Florence, oui...

MME : Je voudrais que vous voyiez le palais que nous habitons. Ce mélange de splendeur et d'inconfort... C'est tellement l'Italie...

JEAN : J'aimerais beaucoup le voir.

MME : Vendredi prochain, je reçois quelques amis. Voulez-vous être des nôtres?

JEAN : J'accepte avec grand plaisir...

MME : Le plaisir est pour moi... Vous êtes charmant. Soyez confus, ça vous va bien.

Plus tard, elle lui donnera une carte qu'il rangera dans son portefeuille. Divers plans tendant à exprimer la fin de la réunion.

CAROLE : J'irai lui parler ce soir. Après tout, c'est mon cousin.

PIERRE : Faites ce que vous voudrez, mais cet individu quittera la maison en même temps que moi au plus tard. Je suis prêt à tout.

CAROLE : Il partira avec vous.

Pierre est dubitatif.

Jean est dans sa chambre. Il se lave. On frappe. Il va ouvrir, Carole est là, son sac à la main. Elle entre mais reste figée et refuse de s'asseoir. Il s'assied sur son lit puis s'étend.

JEAN : Combien?

CAROLE : J'ai besoin de ma tranquillité et je ne saurais la payer trop cher.

JEAN : Mais enfin, c'est une manie dans la famille. Savez-vous que votre mari m'a offert deux cent mille lires?

CAROLE : Il vous estime peu. Je crois que vous valez plus que ça. *(Horriblement méprisante.)* Cinq cents?

JEAN : C'est risible... Voyons... rendez-vous compte de la qualité de la marchandise... *(Il enlève son peignoir et fait jouer ses muscles.)*

CAROLE : Oh assez! Ne vous conduisez pas en commis voyageur.

JEAN : Je vous dérange tant que ça, vous et votre amie Marina?

CAROLE : Qu'est-ce que vous voulez dire? *(Un temps.)* Je suppose que vous n'avez pas toute votre raison. *(Elle détache son bracelet de diamant.)* Ceci vaut environ deux millions.

JEAN : De lires?

CAROLE : De francs. *(Elle le lui jette.)* Vous partirez demain avec mon mari. Il vous déposera où vous voudrez. Il paiera votre hôtel quinze jours, si vous le désirez. N'importe quel hôtel. Vous aurez le choix.

JEAN *(pensif)* : Vous êtes très riches. *(Il joue avec le bracelet.)* Mais vous savez, je ne porte pas des machins comme ça...

CAROLE : Enfin, qu'est-ce que vous voulez? Vous ne sentez pas combien vous vous rendez odieux, combien nous vous méprisons. Je ne comprends pas comment vous pouvez vous complaire dans votre rôle. Que voulez-vous?

JEAN : Vous. *(Il regarde sa montre.)* Vous et deux heures de tranquillité. Pas maintenant, on va dîner.

CAROLE *(très bas)* : Je vous tuerais si j'avais un revolver...

JEAN : Bigre! Un par jour. Vous allez bien, votre mari et vous...

Blême de rage, Carole sort en claquant la porte. Jean fait un geste. Il se tient devant la porte fermée. Il attend. Quelques secondes. On frappe doucement. Il s'élance. C'est un domestique qui vient annoncer que le dîner est servi. Jean s'habille et sort.

Le dîner a eu lieu. De nouveau il est dans sa chambre en pyjama. Il fume en regardant dans le jardin. Carole entre sans bruit. Elle est en déshabillé. Il n'entend pas. Elle ouvre son déshabillé. Jean se retourne et la regarde. Il a un visage sérieux.

CAROLE : Voilà. Servez-vous.

Il sursaute, s'approche, referme le déshabillé et le serre autour de ses épaules.

JEAN : Rentrez chez vous...

CAROLE : Ah non!... Si c'est moi que vous voulez, me voilà. Ce qui est dit est dit. Mais vous quitterez cette maison demain.

JEAN : Est-ce que votre amie Marina est au courant de cette petite tractation?

CAROLE : Que viendrait faire Marina là-dedans?

JEAN : Fermez votre peignoir. *(Elle le ferme d'un geste rageur.)* Et rentrez chez vous. Allez retrouver votre mari et dites-lui que ça n'a pas marché.

CAROLE : Espèce de pourceau!

JEAN : Heureusement. Car j'ai l'impression qu'il ne serait pas d'accord avec cette conception du marché.

CAROLE : Je suis prête à faire ce que vous voudrez. Je veux bien coucher avec vous si c'est ce que vous voulez, mais vous vous en irez... Je ne peux plus vous voir!...

JEAN : N'ayez plus peur. Je m'en vais demain. Je commence à m'embêter ici.

CAROLE : Vous serez largement dédommagé.

JEAN *(furieux)* : Assez! Taisez-vous, Carole... *(elle s'arrête de pleurnicher).* Vous me dégoûtez. Vous me dégoûtez encore plus que votre mari. Vous êtes pire que votre mari.

CAROLE : Rien ne vous forçait à me fréquenter...

JEAN : Naturellement. Je suis de la même race que le cycliste... vous savez... cycliste... celui qui est là-bas; sur les rochers... en miettes... on les écrase et on passe...

CAROLE : Je savais bien que vous finiriez par le dire... Un moment, je me suis demandé si vous aviez vu. Le chantage...

JEAN : Le chantage!... Vous êtes infecte. Vous savez pourquoi je suis monté dans cette voiture? Pourquoi je m'y suis cramponné? Vous ne savez pas? Regardez alors... *(Il l'empoigne par les épaules et la colle devant la glace.)* A cause de ça, en face... Je croyais que ça correspondait à quelque chose. Le cycliste... imbécile! Pauvre idiote! Mais je suis aussi coupable que vous pour le cycliste puisque je n'ai rien dit. Moi non plus je n'ai pas levé le petit doigt, pour le cycliste.

CAROLE : Je ne comprends pas.

JEAN : Vous ne comprenez pas que je suis votre complice à partir du moment où je n'ai rien dit? Du chantage? Mais l'aurais-je voulu que je ne pouvais rien faire... Et ce n'est pas ça que je voulais...

CAROLE : Vous êtes bizarre... Vous n'avez pas d'argent... C'est normal de penser que vous en vouliez.

JEAN : En somme, pour vous, c'est normal de faire n'importe quoi pour de l'argent... Je commence à comprendre comment vous vous êtes mariée... mais tout le monde n'est pas comme ça, figurez-vous... De l'argent! J'en ai assez pour moi... Je n'en veux pas de votre argent... Surtout si votre mari l'a gagné comme ça.

CAROLE : Laissez mon mari tranquille.

JEAN : Certainement, ma chère cousine. *(Il se calme.)* Ne craignez rien. Et foutez-moi le camp.

CAROLE : Non. J'estime que vous me devez une plus longue explication.

JEAN : Comment, une explication? Ça ne vous suffit pas? Il faut vraiment les points sur les i? Je vous ai vus flanquer le cycliste en l'air... Et je sais qu'il était dans son tort... Et je sais aussi que vous ne pouviez plus rien pour lui... Et je vous ai vue, vous, tomber dans les pommes. Alors, j'ai cru que... je ne sais pas... que vous aviez quelque chose de plus que votre figure et vos cheveux... En somme, je ne me trompais pas, vous aviez aussi un sac à main bien rempli... Mais j'avais imaginé autre chose... Et puis, vous aviez une belle voiture et ça m'amusait de jouer les brigands... Et je voulais voir comment on vit dans un monde où on peut se permettre d'écraser quelqu'un sans en parler une seule fois... J'ai vu... Ça me suffit... Vous m'avez conduit à Florence... Je vous remercie... Nous sommes quittes... Et puis, le cycliste, vous savez, il aurait très bien pu être écrasé par quelqu'un d'autre... N'ayez pas trop de remords. Allez! Sortez d'ici... Allez retrouver votre portefeuille!... Sortez!...

CAROLE (*arrogante*) : Je... (*Elle se déprime.*) Je...

Il la pousse dehors et ferme au verrou et se passe la main sur la figure, accablé.

Le lendemain au petit déjeuner, assez tôt. Pierre tout habillé pour le départ. Marina et Carole en tenue du matin lui tiennent compagnie. Arrive Jean, habillé.

JEAN : J'espère que je ne vous ai pas trop retardé, Pierre?

PIERRE : Pas du tout. Vous êtes décidé?

JEAN : Mais oui. Carole, vous n'avez pas dit à Pierre que je partais ce matin?

CAROLE : Je pensais que vous resteriez quelques jours?

JEAN (*à Pierre*) : Pouvez-vous m'emmener jusqu'à Rome?

PIERRE : Mais naturellement.

JEAN : Marina, je ne sais comment vous remercier pour votre accueil. A propos, remerciez aussi votre frère pour moi. Grâce à lui, je n'ai pas eu l'air d'un clochard.

MARINA : Mais c'est bien naturel. (*Elle est ravie et rassurée.*) Je connais Carole depuis quinze ans... Vous avez la meilleure des références.

JEAN : Une excellente référence...

MARINA : Vous comptez rester à Rome?

JEAN : Oh... Je vais me balader par-ci par-là... Il y a tant de choses à faire en Italie.

Départ des deux hommes. La voiture atteint le centre de Florence.

JEAN : Pouvez-vous me déposer là?

PIERRE : Vous n'allez pas jusqu'à Rome?

JEAN : J'ai dit ça pour tranquilliser votre femme et son amie... Mais je n'allais qu'à Florence... J'en suis sûr maintenant.

Pierre met la main à son portefeuille.

JEAN (*enragé*) : Ah! Non! Sans blague... écoutez, laissez ça, si ça ne vous fait rien.

PIERRE : J'aimerais mieux ça.

JEAN : Histoire de vous soulager la conscience?

PIERRE : Non, ma conscience n'intervient pas dans mes affaires.

JEAN : Je commence à comprendre comment on arrive à avoir une bagnole comme ça... et une femme comme... ma cousine...

PIERRE : Je vous avertis de ne pas mêler ma femme à tout ça.

JEAN : Allons, allons, ne soyez pas idiot... Nous sommes trois complices (*Pierre sursaute*), liés par le même secret... vous ne risquez rien d'aucune façon... Je ne peux rien contre vous. (*Il prend sa valise.*) Bon voyage. (*Pierre démarre.*) Et ne prenez pas froid... (*Jeu de doigts pare-brise.*)

Jean se dirige à pied dans Florence et se trouve une petite chambre dans un hôtel pittoresque avec une très belle vue. Sa vie s'organise et, un jour, en achetant une bricole, il retrouve dans son portefeuille la carte de la dame. L'invitation est pour le soir. Il n'a rien à se mettre et va chercher un smoking dans les rues de la ville chez les fripiers. Il en trouvera un beaucoup trop petit. A cette soirée, il se sentira donc en état d'infériorité, ce qui plaira à Carole, habituée à traiter avec des inférieurs. Mais il ira quand même. De leur côté, Marina et Carole s'ennuient. Carole parce que sa vie est vide et étouffante de par la constante sollicitude de Marina et Marina parce qu'elle sent que Carole n'est pas à elle et ne veut pas d'elle.

Soirée chez la dame. Jean dans un coin, assez piteux dans son smoking, mais crânant quand même juste ce qu'il faut. Fred lui saute dessus dès qu'il l'aperçoit et Carole s'approche.

CAROLE : Tiens, vous êtes resté à Florence alors?

JEAN : Notre hôtesse est une personne si aimable que je n'ai pas eu le courage de me dérober à cette invitation.

CAROLE : Mais je vous croyais à Rome.

JEAN : J'ai dit ça pour calmer votre amie Marina... *(Il ricane.)* Elle avait tellement l'air de tenir à rester seule avec sa vieille amie de pension...

CAROLE : Toutes vos pensées ont quelque chose de sordide.

JEAN : Je me fous pas mal que vous les aimiez ou non. Vous venez danser.

CAROLE : Je ne choisis pas mes danseurs parmi les clowns, en général... *(Elle regarde tous les défauts de son habit.)*

Jean la gifle et l'emmène danser de force. En dansant, il lui donne son adresse.

CAROLE : Et pourquoi me donner votre adresse? Vous vous figurez que je vais aller vous voir?

JEAN : Non, mais Fred sera sûrement content de me voir, alors vous me l'amènerez. C'est bien le seul ami que j'ai à Florence... Un jour où il s'embêtera trop... Vous pourrez rester en bas...

A son tour, Carole le gifle et il s'en va ravi. Marina a remarqué quelque chose. Jalousie renaît plus forte.

Quelques jours après, excédée par les attentions de Marina, Carole sort en cachette, va en ville et cherche l'adresse, elle reste dans la voiture pendant que Fred monte. Jean ouvre la porte, constate que le chien est seul. Il va à la fenêtre, voit la voiture, lance une fleur. Pas de signe de vie. Il attend avec Fred. Une heure se passe. Carole, furieuse, monte. Elle l'engueule pour avoir gardé le chien aussi longtemps.

JEAN : Je ne le garde pas prisonnier, voyez vous-même, la porte est ouverte. Fred est assez grand pour savoir ce qu'il a à faire...

CAROLE : En tout cas je l'emmène. J'ai déjà été bien bonne de le laisser monter...

JEAN : Ça vous troublait de voir combien je m'intéressais à lui?

CAROLE : Ici, Fred !... Viens !... *(Naturellement le chien refuse.)* Qu'est-ce que vous avez fait à ce chien ?

JEAN : Il sait où est son bonheur.

CAROLE : Il a bien de la chance. En tout cas, je n'ai pas l'intention de vous le laisser, mais si vous en voulez un pareil, je peux peut-être...

JEAN : Vous allez recommencer à m'offrir de l'argent ?

CAROLE *(regarde la chambre)* : Ça ne vous ferait pas de mal d'en avoir un peu plus. Vous vivez dans un vrai taudis.

JEAN : Un taudis ? *(Il la regarde stupéfait.)* Venez ici, pauvre idiote !... *(Elle recule.)* Venez ici. Je ne vous toucherai pas. Venez ici et ouvrez les yeux. Un taudis ! *(Il l'attire à la fenêtre et lui montre la vue.)* Ça ne vous fait rien, ça ? Ça ne vous trouble pas ? Un taudis ! Un taudis !... avec ce soleil ? Avec ces pierres ? Je parie que vous n'avez rien vu... Que vous êtes restée avec votre snob de Marina à boire des cocktails et à jouer au tennis et à courir les garden-parties. Un taudis ? Mais Fred est moins bête que vous, ma parole !...

CAROLE *(un peu ébranlée)* : Mais vous parlez comme si vous étiez amoureux...

JEAN : Oui... Je suis amoureux...

CAROLE : Amoureux de Florence...

JEAN : Amoureux de Carole aussi. *(Silence.)*

CAROLE *(faible)* : Il faut que je parte.

JEAN *(timide)* : Vous ne pouvez pas laisser Fred tout seul...

CAROLE : Il faut que je m'en aille...

JEAN : Vous ne pouvez pas laisser Jean tout seul...

Elle se ressaisit, se dégage et se sauve. Il va à la fenêtre. Elle remonte en voiture, suivie de Fred. Elle sait qu'il la regarde. Elle retrouve la fleur qu'il a lancée, l'embrasse et s'en va.

NOTES DE BORIS VIAN À LA SUITE DU SCÉNARIO

Le voyageur qui se fait embarquer est difficilement un personnage léger parce que s'il exerce un chantage, il est complice de l'objet du chantage.

C'est parce qu'il se sentira complice qu'il décidera, après les heurts et les frictions chez les amis, de se retirer. Je ne peux pas vous faire chanter puisque je suis aussi coupable que vous.

— Cycliste rentre dans la bagnole et hurle. L'accident doit être en apparence si irrémédiable que l'on peut comprendre la fuite du monsieur.

— La femme après l'accident va voir et va vomir dans un coin. L'homme est retenu par la portière coincée qui ne s'ouvre pas — effet qui peut resservir tout le long du film.

– Le cycliste arrivant sur le capot, sa tête percute sur le pare-brise et la fille peut s'évanouir et le gars virer le cycliste pour la sauver.

– Il peut ensuite : prendre le cadavre, le mettre dans la voiture.

Une réplique de la fille au moment où le type essaie de lui dire que son mari est un salaud : je ne veux pas le savoir.

– Ou que le cadavre glisse et que la bagnole reparte.

L'homme pourrait être seul? et prendre sa femme plus loin.

Et à ce moment, ce pourrait être une femme qui fait aussi de l'auto-stop. Et qui s'impose chez eux. Chantage. C'est la femme qui a le fric. A ce moment elle qui croyait que le mari aimait s'aperçoit que c'était pour l'argent. Revient à son mari. L'autre fait venir le cycliste. Ils exigent la bagnole. S'en vont avec. Il renverse un cycliste et lui donne la bagnole en échange de sa bécane.

Que la fille s'aperçoive qu'il n'y a plus que la bagnole. Qu'est-ce que ça vaut une Lincoln? demande-t-elle au garagiste.

Qu'elle la fasse attribuer au cycliste et reparte pour son compte avec un Italien?

Fin : elle attend de nouveau à l'arrêt de l'autobus et le cycliste passe dans la bagnole.

Ou alors inverser carrément les rôles.

Aventurière sympa. La femme est élevée au couvent des Oiseaux et tout et pas traitée en burlesque; avec une femme.

TOUS LES PÉCHÉS
DE LA TERRE

OU
L'ACCIDENT

1956

L'action se déroule en quelques jours, dans une grande ville de province.

A) *Un petit appartement.* – D'une manière légèrement trop ostensible, comme quelqu'un qui n'en a pas l'habitude, un homme achève de mettre en ordre des papiers sur son bureau. Un chèque dans une enveloppe, posée sur quelques autres lettres. Un regard sur les tiroirs. Tout ce qu'on fait généralement avant de s'absenter pour un long voyage. Puis nous commençons à deviner quel va être le genre de ce voyage. L'homme dispose bien en vue sur le sous-main de son bureau une lettre dont on voit la suscription : Monsieur le Commissaire de Police. Puis, très simplement, comme quelqu'un qui exécute un plan longuement médité, et non comme on se suicide peut-être dans l'exaltation, par coup de tête, l'homme se lève, regarde autour de lui, et se prépare à sortir. Son chat se frotte contre sa jambe, et l'homme, en souriant à demi, lui gratte l'oreille ; puis il verse du lait dans un bol, et franchit sa porte en ayant soin de la laisser entrouverte, pour le cas où le chat voudrait sortir.

Il marche *dans les rues de la ville*, très calme. La soirée est déjà fort avancée. Peu de promeneurs, une circulation réduite. En passant devant une boîte aux lettres, l'homme y glisse les enveloppes qu'il tenait à la main. Puis, l'homme passe devant un petit hôtel particulier, brillamment illuminé. C'est celui de Rohan-Ségur, un des plus importants marchands de champagne de la ville, vieille famille, grande prospérité. Rohan-Ségur reçoit. La cour est encombrée de voitures. Le bruit et la musique parviennent jusqu'à la rue, ralentissant la marche des rares passants qui tentent, machinalement, d'apercevoir quelque chose. L'homme hausse les épaules et continue son chemin.

Il arrive enfin en bas d'une côte, sur un grand boulevard. Il s'adosse à un mur et, visiblement, attend qu'une voiture lancée en pleine vitesse s'approche, pour se jeter dessous.

Dans *l'appartement* vide, le chat, désœuvré, circule. Puis, saute sur le bureau et, d'une patte distraite, joue avec l'enveloppe restée bien en vue sur le sous-main. L'enveloppe tombe. Le chat, soudain excité, se jette à sa poursuite et la fait sauter entre ses pattes. Une poussée plus forte, et l'enveloppe glisse par la porte entrouverte. Le chat court derrière elle, et tous deux, de marche en marche, dévalent l'escalier et se perdent dans l'obscurité d'une petite cour encombrée de détritus divers.

B) *Dans l'hôtel de Rohan-Ségur.* – Vers la fin d'une soirée qui a dû être brillante, et qui n'est plus qu'agitée. Des spécimens peu reluisants de la bonne société, répartis çà et là dans les salons, se trouvent à tous les stades de l'ivresse. La caméra parcourt méchamment les groupes épars et finit par s'arrêter sur un très beau visage de jeune femme qui considère avec dégoût et mépris le spectacle qui lui est offert. Le maître de maison, le baron Gilbert de Rohan, 45 ans, élégant, cynique, poli, quitte un groupe où l'on devine quelques autorités locales venues faire leur cour, et rejoint la jeune femme. Il la plaisante sur sa froideur et son isolement, et on comprend tout à coup que la fête était donnée pour elle : Françoise est la fille de Gilbert. Mais au lieu de vivre la vie normale des jeunes filles de famille, Françoise a connu une aventure particulière. Elle a écrit à 20 ans un roman qui a eu un succès considérable, bien que ses qualités littéraires fussent très grandes. Elle l'avait écrit, comme on peut le faire au sortir de l'université, en croyant à l'expression littéraire. Un enchaînement de circonstances a poussé son livre aux gros tirages, et Françoise, découverte simultanément par dix publications populaires, est devenue à la fois une sorte de héros national et le symbole de sa génération. En possession, soudain, de fortes sommes d'argent, qu'elle traite avec le plus grand mépris, elle a acquis simultanément une indépendance absolue et le goût de cette liberté conquise. Elle garde cependant des rapports assez lointains avec sa famille. Et, précisément, son père a cru lui faire plaisir en organisant pour elle une de ces réceptions que la ville entière envie, déteste et admire. Françoise n'y est venue que par simple loyauté familiale, et déteste cette admiration frelatée que les gens portent plus à sa réussite qu'à son œuvre.

En trois phrases, Françoise, sur un ton glacé, douche l'enthousiasme et l'entrain forcés de son père. Elle ne cherche pas une rupture spectaculaire avec son milieu familial, car elle se rend admirablement compte des conséquences qu'elle aurait, et elle déteste le climat publicitaire qui entoure tous ses gestes les plus simples. Le baron Gilbert est déconcerté. Il a peine à comprendre cette attitude lucide et méprisante. Son cynisme personnel s'accommode fort bien de la bassesse des gens qui l'entourent, et il est un peu agacé de ne pouvoir même pas accuser sa fille de naïveté, de révolte grandiloquente ou d'illusion romantique : cette distance absolue que prend Françoise, par rapport au monde qui les entoure, lui semble monstrueuse et il ne peut ni s'en indigner, ni la comprendre. Il la quitte sans pouvoir, décidément, trouver le moindre contact avec elle : ils n'ont rien à se dire, en fait.

Un homme encore assez jeune, une trentaine d'années, suivait passionnément, de loin, cette conversation entre le père et la fille.

Il est au milieu d'un groupe de notabilités qui profitent de l'éloignement temporaire du maître de maison pour attaquer vertement Françoise, et se venger bassement en paroles de sa célébrité. Ils la couvrent d'ordures et de calomnies : ses mœurs, ses voitures, son mépris des conventions. Inépuisable sujet, inépuisable source de ragots tirés des plus sales officines de presse à sensation. Un journaliste local, plus haineux encore que les commères des journaux de Paris, dont il n'est qu'une minable imitation, est le plus ardent dans ce concours d'insultes. On découvre que le jeune homme, Jacques Renet, est un jeune magistrat du genre plein d'avenir, promis à une grande carrière.

Dès que le baron Gilbert a quitté Françoise, Jacques se précipite vers elle et commence à lui faire la cour, dans les termes mêmes qui lui ont valu tant de succès. Une sorte de chance s'offre à lui. Françoise est soudain aux prises avec un vieil imbécile solennel qui se met à lui reprocher de montrer un mauvais visage de la France et de sa jeunesse ; il le sait ; sa fille n'est pas comme ça. A le voir, on se fait d'ailleurs une triste idée de la demoiselle en question. Jacques délivre Françoise en l'entraînant vers le bar.

Ils se sentent un peu complices. Jacques se rengorge. Il tient là une bonne occasion. Il est intelligent, assez beau, brillant. Mais on ne peut pas attendre de lui autre chose qu'un esprit conventionnel, en réalité. Il se fait du personnage de Françoise une idée tirée directement de la presse à sensation : toutes ces histoires sur le mal de la jeunesse...

Résultat, il se met à boire pour faire le faraud, et en pensant assez stupidement qu'il va correspondre ainsi au type d'homme qu'elle apprécie. Il commence par être assez drôle, moins ennuyeux que les autres, et Françoise lui accorde d'abord un peu d'intérêt sur lequel, évidemment, il se méprend. La boisson lui donne le courage de brûler les étapes. Il propose à Françoise de rentrer avec lui : toujours ces légendes sur la liberté des mœurs.

— Dans votre état, répond Françoise, tout ce que je peux faire pour vous, est de vous ramener. D'ailleurs, j'ai horreur des ivrognes...

Jacques veut faire le malin :

— Ce n'est pas ce que vous disiez page 75...

— Un roman, vous savez ce que c'est, non ? Une chose qu'on invente et qu'on écrit.

Et Françoise, excédée, entraîne Jacques dans la cour et le hisse dans sa voiture, une Bristol, dont tous les hebdomadaires ont déjà publié des photos. Jacques, sournoisement, croyant qu'il est tout de même en bonne voie, dissimule une bouteille de scotch sous la banquette.

La Bristol démarre en trombe. Sur le seuil, un homme s'écarte pour laisser passer la voiture et ricane méchamment en reconnaissant les occupants. C'est le minable journaliste local que nous avons déjà vu. Il les regarde filer dans l'avenue et s'éloigne : une savoureuse histoire en perspective.

C) *Au bas de la côte*, sur le boulevard, l'homme attend toujours et guette les voitures qui se lancent sur la pente. Un camion lourdement chargé descend lentement. L'homme va bouger. A son gré, le camion est sans doute trop lent. Il se remet en place. On voit alors déboucher la Bristol de Françoise, lancée à toute vitesse. L'homme la laisse approcher. Puis, soudain, quand elle arrive à sa hauteur, il se jette sous les roues. Un choc. Françoise freine, redresse après une terrible embardée. Jacques, qui s'était retourné pour saisir sa bouteille de scotch, n'a rien vu et descend, éberlué, de la voiture. Françoise, déjà, se penche sur l'homme fort mal en point. Un phare est brisé.

D'un seul coup, Jacques se trouve dessoûlé. En quelques mots, Françoise lui explique que l'homme s'est jeté sous la voiture. Jacques n'en croit rien. Il s'énerve. Puis il regarde autour de lui. Le boulevard est désert. Personne en vue. Il réfléchit un court instant, puis semble prendre une décision. Il fait remonter Françoise dans la voiture.

— Partez, dit-il. Personne n'a rien vu. Je me charge de tout.

Françoise, d'abord, ne veut pas. Elle veut aller chercher du secours. Elle n'a pas encore compris qu'on va l'accuser de l'accident. Devant tant d'assurance, elle finit par céder. Elle file.

Jacques la regarde s'éloigner, puis se met à courir vers une cabine de téléphone.

D) *Un commissariat*. — Une ambulance s'éloigne et Jacques termine sa déposition : il rentrait de la réception à pied. Il a vu l'accident de loin. La voiture, dont il donne une fausse description, ne s'est même pas arrêtée. L'inspecteur de service, un vieux routier, visiblement revenu de tout, indifférent et routinier, enregistre la déposition du jeune substitut. L'affaire n'est pas encore grave : l'homme n'est pas tout à fait mort. Pour le reste, délit de fuite. Du tout-venant.

Jacques s'en va, assez rassuré sur la suite des événements. L'inspecteur Deschamps, demeuré seul, semble bien loin de cet accident semblable à des dizaines d'autres. Pourtant, il se lève et sort.

On le voit marcher sur le boulevard, à l'endroit même où l'homme s'est lancé sous la voiture. Il s'arrête et regarde autour de lui. Puis il se baisse et ramasse un éclat de verre. C'est un morceau du phare de la Bristol. Il le considère un moment et le retourne dans ses mains. Enfin, il le met dans sa poche.

E) Le lendemain, du *commissariat*, l'inspecteur Deschamps téléphone. Une liste de numéros devant lui : des garages. Une réponse semble l'intéresser. On le voit entrant dans un *grand garage*, dans la périphérie. Un chauffeur amène la Bristol de Françoise, dont le phare est brisé. Un mécanicien démonte le phare. Des fragments de verre roulent à terre. L'inspecteur en ramasse un. Aucun doute. Il interroge le chauffeur :

– C'est la voiture de Mlle Françoise, répond le chauffeur. Elle ne laisse personne la conduire.

Puis il s'aperçoit de l'attention qu'on lui porte. Le mécanicien s'est retourné et écoute. Le patron est sorti de sa cabine vitrée pour mieux entendre.

Le chauffeur veut faire le malin. Françoise est presque un personnage historique. Il charge, pour la galerie.

– Cette génération, dit-il. Ah, ils sont bien comme dans ses livres. Elle ne roule jamais à moins de 200...

L'inspecteur hausse les épaules et sort.

On le retrouve dans le *bureau du commissaire*. Il finit de faire son rapport, qui n'a pas l'air de plaire beaucoup au commissaire. Avant tout, avertir le père de Françoise, et surtout pas de hâte, finit par dire le commissaire. Il décroche son téléphone.

Et on le voit entrer en catimini dans le *bureau du baron Gilbert*. Il commence par préciser qu'il vient à titre personnel, en ami. Gilbert, qui connaît les hommes, prend le temps d'apprécier et de remercier. Puis :

– Peut-on arranger ça ? dit-il, et comment ?

Le commissaire réfléchit un instant :

– S'il ne meurt pas, et si sa famille n'est pas trop gourmande, possible, dit-il enfin.

F) Françoise sort de *chez elle*. Elle se rend au Palais. Elle entre dans le *bureau de Jacques*. Elle vient proposer de se dénoncer.

– Il s'est jeté sous les roues, dit-elle. Je n'ai rien à me reprocher. On dirait qu'il l'a fait presque volontairement. C'est la vérité. D'ailleurs, nous étions deux...

Jacques ne la croit pas. Il n'a rien vu. C'est *pour elle* qu'il a peur, pas pour lui. Il lui conseille d'éviter, par pure naïveté, de se dénoncer.

– Vous n'êtes pas vous-même, vous êtes ce que votre réputation a fait de vous. On n'écoutera même pas vos explications. On vous chargera immédiatement de tous les péchés de la terre. Tout le monde sera trop content de cette occasion de vous accabler.

Françoise commence à se laisser fléchir. Jacques insiste.

– D'ailleurs, ajoute-t-il, il y a très peu de chances qu'on vous découvre, et aucun risque qu'on accuse quelqu'un d'autre à tort... alors, où est l'utilité d'une telle démarche ?

– Comme vous voulez, dit enfin Françoise... Mais je crois que vous avez tort...

Elle commence à partir, puis revient sur ses pas.
— Le plus clair de tout ça, d'ailleurs, c'est qu'au fond, vous ne croyez pas ce que je vous ai dit...
Jacques marque le coup, puis se ressaisit. Il s'approche de Françoise. Il lui prend la main.
— Mais si, je vous crois, bien sûr.
Il s'attarde. Puis :
— Au fait, quand se revoit-on?

G) *Couloirs du Palais*. — Jacques a raccompagné Françoise et remonte, tout guilleret. Le commissaire le croise.
— Je vous cherchais justement, dit-il.
Et il l'entraîne vers son bureau, et le met au courant de la découverte de l'inspecteur Deschamps, sans remarquer le trouble de Jacques. En principe, la conclusion du commissaire est de ne pas bouger pour l'instant. Si l'homme ne meurt pas, le baron Gilbert pourra sûrement trouver un terrain d'entente. Et les docteurs pensent que la blessure n'est pas si grave.
Le téléphone sonne : c'est l'hôpital. L'homme vient de mourir. Le commissaire fait une petite moue.
— Ça devient sérieux, et on va avoir des ennuis avec la famille.

H) Dans le *petit appartement* que nous avons vu au début du film, l'inspecteur Deschamps finit de faire une sorte d'inventaire. Son enquête se termine. Il met une série de documents dans une serviette et rentre à son *bureau* où il dicte son rapport :
— Pas de famille connue, des papiers étrangement ordonnés, comme ceux de quelqu'un qui s'attend à un départ prochain, et d'un ordre méticuleux. Tout concourt à faire de cette histoire une chose sans problème...
Trop peut-être, songe d'ailleurs à part lui le vieil inspecteur. Il est rare de trouver « un client » dont la vie soit apparemment aussi limpide.
Dans le couloir, l'affreux journaliste local est venu chercher sa petite provende quotidienne de petits faits, comme par routine il « fait » habituellement les hôpitaux, les postes de police. Avec une curiosité très malsaine, il considère un spectacle assez inhabituel : Françoise, gauchement et timidement, circule dans les couloirs. Elle est venue prendre des nouvelles du blessé.
Si le journaliste était un vrai chien, on le verrait dresser les oreilles et flairer le vent. Il suit Françoise à la trace, comme si la célébrité avait une odeur. Puis il jette un coup d'œil par la fenêtre, et voit le chauffeur et la voiture. D'un petit air dégagé, il va dans la cour et commence, avec la technique brevetée d'un vieux routier, à tirer les vers du nez du brave chauffeur trop stupide pour avoir vu malice.
On reprend le journaliste *dans le bureau* de son directeur. Il finit d'exposer ses cogitations. Il est bien évident qu'il a fait le rap-

prochement. Et conscient d'avoir découvert un trésor, il s'est mis à traiter son directeur, devant lequel il rampe la plupart du temps, d'égal à égal. Ils ont une véritable conférence au sommet. Les arguments étalés de part et d'autre doivent donner le frisson, un peu, sans doute, comme doivent être réellement les discussions des hommes d'État entre eux. Le cynisme et la brutalité, baptisés « réalisme » pour l'occasion, se montrent sans pudeur et pourtant sans cette exagération caricaturale que veut la convention.

Le sens général de la discussion est : où est véritablement notre intérêt ?

— Si on ne dit rien, avance le directeur, nous nous mettrons bien avec les Ségur... ils deviennent nos obligés... très important.

— Vous raisonnez à l'échelle locale, répond brutalement le journaliste qui se sent soudain devenir Machiavel... Quoi, pour trois caisses de champagne et un petit chèque de temps à autre pour votre caisse de retraite, vous allez gâcher une histoire comme ça... Et puis, qu'est-ce qui vous dit que les Ségur sont dans la course... ils ne sont pas tous d'accord avec le baron Gilbert... ils ne s'aiment pas tellement entre eux, ces gens-là...

Le directeur soupèse l'argument. Puis :

— Alors... on choisit la défense des petites gens, des petits artisans, contre les gros...

Le journaliste se tord.

— Je vois que vous savez élever le débat... vous y êtes en plein... on fait du social... le chantage, c'est démodé.

— Vous avez raison, conclut le directeur. Toutes ces combines, ça ne vaut plus rien. C'est pas du solide. Le tirage, il n'y a que ça de vrai... du solide.

Et tous deux se mettent activement à chercher un moyen de rendre la chose publique sans courir le danger d'un procès en diffamation... Une seule méthode : poser des questions au lieu d'avancer des réponses un peu hasardeuses...

I) *Dans le hall du journal*, une petite foule s'agglomère devant l'édition du journal. Quelques flashes rapides montrent avec quelle vitesse le scandale se répand. On voit les titres : « Pourquoi Françoise de Rohan-Ségur est-elle protégée par la police et la municipalité... », etc., etc. Le journaliste a fait un gros effort d'imagination et ça se voit.

Le commissaire se décide à faire quelque chose. Il convoque le journaliste. Il lui fait le numéro de la conversation à cœur ouvert, d'homme à homme...

— Allons, dites-moi ce que vous savez...

— Jusqu'à maintenant, dit le journaliste avec un bon sourire, je ne savais rien. Juste quelques idées en l'air, comme ça. Mais c'est vous-même qui, maintenant, venez de tout m'apprendre...

Il se lève et sort, sûr de son effet. En réalité, il ne sait encore rien du tout. Sauf qu'il y a une vraie grosse histoire qu'on cache et qu'on juge assez importante, en haut lieu, pour qu'un commissaire ait le temps d'avoir un entretien poli avec un journaliste de rien du tout.

Toutefois, il tient une piste et il est bien décidé à ne pas la lâcher. Il se rend en vitesse chez le vieil inspecteur Deschamps, qu'il croit un vieux copain, parce qu'ils se sont vus souvent dans un tas de circonstances peu agréables. Il essaie de le faire parler. Mais Deschamps sait juger ce que valent les gens. Derrière les relations de camaraderie que la routine du métier lui avait fait nouer avec le journaliste, se cachait un véritable mépris. Le métier que fait Deschamps, déjà, lui-même ne l'aime pas beaucoup. Mais celui du journaliste ne lui inspire qu'un violent dégoût. Le scandale, pour Deschamps, c'est une obligation quotidienne qu'on subit ; pour le journaliste, c'est quelque chose qu'on aime. Toute la différence est là. Les bras jusqu'au coude dans l'ordure, pour Deschamps, c'est une routine, pour le journaliste, un plaisir.

Deschamps n'y va donc pas par quatre chemins et il flanque le journaliste à la porte, sans rien lui dire. Mais sur le seuil, déjà, apparaît une meute d'autres journalistes venus aux nouvelles. La mécanique est lancée.

J) *Dans la gare de Reims,* par le train de Paris, on voit arriver une foule bariolée : les reporters photographes sur le sentier de la guerre. Françoise est une gloire nationale qui agace et qui dérange, non seulement un certain nombre de ses vieux confrères, mais surtout une forte quantité de vieux hypocrites solidement installés dans ce monde que Françoise a décrit sans complaisance et sans respect. Son succès même, la seule chose respectable qu'elle ait faite de sa vie, elle le méprise, ce qui est un comble. L'idée qu'elle risque d'avoir de sérieux ennuis remplit d'aise un grand nombre de personnages peu appétissants, prêts à accabler, au-delà d'elle, toute une génération. C'est dire que son cas a été jugé suffisamment important pour mettre en marche, comme pour le mariage de Monaco, ou le baptême des enfants de France, la grande presse. Mais là, changement de ton. Plus de sordide. On laisse le sordide aux locaux. La meute des photographes n'est pas composée de bêtes de proie. Ce qu'ils font les amuse. Ils n'y croient pas. Pour une fois, on montrera comme ils sont réellement ces joyeux farceurs désinvoltes et rigolards que la notoriété, puisqu'ils en sont les instruments, n'impressionne pas.

En même temps qu'eux, un personnage neutre descend du train de Paris. Cette agitation ne le touche pas. Il semble plongé dans ses pensées et ne pas prêter attention au monde extérieur. Il tient à la main un panier pour chat tout neuf et vide. Personne ne fait attention à lui. Dans les gares, il y a toujours des types de ce genre. Un remous l'entraîne vers la sortie.

Dans le bureau du substitut, un grand nombre de personnalités sont réunies; le maire, un représentant de la préfecture, les présidents de la Chambre de Commerce, le commissaire de police. Ça discute dur.

En effet, les positions des autorités ont bien changé. Au début de l'affaire, tout le monde se sentait solidaire du baron Gilbert. Il faut se serrer les coudes dans ces cas-là. Mais la personnalité de Françoise a fait éclater les cadres traditionnels. Elle est bien la fille d'un ami – mais elle a eu le tort de devenir un personnage public – qui se conduit en ennemi, en fait. Tous ces beaux messieurs ont balancé quelques heures. La violence des attaques, et leur ton, les ont fait changer d'avis. On leur reproche une solidarité prétendue avec quelqu'un qui n'est pas de leur monde, c'est trop. Sournoisement, derrière leurs belles phrases, on voit se glisser l'idée qu'ils vont pouvoir aussi, à bon compte, faire preuve de leur impartialité, de leur esprit de justice : pas de privilèges... la petite Françoise a beau être de chez nous, si elle est coupable, elle doit payer comme les autres. Ah, les braves gens.

Donc, décision unanime, qu'il faut prendre avec beaucoup de tristesse apparente et une secrète satisfaction : on doit arrêter Françoise. Jacques est chargé de l'exécution.

Le Tribunal privé s'étant retiré, Jacques fait entrer Françoise. De toute évidence, elle sait ce qui se prépare contre elle mais elle n'a rien perdu de son calme. Jacques s'en étonne un peu, pour commencer.

– Qu'est-ce que vous voulez que ça me fasse, dit Françoise. Je le sais moi, qu'il s'est jeté sous ma voiture. Je n'y suis pour rien...

Jacques, évidemment, n'en croit rien et l'obstination de Françoise à nier ce qu'il considère comme l'évidence le met hors de lui. Son agitation contraste avec la sérénité parfaite de Françoise. Il s'énerve de plus en plus et finit par perdre le contrôle de ce qu'il dit :

– En somme, vous cherchez le scandale, dites-le franchement... Vous voulez de la publicité pour vos sales bouquins... N'est-ce pas...

– Vous ne savez pas ce que vous dites, répond Françoise. Vous n'oubliez qu'une chose : vous étiez avec moi et je ne comprendrai jamais comment vous avez pu ne rien voir...

Jacques se calme. Il change d'attitude et tente de faire le protecteur!

– Je n'ai pas peur de mes responsabilités, dit-il... J'étais avec vous, c'est vrai... et si je vous ai conseillé de ne rien dire, c'était dans *votre* intérêt... Je voulais *vous* protéger, pas moi... et c'est *pour vous* que je me trouve dans cette situation impossible.

La réponse de Françoise claque comme une gifle et donne brusquement tous les éclaircissements désirables sur son comportement :

— Je n'ai pas besoin d'être protégée, dit-elle. J'ai besoin que l'on me croie quand je dis la vérité.

Mais c'est précisément là ce que Jacques ne peut pas, et ne veut pas comprendre. Au lieu de respecter l'obstination de Françoise et de la comprendre, il l'interprète à contresens, comme une attaque, un reproche contre lui-même, alors qu'il n'en est pas question. Aussi se vexe-t-il.

— Parfait, dit-il enfin. Puisque vous ne voulez rien entendre et que vous supposez que j'ai peur, vous allez voir...

Françoise n'a même plus envie de combattre ce bloc d'entêtement et de sûreté de soi. Elle suit du regard Jacques qui vient de se lever, sans comprendre d'abord son intention. Il va vers la porte et d'un geste brusque, l'ouvre. Cent journalistes se ruent sur lui.

Il y a d'abord une grande confusion. Puis Jacques réussit à faire comprendre qu'il veut faire une déclaration. Le silence revient, lentement.

— Le Parquet a décidé de poursuivre Mlle de Rohan, dit-il, et de l'inculper. Mais j'ai décidé de transmettre le dossier. J'étais avec elle dans sa voiture. *Nous* étions ivres et c'est moi qui lui ai dit de partir, de se sauver... et je me suis chargé du blessé... Je donne ma démission...

Françoise s'est approchée. Elle a tout entendu. Et tandis que les journalistes se précipitent en désordre vers les cabines téléphoniques, Jacques reste seul sur le pas de la porte de son cabinet et échange un regard avec Françoise. Il est content de lui. Il croit avoir prouvé son courage et sa sincérité. Mais ce faisant, il n'a fait qu'accroître le malentendu qu'il y a entre eux. Elle lui demandait sa confiance, pas son courage – son intelligence et pas sa décision. Et lui-même, croyant avoir fait un grand sacrifice et une grande démonstration d'amitié ou d'amour, loin d'avoir touché Françoise, l'a écartée de lui. Elle se détourne et retourne s'asseoir pour attendre commodément les gendarmes.

K) *Dans le bureau* de l'inspecteur Deschamps, on voit pénétrer un curieux personnage, en qui nous reconnaissons ce petit homme sans signe particulier sur qui, un court instant et comme par distraction, la caméra s'est attardée, à la gare. L'homme qui avait pour tout bagage un panier à chat, vide. Deschamps lui lance un coup d'œil distrait et peu encourageant, comme on fait pour un solliciteur importun. Le petit homme s'assoit timidement puis, après un silence, il s'éclaircit la voix. Deschamps semble avoir oublié son existence...

— Qu'est-ce que c'est, dit-il, maussade...

— Je viens pour le chat, dit l'homme.

— Quel chat? dit Deschamps.

... Et du discours embarrassé du petit homme, on voit soudain surgir la vérité. C'est un ami de l'homme qui s'est suicidé au

début du film. Un grand malade, sans espoir. En prenant sa décision, il a dû se préoccuper de son chat. Qu'allait-il devenir ? Et il a
demandé à son ami, le petit homme, de s'en occuper. Malheureusement, le petit homme était en voyage et n'a trouvé la
lettre, que voilà, que la veille. Et il est accouru, plein de tristesse
pour le sort de son ami et d'inquiétude pour le chat.

On s'explique. L'homme a dû laisser une lettre, qui s'est égarée,
avant de se jeter sous les roues de la première voiture venue. Deschamps se lève et, suivi du petit homme un peu éberlué, fonce
dans les couloirs vers le bureau du commissaire.

Ils le rencontrent sur le seuil, l'air satisfait :
— Tout est fini, dit-il, on va les coffrer.

Et il s'étonne de voir la mine de Deschamps.

L) *Chez les Rohan-Ségur,* a lieu un petit conseil de famille.
Tout s'est arrangé et avec un peu d'amertume, le baron Gilbert a
pu éprouver la valeur exacte de ses amitiés. Presque tout le
monde l'a abandonné sauf l'oncle Albert, premier président,
magistrat intègre et hautain qui, précisément, se trouve là. Ils
sont soulagés. Françoise est avec eux, et ils ne savent pas exactement comment la traiter. Elle n'est pas coupable, alors pourquoi
lui en voudrait-on... D'ailleurs, elle l'avait toujours dit... Et la gêne
des deux hommes s'accroît : eux non plus, jamais, n'avaient cru
en ce qu'elle disait — et leur opinion était faite ; c'était un bien
médiocre système de défense. Le fait que Françoise ait, en
somme, toujours dit la vérité est plus décourageant même qu'une
manœuvre : il est dans un ordre de vie que le baron Gilbert ne
comprend pas.

Il n'a d'ailleurs pas fini de s'étonner. Ce n'est pas pour elle que
Françoise veut demander quelque chose à l'oncle Albert, mais
pour Jacques. Elle voudrait qu'on ne tienne pas compte de sa
lettre de démission. Même si Jacques se trompait, son intention
était bonne. En toute justice, on doit en tenir compte.

L'oncle Albert n'est pas décidé. Puis, finalement, il cède à Françoise pour une raison qu'il se garde bien d'avouer. Au fond, lui
non plus, jamais, n'a cru ce qu'elle disait. On changera de poste ce
galopin, voilà tout. De toute manière, en ville, il ne pourrait plus
avoir d'autorité.

M) *Sur une grande avenue* qui mène à la gare, on voit Jacques,
une petite valise à la main, marcher d'un bon pas vers son train et
son départ. La Bristol de Françoise arrive derrière lui, à toute
allure. Elle le voit, arrête la voiture devant lui et ouvre la portière.

Il ne détourne pas la tête. Vexé de s'être trompé, il en veut à
Françoise de sa propre erreur. Françoise fait encore un pas à sa
rencontre. Elle descend de voiture et le rattrape. Elle le prend
par le bras. Il se détend un peu.

— Cessez de bouder, dit-elle, venez avec moi...

Mais son amour-propre est malgré tout le plus fort. Il est de cette race d'hommes qui veulent toujours avoir raison. Françoise le regarde et comprend soudain qui il est vraiment. Elle lui a accordé une nouvelle chance. S'il n'en veut pas, tant pis pour lui : c'est qu'il n'en valait pas la peine. Elle s'arrête.

— Décidément, dit-elle, vous êtes toujours prêt à croire *le pire*... je ne sais pas quelle idée vous vous faites de moi... ce n'est pas parce que les choses sont imprimées qu'elles sont vraies... vous êtes mûr pour croire ce que vous lisez dans les journaux...

Puis elle décide de ne pas se fatiguer davantage avec un type de ce genre. Elle le quitte et, sans se retourner, monte dans sa voiture et démarre.

Jacques reste seul. Et il comprend brusquement que la chance, et l'amour, lui ont fait un petit bout de conduite, gracieuseté que la vie ne dispense pas tous les jours, et que de lui-même, par bêtise et par amour-propre, il les a congédiés, irrémédiablement.

Ses pensées, alors, ne sont pas gaies. Il repart vers la gare comme on va à l'abattoir.

FIN

RUE DES RAVISSANTES

1957

I

Une des images les plus conventionnelles du Paris pour touristes apparaît sur l'écran, puis la Tour Eiffel, les quais du Louvre, etc., lui succèdent rapidement. Dans le même temps, un commentaire se fait entendre : « Il y avait une fois, commence-t-il, une grande ville d'Europe qui n'existe pas, et dont on aurait beaucoup de mal à retrouver la trace sur les cartes... Dans cette grande ville, toutes les plus jolies filles s'étaient rassemblées peu à peu. C'étaient les plus jeunes et les plus belles de la ville. Elles avaient renoncé au principe ridicule qui veut qu'une fille ne soit destinée qu'à un seul homme, et, décidées à faire le bonheur du plus grand nombre, elles s'offraient donc au passant. Comme il est bien normal, le passant, en échange, leur remettait, après l'action, quelques-unes de ces feuilles de papier imprimé dont le frottement a quelque chose de magnétique, et dont on fait un assez gros trafic dans les banques : bref, du fric. »

La caméra commence par décrire avec une certaine complaisance l'activité de ces charmantes personnes. On voit leur bonne volonté à l'ouvrage, et l'organisation, encore tout empirique et rudimentaire, de leur domaine : des boutiques de frivolités, destinées à renseigner le passant sur la complexité et la science du vêtement féminin, alternant avec de petits hôtels discrets et confortables, où il est possible de passer de la théorie à la pratique, sans trop de formalités. Deux taches sombres et hideuses venaient évidemment déparer la charmante ordonnance de cette petite rue, aussi pleine de gentillesse et d'activité qu'une ruelle d'artisans dans une ville du Midi : aux deux extrémités de la rue se dressaient deux immeubles sinistres, où on voyait s'engouffrer, deux fois par jour, une foule minable d'esclaves attristés ; ces immeubles inhumains étaient le siège de deux puissantes compagnies d'assurances, méchamment rivales et concurrentes : la « Génératrice du Cantal » à l'extrémité Nord, et « l'Avunculaire et la Fourmi Réunies » à l'extrémité Sud.

II

Le soir tombait. La foule des employés, délivrée par la ferme-ture des bureaux, s'écoulait joyeusement. Toutes les jolies filles, en grand uniforme, vêtues de robes neuves et multicolores, cou-vertes de visons de toutes espèces, rutilantes de tous leurs bijoux, juchées sur des talons vertigineux, se tenaient chacune sur leur petite zone réservée de trottoir. Les mornes employés se sentaient tout ragaillardis d'avoir été ainsi frôlés de si près par l'aile du rêve. Des conversations discrètes s'engageaient. Dans les deux petits bistrots, la gaieté enfin renaissait, les rires fusaient. Ça, c'était la vie...

Une onde d'inquiétude, pourtant, parcourut la rue dans toute sa longueur. *Claudine*, dont le territoire couvrait l'extrémité Nord, venait de voir approcher d'elle un petit homme maigre et noir de poil, vêtu d'un complet gris trop bien coupé, chaussé de daim marron, à la mode d'Italie, semelles minces et extrémités pointues, et surmonté d'un Borsalino impeccable. Il portait de la main gauche une grosse serviette, discrètement reliée à son poi-gnet par une chaînette d'or. C'était Mario, le Petit Collecteur.

Claudine eut un mouvement d'agacement, qui, comme un signal de télégraphe optique, se transmit de fille en fille, sur toute la longueur de la rue. Claudine avait vingt-deux ans, de beaux yeux jaunes, un petit nez retroussé, des cheveux blonds coupés très court, un mètre soixante-dix sur quarante-huit centimètres de tour de taille, et des instruments de travail admirables.

Le petit homme s'arrêta devant elle. Elle le surplantait agres-sivement. Il eut le mince sourire du serpent, et ouvrit sa serviette d'un geste sadique. Claudine soupira, tira quelques gros billets de son sac et les donna au petit bonhomme, non sans se plaindre amèrement de la marche des affaires. Mais ça, ce n'était pas ses oignons.

— Faites une réclamation, suggéra-t-il... et il fit sur son carnet une petite croix, avant de s'éloigner.

Puis, d'un pas pressé, il gagna le suivant des points de sta-tionnement, dont la titulaire, aussi maussadement, s'approcha de lui.

L'onde d'agacement et d'alerte qui courait dans la rue, de fille en fille, se heurta brutalement à une onde du même genre, qui arrivait dans l'autre sens : à l'autre extrémité de la rue, une sorte d'ours des cavernes vêtu avec plus de raffinement agressif encore que Mario, et porteur d'une grosse serviette, venait d'arriver à la hauteur de Freda, titulaire du carrefour Nord.

– Le Grand Collecteur, soupira-t-elle ulcérée, en tirant une liasse de billets.

Les deux collecteurs, méthodiquement, parcoururent chacun toute la longueur de la rue.

Ils se croisèrent discrètement, sans se regarder, à la hauteur du poste d'Arlette, la doyenne de la corporation. Le Petit Collecteur, avec tact, s'effaça pour laisser opérer son gigantesque collègue. Mais à tous deux, sèchement, Arlette intima l'ordre d'aviser leurs patrons respectifs que ça ne pouvait plus durer, et qu'elle voulait les voir le lendemain. Les collecteurs reprirent leur boulot.

Ainsi, la corporation, très mal organisée, et qui en était, en somme, restée au stade artisanal, était copieusement brimée : deux bandes rivales, celles de Mario-le-Corse et d'Adonis-le-Grec, envoyaient régulièrement leurs collecteurs prélever une part importante des bénéfices, en échange d'une protection tout à fait illusoire.

Les filles désertèrent leur poste un instant, et dans l'accueillant petit bistrot qui leur servait de quartier général, tinrent une sorte de réunion syndicale. *Arlette*, qui dirigeait les opérations, expliqua rapidement qu'elle avait convoqué les deux chefs de bande pour le lendemain. Il était juste encore temps de ne pas se laisser faire. Elles approuvèrent toutes bruyamment, et retournèrent activement au travail, comme des petites abeilles, laissant Arlette réfléchir à ses plans. Dans un coin du bar, un monsieur discret, tout de noir vêtu, et semblable aux mannequins des magazines masculins, type « attaché d'ambassade », écoutait de toutes ses oreilles, en approuvant lui aussi. Il s'approcha d'Arlette qui ne l'avait pas encore aperçu. Arlette leva la tête et le vit :

– ... manquait que vous, dit-elle, sèchement.

Du geste résigné et habituel, déjà deux fois accompli sous nos yeux, elle ouvrit son sac pour en tirer une nouvelle liasse de billets. Le policier sourit, empocha et s'éloigna pour, à son tour, faire sa petite tournée. Décidément, Arlette avait bien raison : plus moyen de faire son boulot dans ces conditions.

III

La concurrence des deux compagnies d'assurances de la Rue était une bataille de titans. Les deux immeubles se défiaient, et les deux directions essayaient de donner à leur personnel un sentiment d'exaltation voisin du patriotisme. Mais l'avarice sordide des caissiers rendait indifférent à l'issue du combat le petit personnel qui passait tout son temps libre à fraterniser gaiement dans les bistrots de la rue, en compagnie des ravissantes. C'est ainsi que s'étaient noués de solides liens d'amitié. Les filles savaient tout des secrets des assurances, et les employés connaissaient tous les tracas des filles. Ainsi, tout le monde était un peu moins malheureux.

Dans l'immeuble de la compagnie de « la Génératrice du Cantal », au onzième étage, se trouvait l'embryon d'un beau rêve. Pour surclasser sa rivale, la Génératrice avait voulu se moderniser, et dans un grand mouvement d'enthousiasme, le Conseil d'Administration avait décidé l'installation d'un service électronique et cybernétique. On avait même engagé un cybernéticien : le jeune *Gaston Lampion*. Gaston était seulement à son aise, un crayon à la main, dans le domaine des chiffres ; son génie, c'était le sens de l'organisation. Mais, comme tous les génies, il avait des manies redoutables, dont la principale, aux yeux du chef du personnel, était son horreur du veston et de la cravate, signes ordinairement distinctifs des employés d'assurances. Lampion vivait en pull-over, ce qui lui valait un nombre colossal de brimades diverses. En outre, le sens des économies du chef du personnel l'avait conduit à laisser en caisses, de peur de les user, les précieuses machines. Lampion vivait donc dans un cauchemar permanent, voisin de celui de Tantale : les machines qu'il aimait tant, il n'avait pas le droit d'y toucher, et il était en butte aux injures constantes et au mépris de ses supérieurs.

Le mépris, encore, il s'en serait volontiers balancé. Mais il s'ensuivait une grave perte de prestige. Or, le prestige, Gaston en avait bien besoin : son service comportait en effet comme seule et unique employée, une troublante jeune personne, Véronique, dont les talents si visibles s'étiolaient dans ce rôle de secrétaire. Lampion était éperdument amoureux de Véronique.

Outre que la timidité naturelle à l'homme de sciences tiré de sa spécialité le paralysait, et que l'alcool lui-même ne pouvait l'en tirer, car il n'était vulnérable qu'à la limonade, Gaston s'était heurté à un obstacle de taille : Véronique avait une morale intransigeante ; elle avait décidé de n'accepter les hommages que de soupirants dont le compte en banque s'ornait d'un bon nombre de zéros ; son but, dans la vie, était simple : faire un riche mariage. C'est dire que Lampion, malgré l'espèce de sympathie qu'il lui inspirait, suscitait en elle un mépris incurable. Ni argent, ni prestige. Aucun avenir prévisible. Gaston était perdu d'avance, et donc, malheureux.

IV

Le promeneur pressé, le passant alléché par les ravissantes, et les employés d'assurances n'avaient jamais eu l'occasion de s'intéresser à une curieuse construction, légèrement en retrait, au milieu de la Rue. C'est ainsi que l'hôtel historique du sénéchal de Braquebille, dont la splendeur un peu passée abritait désormais le sénateur d'arrondissement *Corentin Brisdâne*, époux et veuf de la dernière descendante du sénéchal, et ses dix-sept enfants, tous mâles, passait, au premier abord, inaperçu.

Or, si la Rue ignorait le sénateur, lui était fort dérangé par l'existence de la Rue. Ses dix-sept enfants, les trois légitimes et les quatorze bâtards, se trouvaient fort entassés dans l'hôtel, – ce qui eût encore été tolérable, quoique injuste. Mais les activités de la Rue mettaient en péril ces jeunes âmes. Robuste et paillard comme un vrai Gaulois, le sénateur avait un sens pourtant très développé de la famille ; s'il avait de nombreuses fois cédé aux tourments du péché, d'une part ç'avait été pour donner à son pays de nombreux futurs bons citoyens, et d'autre part pour démontrer que la fibre patriotique n'était pas morte. En somme, Corentin Brisdâne s'était dévoué, – et il était d'une fermeté de roc sur les principes.

Il avait donc un plan, lumineux et civique, moral et économique : il avait déposé un projet de loi tendant à raser la Rue, et à la transformer en square. Corentin avait d'ailleurs calculé que le square serait entièrement rempli par sa propre progéniture, présente et à venir.

Il convoqua le commissaire du quartier, pour l'entretenir de son plan, et préparer la transformation du quartier. Le commissaire respectait beaucoup le prestige du sénateur. Les fiches de police qu'il détenait sur lui l'emplissaient d'abord d'une légitime admiration : tant de verdeur est peu commune. D'autre part, l'influence du sénateur, figure légendaire de la toute-puissante Commission de Protection des Mœurs, était considérable. Il fallait donc tenter de le satisfaire. Mais le satisfaire revenait à priver les sergents d'armes et autres inspecteurs de la Brigade des Passions, de leur principale source de revenus. Sans ces revenus la Brigade, et par conséquent l'État, risquait de dépérir. Le civisme du commissaire oscillait énormément entre ces deux devoirs, faire prospérer la Brigade, et satisfaire le sénateur. Le commissaire était un sage : il décida donc de se hâter, mais avec la plus grande lenteur.

V

De grands événements se produisirent simultanément.

La crise qui couvait au sein de la « Génératrice du Cantal » éclata soudain. Le Conseil d'Administration émit une note de service fixant la hauteur des cols blancs et la couleur des cravates de ses employés, et décida une rigoureuse compression financière. Lampion était visé sur les deux terrains. Sa seule machine en service consommait à elle seule autant de courant électrique que tout l'immeuble, et son pull-over à col roulé était une provocation permanente. L'entrevue qu'il eut avec son chef de service fut pénible. La cause de l'électronique fut vaillamment défendue. Il obtint même un demi-sursis pour sa trieuse-perforeuse. Mais il ne capitula pas sur le pull-over. Le directeur, en proie à la transe sacrée des brahmines, à laquelle ses hautes fonctions lui donnaient droit, lui mit en main le marché : un col blanc, amidonné, ou la porte. Comme on le pense bien, Gaston choisit la porte. D'autant plus volontiers d'ailleurs que Véronique venait de repousser ses dernières avances. Il jeta un regard mélancolique sur l'amoncellement des caisses, sur les kilomètres carrés de belles statistiques toutes fraîches, et descendit tout simplement à La Biche Prometteuse, petite annexe luxueuse de l'hôtel du même nom, le meilleur bar de la Rue.

Or, La Biche Prometteuse était le théâtre d'une autre scène dramatique. Arlette venait d'y recevoir successivement Mario-le-Corse et Adonis-le-Grec. Avec beaucoup de courage, elle avait tenté timidement de protester contre leurs taxes abusives ; mais ni Mario ni Adonis n'apprécièrent son zèle syndical. Si les filles trouvaient la taxe trop lourde, elles n'avaient qu'à travailler davantage ; d'ailleurs, ils détestaient qu'on renâcle ou qu'on se rebiffe. Leurs arguments touchèrent Arlette en plusieurs parties très sensibles de sa personne. Bref, elle était en larmes quand Gaston entra.

Leurs malheurs respectifs leur apparurent respectivement consolables. Ils se connaissaient de vue depuis bien longtemps, et appréciaient mutuellement leur zèle à l'ouvrage ; mais ils ne s'étaient encore jamais parlé. Ils se consolèrent donc avec amitié.

Gaston, on l'a vu, était touchant, sympathique, gentil. Tout l'opposé d'un Corse, d'un Grec ou d'un policier. Son cas émut Arlette. Timide, Gaston aurait peut-être hésité. Mais sur le coup de son malheur, il se mit à la limonade et l'audace lui vint. Ses yeux s'ouvrirent. Arlette lui proposait gentiment de l'aider. Il l'écouta avec sympathie, et lui fit à son tour raconter ses problèmes. Son génie de l'organisation ne dormait que d'un œil, et se réveilla brusquement. En un éclair, l'idée lui vint qu'il pouvait, lui aussi, faire beaucoup pour Arlette. Ce qu'il manquait à la Corporation, c'était une vraie organisation, le moyen de sortir de ce stade artisanal où elle s'étiolait. L'organisation, ça, Gaston en avait à revendre : il proposa à Arlette de la lui donner. En un clin d'œil, Arlette vit tout le parti qu'on pouvait tirer de ce jeune homme. Deux malheurs qui s'unissent peuvent donner une sorte de force. Le marché fut conclu. Gaston serait pris en charge par les filles de la Rue, et en échange, réorganiserait sur une base réellement rationnelle la Corporation menacée.

VI

Le successeur de Gaston à la tête du département électronique de la « Génératrice du Cantal » ne plut pas du tout à Véronique. D'abord, il n'aimait pas ses machines, ce qui est mauvais signe. Ensuite, son col impeccable, ses manchettes et ses cravates sombres emplissaient le bureau d'une sinistre atmosphère de funérailles. Enfin, il essaya immédiatement de la pincer aux endroits où elle donnait prise aux doigts salaces d'un supérieur entreprenant. Au moins, Gaston l'aimait pour son âme. Véronique réfléchit avec application sur son sort. Sa carrière lui apparut sous un mauvais jour. Elle appuya son front, tristement, contre la vitre du bureau. Puis elle sursauta. En bas, dans la Rue, Claudine prenait sa faction. Son vison palpitait, ses bijoux rutilaient. Véronique regarda tristement son propre lapin. Puis l'idée lui vint ; la solution était là : travail agréable, sans chef de bureau à pinces, rémunération apparemment excellente, sans rapports avec le salaire d'une secrétaire. Elle saisit ses affaires, claqua successivement son chef de bureau, puis la porte, et descendit à toute allure...

VII

Gaston commença par réfléchir sur le problème, et ne fut pas long à en discerner les deux points faibles : manque d'organisation et manque de rendement. Rien de ce qui fait la bonne marche d'une entreprise vraiment moderne n'était là. Il convoqua Arlette et lui exposa brièvement ses conclusions. Aux grands maux les grands remèdes. Il fallait, à son avis, entièrement revoir les méthodes de travail enlisées dans des habitudes séculaires. Les protecteurs vieux style, sortis des films de gangsters, le partage du trottoir en petites zones, les méthodes strictement individuelles de recrutement du client, tout cela, à son avis, avait largement fait son temps.

Il se mit à développer avec éloquence ses théories scientifiques. Arlette l'écoutait, fascinée, déjà conquise. Elle buvait ses paroles. Gaston termina son discours, reprit un peu de limonade et regarda autour de lui. Arlette l'avait installé dans une chambre orientale de pacotille, que les clients à la page ne demandaient plus. Il haussa les épaules.

— Pour commencer, dit-il, ce qu'il me faudrait, c'est un vrai bureau.

— Bien sûr, dit Arlette, mais entre les Corses, les Grecs et les archers de la Brigade des Passions, comment faire?...

VIII

Gaston ne fut pas long à trouver la solution. Puisque les Corses, les Grecs et les sergents d'armes prélevaient un pourcentage sur les rentrées en monnaie, il suffisait, pour commencer à leur échapper, d'avoir des recettes sans monnaie. L'avantage d'une formation scientifique est de ne pas s'effrayer des solutions audacieuses : un moyen évident était à leur portée. Il n'y avait qu'à l'appliquer : l'usage du troc.

Au début, les filles furent un peu surprises. Et leurs clients aussi. Au lieu de céder l'usage de leurs charmes pour de l'argent, elles l'échangeraient contre du matériel de bureau, du matériel scientifique, et des pièces d'ameublement. Après une courte période d'adaptation, ce fut un succès. Classeurs, dictaphones, magnétophones, machines à écrire, machines à calculer de tous genres affluèrent dans la chambre de Gaston. Le mobilier oriental disparut et, en quelques jours, son nouveau bureau surclassait, et de loin, celui dont il disposait à la « Génératrice du Cantal ». Même, une partie de celui qui était demeuré dans les caisses lui parvint par des voies mystérieuses, dues en grande partie à l'astuce de Claudine. Les employés de la « Génératrice », saisis par l'enthousiasme, et pouvant enfin satisfaire leurs belles amies, déménagèrent avec une diabolique habileté les cerveaux électroniques inutilisés. Les belles caisses d'origine ornèrent toujours l'ancien bureau de Gaston, mais les belles machines qu'elles contenaient émigrèrent une à une dans son nouveau.

Tout prenait merveilleusement tournure. Mais les sergents, les premiers, furent alertés par la diminution quasi totale de leur pourcentage. Quand les filles voulurent leur refiler le quart de leurs recettes en papier carbone, ils prirent peur. Le commissaire réunit ses inspecteurs pour examiner le danger. L'avantage des forces de la loi est qu'elles ont à leur disposition l'usage du Code Civil et autres. Le commissaire usa une partie de ses yeux sur ses livres de droit, et, triomphalement, exhuma une vieille loi, jamais abolie, qui interdisait formellement l'usage du troc. Lampion perdait la seconde manche.

En effet, la police, ses sources de revenus brutalement taries, n'avait plus de raisons de s'opposer aux manœuvres du sénateur Brisdâne.

Enfin, Mario-le-Corse et Adonis-le-Grec, la première stupeur passée, allaient devenir dangereux.

IX

Gaston ne se laissa pas intimider. Le premier résultat de son entrée en fonctions est une vigoureuse contre-attaque. En effet, les plans grandioses qu'il a commencé à échafauder pour la réorganisation de la Corporation ne peuvent entrer en vigueur que si les gêneurs sont préalablement écartés. Il agit donc.

D'abord, une entrevue d'égal à égal, d'organisateur à organisateur, avec le commissaire, lui permet de neutraliser la police. La Brigade des Passions, si on raisonne à long terme, ne peut que profiter de la réorganisation envisagée par Gaston. D'autre part, le sens de l'organisation est si vif chez Gaston que le commissaire en est séduit. Les mêmes méthodes appliquées dans d'autres secteurs contrôlés par la Brigade donneraient les mêmes résultats encourageants. Le commissaire laisse donc carte blanche à Gaston à la condition, évidemment, qu'il se débarrasse lui-même du sénateur et des bandes rivales de Mario et d'Adonis.

Pour le sénateur, pas de problème. Gaston a discrètement pris connaissance de sa fiche, et vu, en un coup d'œil, sa faiblesse essentielle : un goût un peu trop vif de la jeunesse. On déguise Claudine en collégienne, on la jette à la tête du sénateur, et on intervient dans le plus pur style du flagrant délit. Simple question de minutage. Gaston disposant d'une série d'excellents chronomètres, tribut des congressistes du congrès d'horlogerie venus se distraire de leurs travaux dans la rue des Ravissantes, c'est un jeu de saisir le sénateur au moment le plus compromettant. Il est donc maté.

Pour ce qui est des deux bandes rivales, une simple application du principe scientifique des forces antagonistes y suffira. Faire croire aux Corses que les Grecs les volent, et aux Grecs qu'ils sont escroqués par les Corses est un jeu d'enfant. Gaston organise scientifiquement le massacre. Les cadavres sont soigneusement rassemblés et déposés chez l'adversaire. On en trouve partout, dans les bars, dans les hôtels, dans les voitures, étiquetés, répertoriés, transportés, etc. Avant d'avoir pu s'y reconnaître, Grecs et Corses sont emportés dans le cycle infernal des vengeances et des représailles. En deux jours, la piétaille est exterminée, et seuls, stupéfaits, les deux chefs de bande, désormais sans autre bande qu'eux-mêmes, se retrouvent face à face.

Le terrain est dégagé : le « système » dont Gaston a rêvé va enfin pouvoir fonctionner.

X

Le « système » de Gaston Lampion est maintenant prêt à fonctionner. Si le film était une comédie musicale, on aurait alors une sorte de grand ballet. Mais, en tout cas, cette séquence devra se présenter d'une manière tout à fait différente de celle dont le récit, jusqu'à maintenant, a été conduit. Par exemple, la séquence devrait être entièrement musicale et les personnages évoluer sur la musique, comme dans un dessin animé.

Il s'agit, en effet, de montrer le passage de la Rue de l'ère de l'artisanat à l'ère de la grande industrie. Pour commencer, Gaston introduit l'usage de toute une série de nouvelles inventions mécaniques de tous les genres, destinées à la simplification et à la planification du travail : psychologiques, comme les machines à établir le goût du client, et à lui fournir dans le délai le plus bref l'objet correspondant le mieux, par son apparence et ses capacités, à ses désirs ; économiques, comme les petits compteurs à plai-

sir qui permettent, soit de précipiter le rythme des consommations, ou d'en réévaluer le prix, dans tous les cas de trop longue
durée ; éducatrices, comme les machines à parfaire la formation
professionnelle des filles de la Rue ; ou simplement pratiques,
comme le modèle de lit à changeur de drap automatique, dont
Gaston fit la démonstration aux filles et aux femmes de chambre
des hôtels, au cours d'une petite conférence, salle des Sociétés
Savantes.

Dans le même temps, les machines à calculer et les cerveaux
électroniques achevaient la mise en ordre de la Corporation : cal-
cul du rendement, des redevances, des pourcentages, des réparti-
tions, tout se faisait d'une manière rapide, efficace et incontes-
table, tant elle était scientifique.

De son bureau, comme une araignée au centre de sa toile, Lampion dirigeait et contrôlait tout. Les statistiques s'étalaient sur les
murs en courbes harmonieuses. Il voyait en un seul coup d'œil en
quel endroit de la Rue on manquait de grosses brunes, à quelle
heure les petites blondes étaient le plus demandées. Dans les
périodes de difficultés, qu'il pouvait prévoir avec certitude grâce
à ses computeurs multiples, il ouvrait des bureaux volants de
vente d'amour à tempérament, voisinant avec des officines de
vente de tempérament sans amour, de prêts d'honneur, etc.

La Rue changeait à toute vitesse. Le client perdait cet air furtif
et coupable des gens qui hantent des mauvais lieux. Elle devenait
gaie, pimpante et joyeusement électronique. Les machines de
Gaston, dans les bistrots, remplaçaient les machines à sous et les
juke-boxes. La Rue était la rue du bonheur sur terre, une abbaye
de Thélème en réduction. Quiconque y pénétrait était conquis.

Et les filles, délivrées de la crainte, des soucis, de leurs faux
protecteurs, et de l'incertitude du lendemain, se sentaient
comblées et vénéraient leur ancien protégé. Faute de mieux,
puisque Gaston ne pensait qu'à son métier et n'était pas sensible à
l'alcool, elles se livraient avec lui à des orgies de limonade...

XI

La pauvre Véronique n'avait pas sa part dans cette euphorie
générale. Depuis le temps qu'elle observait les allées et venues des
filles, de sa fenêtre, elle avait réussi à se faire du « métier » une
idée qu'elle croyait assez complète : habillement, démarche,
méthode d'accostage, elle croyait avoir tout compris.

Descendue dans la Rue, elle se mit donc à imiter naïvement
l'idée qu'elle se faisait du modèle idéal de la fille de joie. Elle pensait sa fortune faite. Elle avait simplement négligé d'observer les
transformations capitales que le système de Gaston avait pro-
duites dans la Rue. Elle était simplement une attardée, une
tenante démodée d'un ancien style, dont les amateurs se détour-

naient avec amusement pour se ruer sur la nouvelle école. Bref, Véronique faisait « déguisée » et personne ne voulait d'elle, à sa grande inquiétude.

Elle n'y comprenait plus rien. Elle avait beau redoubler d'efforts, plus sa bonne volonté était grande, moins le client répondait à ses avances.

Les quelques esprits rétrogrades qui auraient pu s'intéresser à son cas, comme on visite un musée du costume, rayon « costumes de nos grands-mères », étaient immédiatement et scientifiquement détournés d'elle par les filles de la Rue : il y avait en effet entre elles un petit complot. Spécialistes des choses du cœur, elles avaient vu tout de suite ce qui se passait dans celui de leur cher Gaston, et elles avaient décidé de faire son bonheur sans qu'il s'en doute. Une petite réunion de fraction, tenue clandestinement, leur avait permis d'élaborer une tactique : faire le vide autour de Véronique. Les nouvelles techniques firent merveille. En particulier, le petit « briquet à aguicher le mâle solitaire », récemment mis au point par Lampion et qui permettait de capturer irrésistiblement un homme à six pas, démontra brillamment son efficacité.

Et quand Véronique, désespérée, venait, épuisée par des marches incessantes, reposer ses pieds endoloris sur les banquettes de La Biche Prometteuse, les filles, discrètement, lui glissaient dans son sac des paquets de billets et des brochures édifiantes nécessaires à sa survie, et dosaient cette aide généreuse avec habileté ; suffisamment pour que Véronique ne renonce pas et ne s'enfuie pas dans sa province natale, et trop peu pour qu'elle puisse disparaître, fortune faite.

XII

Le commissaire de police fut d'abord enchanté des résultats produits par l'ère Gaston Lampion. L'autodestruction des bandes rivales des Corses et Grecs, généreusement attribuée par la presse à l'activité de ses services, lui valut quelques médailles et la promotion au grade de maréchal de camp et chef héréditaire des archers de police, dignité enviée et fructueuse. Il parcourut toute la longueur de la Rue dans son bel uniforme chamarré. Mais de retour dans son bureau, un aspect cruel de la réalité auquel, d'abord, il n'avait pas songé, lui apparut brutalement : il savait bien, lui, que la police n'était en fait pour rien dans l'assainissement radical de la ville. Et d'ailleurs, il aurait été contre, en vertu de l'adage immortel du docteur Prévert : là où il y a poison, il y a contrepoison, – donc, là où il y a contrepoison, il y a poison. Appliquant ce lumineux principe, il savait bien que là où il y a police, il y a malfaiteurs, et qu'il faut donc des malfaiteurs pour que la police continue d'exister.

Ainsi, un simple raisonnement pouvait lui faire toucher du doigt la vérité : en supprimant aussi radicalement les bandits, Lampion menaçait en réalité la police elle-même, et donc l'État. Il fallait agir.

Le secrétaire du nouveau chef de la police proposa bien la création d'un « parc national du crime » avec une réserve où on acclimaterait le gangster, pour en éviter la disparition. Mais les résultats ne pourraient s'en faire sentir que dans des délais beaucoup trop importants. C'était une mesure à long terme ; ce qu'il fallait, c'était un résultat immédiat.

Le maréchal eut alors une idée. Prélevant des sommes considérables sur les fonds secrets, que son grade lui permettait désormais d'utiliser, il créa et subventionna en secret un mouvement politique intitulé « L'Amour comme au temps de nos grand-mères » dont le programme était le retour aux méthodes classiques éprouvées en matière de sexualité. Dans un petit opuscule, remis obligatoirement à toute la population en même temps que toutes pièces officielles telles que cartes d'identité, extraits de naissance, certificats de baptême et de première communion, autorisation de dépucelage, etc., il prouva que le système Lampion faisait courir à la Société les plus grands dangers, ébranlait les bases de la famille et de la morale, et tendait tout simplement à introduire, cent cinquante ans avant les prévisions les plus pessimistes, le matriarcat.

XIII

Dans le même temps, le sénateur Corentin Brisdâne, lui aussi menacé dans ses œuvres vives par le succès du « système Lampion », venait de décider de passer à l'action. Ayant soudoyé quelques conseillers municipaux et quelques membres du corps médical, il venait de faire décréter « îlot insalubre » le quartier dont la Rue était le plus bel ornement.

Masquées, casquées, entièrement vêtues de caoutchouc blanc sur lequel se détachaient les brassards à croix rouge, les brigades hygiéniques, précédées des bulldozers peints en blanc, pénétrèrent un beau matin dans la Rue et commencèrent la démolition. Puis, ayant abattu le kiosque de la marchande de journaux licencieux qui marquait la passe du Nord, elles se retirèrent, promettant de revenir le lendemain.

On le voit, la situation tournait au tragique.

XIV

Lampion ne perdit pas son sang-froid. D'abord, le nerf de la guerre ne lui manquait pas. Les revenus, produits par son système, étaient en effet considérables, et dans ses coffres d'énormes capitaux s'accumulaient.

Il aurait pu parer l'attaque par des moyens à court terme, jeter au-devant des troupes assaillantes les meilleures et les plus compétentes de ses ravissantes, munies de briquets « Lampion » à grand débit. Il le fit, d'ailleurs, pour gagner du temps. Le second jour de la guerre, le corps d'assaut médical, séduit, se précipita en abandonnant armes et bagages, dans les petits hôtels de la Rue, pour une tournée gratuite générale. D'où on put le voir ressortir épuisé, se traînant sur les genoux, et tout juste bon à regagner d'urgence le domicile familial. Mais il savait que c'était une victoire à la Pyrrhus. Il fallait frapper à la tête.

Or, la tête, comme chacun le sait, c'est le portefeuille. Utilisant les amitiés et les complicités qu'il avait gardées dans le personnel des compagnies d'assurances, Lampion, en sous-main, se mit à racheter fébrilement des parts, des actions et des titres des deux grandes compagnies rivales. En peu de temps, et sans que personne encore ne s'en douta, il en fut le principal actionnaire.

Puis il se démasqua auprès des dirigeants de « l'Avunculaire et la Fourmi ». Ceux de la « Génératrice », il leur gardait un chien de sa chienne ; mais il tint en réserve le petit chien encore trop jeunot. Il devint donc Président-Directeur Général Honoraire de « l'Avunculaire ». Avec une idée de derrière la tête. En effet, on sait que les compagnies d'assurances possèdent d'énormes propriétés immobilières. « L'Avunculaire » racheta donc le quartier en entier, y compris l'hôtel du sénateur. Puis, l'âme tranquillisée, Lampion prit rendez-vous avec Brisdâne.

XV

Ce fut une charmante réédition de l'entrevue du Camp du Drap d'Or. Brisdâne attendait un assureur en chef. Ce fut Lampion qui surgit. Devant une telle réussite sociale, la fibre civique du sénateur se mit à battre. Il regarda son interlocuteur et adversaire d'un tout autre œil. D'ailleurs, les arguments de Gaston étaient impressionnants.

— 1. La Rue appartenait à « l'Avunculaire », c'était à elle que les brigades hygiéniques allaient s'attaquer. Or, s'attaquer à une compagnie comme « l'Avunculaire », c'était soutenir l'hydre de l'anarchie. En outre, léger détail, l'hôtel du sénateur était *aussi* la propriété de « l'Avunculaire ». Avant toute poursuite de la conversation, le sénateur se jeta sur le téléphone, et, ayant au bout du fil le ministre de la Santé, obtint sur-le-champ la dissolution des brigades hygiéniques.

— 2. L'idée de construire un square pour sa progéniture était, démontra Lampion, une démarche très inconsidérée de la part du sénateur. Comme ses dix-sept enfants étaient tous des mâles en

parfait état de marche, arrivant par vagues successives à l'âge de
la nubilité, en peu de temps, si l'on n'y portait remède, le sénateur serait envahi par une nuée de petits-enfants légitimes ou
bâtards. Un seul square n'y suffirait pas. Au lieu que les dix-sept
enfants, intégrés dans le système Lampion, d'abord ne profite-
raient pas aussi vite, ensuite trouveraient dans les ravissantes des
éducatrices de choix.

Le sénateur fut sensible à l'argument. D'autant plus volontiers,
d'ailleurs, qu'Arlette, déguisée en secrétaire de Gaston, fit une
entrée bien calculée, sous le fallacieux prétexte de remettre à son
patron quelques documents. Arlette sourit gentiment, tira son briquet de son sac et le sénateur, au bord de l'apoplexie, capitula
sans conditions. Bon prince, Gaston accepta d'un grand cœur la
conversion du pécheur.

Mais il fallait aussi contrer le commissaire. Revenu détendu et
hilare d'une conférence privée avec la belle Arlette, le sénateur,
nouveau converti enthousiaste du système, fut immédiatement
mobilisé pour sa défense. Une réunion plénière des Multiples
Académies devait précisément avoir lieu le lendemain. Le sénateur, rapporteur titulaire et perpétuel de l'Académie des Sciences
Morales, y fit une communication sur le système Gaston Lampion
intitulée « Une méthode révolutionnaire pour régénérer dans
l'honneur et la dignité l'énergie nationale ». Conquis par son éloquence et la force de sa conviction, les Perpétuels, dans un grand
élan de générosité, décrétèrent d'utilité publique l'entreprise
Lampion. La Rue était sauvée.

Une seule issue restait au maréchal de camp : un hara-kiri à la
japonaise. Ce fut une belle cérémonie et une réussite si charmante
que la presse à gros tirage creva le plafond des éditions spéciales.

XVI

L'heure du grand règlement de compte était enfin arrivée. Le
jour de l'Assemblée Générale annuelle de la « Génératrice », dans
un silence stupéfait, Lampion se présenta à la porte, demanda la
parole et monta à la tribune. Tirant de sa serviette que lui présen-
tait Arlette, autour de laquelle les administrateurs tombaient
comme des mouches, des liasses de titres, il annonça successivement sa qualité d'actionnaire unique et plénipotentiaire, le renvoi
du conseil et des directeurs, et la dissolution de la société. Dans le
même temps, « l'Avunculaire » changeait d'activité, assimilait la
« Génératrice », et les deux compagnies, fusionnées, devenaient la
« Grande Compagnie Centrale des Plaisirs Réunis », reconnue,
évidemment, d'Utilité Nationale, et chargée dans les lycées et les
collèges de l'instruction civique.

Ce fut un beau triomphe. Saisi d'émulation, le sénateur fit classer la Rue, désormais officiellement baptisée « Rue des Ravissantes », monument historique. Des plaques d'or massif en témoignèrent et l'inauguration donna lieu à un cortège sans précédent.

La Rue devint un Panthéon du plaisir. Assis côte à côte dans une Cadillac décapotable, le sénateur et Gaston parcoururent la Rue, sur toute sa longueur, sous un déluge de confetti. Un service d'ordre, composé exclusivement de ravissantes en grande tenue, contenait à grand-peine une foule énorme et éperdue. Arlette, en uniforme de chauffeur, conduisait au pas le char du triomphe.

Arrivée à l'extrémité Sud, Arlette aperçut Claudine qui lui faisait une sorte de signe convenu. Dans un coin obscur, Véronique, transportée d'admiration et envahie par les regrets amers, assistait modestement au triomphe de cet amoureux jadis méprisé. Arlette arrêta l'automobile, et doucement, fit descendre Gaston. Claudine le saisit par la main, tandis que le cortège repartait. Elle le conduisit à Véronique, et, complice souriante, s'éclipsa après avoir glissé dans la petite main de Véronique un briquet Lampion, modèle luxe. Gaston et Véronique se regardèrent en silence. Timidement, Véronique fit fonctionner le briquet. Gaston sourit, et ils tombèrent dans les bras l'un de l'autre.

Et tandis que la fête et le grand bal populaire se déroulaient, Gaston et Véronique, enlacés, pénétrèrent dans l'Hôtel de la Biche Prometteuse, en clients...

FIN

FIESTA

1958

Lieu et durée de l'action : L'action se déroule dans un petit port de pêcheurs en Amérique du Sud, non loin des faubourgs d'une grande ville moderne.

ACTION

Sur la jetée de pierre blanche du port, deux ou trois oisifs, des fainéants sympathiques toujours en quête d'une bouteille à vider, d'un peu de tabac et d'une place confortable pour dormir au soleil, sont étendus et rêvassent.

Quelques gamins jouent non loin de là. L'un d'eux, Pedrito, vient les taquiner et les tirer de leur sommeil. Sans se fâcher, les fainéants le découragent et le renvoient à ses jeux. L'enfant se met à chercher des coquillages sur les rochers du brise-lames.

Subitement, l'attention de Pedrito est attirée par une tache noire, là-bas, sur l'eau, à la limite où le soleil aveuglant rejoint la mer violette.

Très excité à l'idée que c'est une épave, il essaie de tirer de leur torpeur les hommes, mais ça ne les intéresse absolument pas.

Il rejoint en courant ses camarades, aux cris de « Un naufragé, un naufragé! », les gosses se précipitent vers le faubourg pour alerter les pêcheurs.

Les pêcheurs dorment, les femmes réparent les filets et préparent les repas.

Mais, à la nouvelle apportée par les enfants, l'excitation s'empare de tous. Quelques hommes mettent à l'eau une barque et font force de rames pour atteindre l'épave.

Pendant ce temps, on organise une espèce de fête autour de l'hypothétique sauvetage. Du plus aisé au plus pauvre, chacun s'efforce d'apporter une offrande pour le festin.

Les fainéants du début, flairant une bonne occasion de se régaler, ne sont pas loin...

Les pêcheurs ont atteint la barque. Il s'y trouve un naufragé. Il est grand, blond, il n'est pas d'ici. Il respire encore, bien que terrassé par le soleil et la soif.

Avec mille soins attentifs, on le ramène sur la plage, tandis que sa barque est prise en remorque par un autre bateau venu à la rescousse.

Alors, c'est la fête en plein air. Sur des grils, on fait rôtir de la viande et des galettes. Les femmes s'affairent autour de l'étranger ; on le lave, on l'étend dans un hamac, on le fait boire, on l'habille.

Il se ranime enfin.

Sous l'effet du vin et de l'excitation de l'événement, la tension monte peu à peu. Une sorte de cortège se forme. Lorsque l'étranger réussit à se mettre debout et à faire quelques pas chancelants, c'est le délire. On le hisse à dos d'homme. Le soir est tombé et on le porte en triomphe à la lueur des torches. La musique est partout et le faubourg indigène s'anime comme pour un carnaval. Les Blancs passent dans leurs grosses voitures blanches, indifférents à l'agitation du peuple.

Sur le quai, bien tranquilles dans leur coin habituel, les trois vagabonds que nous avons vus au début du film ont assemblé des victuailles et des boissons et font bombance en chantant des chants burlesques.

Le cortège du naufragé est arrivé sur une placette et des musiciens jouent.

Une fille, Maria, est là avec son amant, le guitariste Manoel. Elle est belle, jeune, ardente et sensuelle. Elle danse au milieu des hommes, accompagnée par les rythmes étranges des instruments de percussion, bongos, tumbas et congas.

Elle danse une longue danse de provocation autour du naufragé que l'on a installé sur des caisses comme un roi au milieu de ses sujets.

Il est grisé par la fatigue, la joie du sauvetage et l'excès d'agitation. Sans paroles, en quelques gestes, en quelques regards, Maria lui fait comprendre qu'elle sera à lui s'il la désire.

Avec la complicité de Pedrito, profitant de l'agitation et de la confusion croissantes, elle réussit à distraire l'attention jalouse de Manoel.

La fête est à son comble. La frénésie s'est emparée de tous. Filles et garçons dansent et boivent, les plus âgés mangent et s'amusent, des capoeiristes luttent à la lueur des torches.

Maria a disparu. Guidé par Pedrito, le naufragé la rejoint sur le quai où tout a commencé.

Au milieu de l'écho lointain des danses, non loin des trois vagabonds qui discrètement, rabattent leurs chapeaux sur leurs yeux, le naufragé et Maria font l'amour.

Mais Manoel s'est aperçu du départ de Maria. Il saisit Pedrito, qu'il a vu parler à Maria, et, le brutalisant, l'oblige à l'accompagner là où sont Maria et le naufragé.

Maria est étendue avec le naufragé. Manoel a surgi. La lutte est brève. D'un coup de couteau, Manoel éventre l'homme.

Il s'éloigne. Sans une larme, Maria s'est levée et s'éloigne à son tour.

Des torches s'approchent. Sanglotant, Pedrito se jette aux pieds de son héros. Dégrisé, le village regarde le cadavre.

Une à une, les lumières disparaissent. Sans se parler, en groupes, les hommes et les femmes séparés, les gens du village regagnent leurs cabanes.

Impuissants et indifférents, les trois vagabonds ont vu le meurtre.

Haussant les épaules et buvant une dernière gorgée, ils se lèvent mélancoliquement, empoignent par les pieds et les mains le corps du naufragé et le rejettent à l'eau.

La fête est finie.

DE QUOI JE ME MÊLE

1958

RÉSUMÉ

Un homme, *Philippe*, a décidé de se suicider. Il se jette à l'eau.
Marc, un autre homme qui se trouvait là par hasard, le retire de l'eau.

Furieux, Philippe se bat avec lui et, par un coup malheureux, casse une jambe à Marc.

Voilà Philippe obligé de ramener Marc au domicile de ce dernier, et, bien malgré lui, de se mêler de ses affaires.

Mais après tout, puisque Marc s'est mêlé des siennes...

Philippe prend donc en main l'existence de Marc qui, justement, se trouvait mal engagée. Il réussit à tout remettre d'aplomb dans la vie de Marc, y compris sa partie sentimentale.

Puis, à l'aventure, il repart... mais l'amitié de Marc, qu'il a trouvée dans cette histoire, le retiendra peut-être.

1

Un port, la nuit, dans le Nord. Peu de lune, des nuages. Il fait assez froid.

Un homme, Philippe, marche dans les rues, lentement, le col relevé, les mains dans ses poches, regardant ses pieds, sans les voir. Le vent semble le pousser vers le port. « On y va, on y va », murmure-t-il lorsqu'une rafale plus forte le fait accélérer.

Il regarde le ciel, il a un frisson.

Il avance le long de la jetée.

L'eau noire bat les pierres avec un clapotis déplaisant.

Maintenant, il arrive à une partie du quai où il n'y a plus de bateaux, rien qu'une forte barque, pontée, pas éclairée, accrochée à un anneau.

Il s'en moque. Personne là-dessus qui le retiendra. Il se jette à l'eau.

De l'écoutille de la barque émerge un homme, Marc. Il a entendu le bruit. Il voit, à quelques mètres, déjà emporté par le courant, la silhouette de Philippe qui s'agite faiblement. Il plonge.

Après une lutte incroyable, il arrive à repêcher Philippe.

Philippe est debout, ruisselant, sur la jetée. Marc halète. Philippe se passe la main sur les yeux.

— Eh ben, dit Marc... Il était temps!

Philippe n'est pas d'accord.

— De quoi je me mêle? dit-il d'une voix rageuse.

— C'était moins une! répète Marc.

— Et ça... répond Philippe.

A toute volée, il balance son poing dans la figure de Marc, hébété. Marc recule, chancelle.

— T'es cinglé, non?

— De quoi je me mêle, je te dis? Je fais ce que je veux, non?

Philippe double. Marc se plie en deux.

— La vache! soupire-t-il.

Il se ressaisit et contre-attaque. Le combat s'engage, en règle. Avec des « han » de boulanger, Philippe administre à Marc une terrible correction. Il va lui-même au tapis à deux reprises.

Finalement, d'un direct en pleine figure, il déséquilibre Marc qui tombe sur les rochers de la jetée, en contrebas.

Un gémissement. Plus rien. Marc est évanoui.

De nouveau, comme un homme saoul, Philippe se passe la main sur le visage.

— Bon sang, fait-il. Qu'est-ce qui arrive, encore. C'est la nuit des emmerdements...

Il s'approche du bord. Marc est étendu sur les rochers.

Philippe descend, prudemment.

— Pourquoi t'as été me chercher, aussi, murmure-t-il.

Il parvient à Marc, le soulève. Marc gémit.

— Ma jambe...

A grand-peine, Philippe le hisse jusqu'à la jetée, l'assied contre une grosse pierre.

— Qu'est-ce qui t'a pris? demande Marc.

— Ça va, répond Philippe. J'ai pas envie de causer.

— Tu voulais te faire la malle?

— Ça va, je te dis.

— J'ai une patte cassée, murmure Marc.

Philippe se baisse, le soulève, le hisse sur son épaule.

— Dirige, dit-il. Et la prochaine fois, te mêle pas des affaires des autres. Où tu crèches?

— Tout droit, fait Marc.

2

L'un portant l'autre, ils avancent lentement dans les rues du petit port. Marc habite un peu en dehors du village.

Épuisé, Philippe pousse la porte d'un coup de pied. L'ameublement est sommaire, mais confortable.

Il pose Marc sur le lit, se laisse tomber sur une chaise.

— Ça me fait un mal de chien, dit Marc, les dents serrées.

Philippe se relève.

— Tu permets, oui?

Il va au buffet, l'ouvre. Il a un sifflement d'appréciation devant le contenu. De nombreuses bouteilles apparaissent. Du whisky notamment.

Il s'en verse un costaud, le lampe d'un trait.

— A boire... dit Marc.

Philippe déniche une bouteille de Vichy, lui en verse un verre, le lui tend.

Marc fait la grimace.

— C'est pas avec ça que je vais me remonter...

— L'alcool vaut rien pour ce que t'as, dit Philippe. Où y a-t-il un docteur dans le coin?

— Y a pas de docteur, répond Marc.

— Parfait! apprécie Philippe. De mieux en mieux. Parce que moi, comme docteur, tu vas le sentir.

Une demi-heure après, Marc est déshabillé, couché, et Philippe achève de lui ficeler autour de la jambe quelques éclisses de fortune, faites avec des planches.

— Ça tiendra jusqu'à l'arrivée du toubib.

Marc a l'air de souffrir beaucoup. Philippe le regarde, hoche la tête.

— Je comprends pas, dit-il. Tu pouvais pas me laisser me foutre à l'eau, non?

Marc sourit malgré lui, ferme les yeux.

— Non, dit-il. J'ai fait pas mal de trucs, mais jamais encore celui-là.

Philippe va sortir.

— Change-toi, dit Marc. Y a des nippes sèches dans l'autre placard.

Philippe enfourche la bécane de Marc et referme la porte. Il pousse un soupir et démarre dans la nuit. Le vent souffle de plus belle.

3

Marc est dans son lit, il a la fièvre, et il est inquiet. Il consulte fiévreusement la pendule du mur.

La porte s'ouvre. Sur son visage, on voit immédiatement que ce n'est pas Philippe.

C'est un gars solide, l'air dur, petit, râblé.

— Alors? aboie-t-il. Qu'est-ce que c'est ce cirque? T'as envie de vacances?

Marc explique ce qui est arrivé.

— T'avais bien besoin de tirer ce crétin de la flotte, grommelle Louis.

— Je ne pouvais pas le laisser, murmure Marc.

— Est-ce que tu te rends compte que le bateau sera là à trois heures? demande Louis froidement. Et est-ce que tu sais ce que ça signifie si on n'y est pas avec le chargement?

Marc ferme les yeux. L'autre jure, et soudain, se calme.

— Il est comment, ton gars? demande-t-il.

Puis il s'assied, prend un verre, allume une cigarette et murmure :

— Des fois qu'il chercherait un boulot...

4

Philippe a réussi, à dix kilomètres de là, dans les faubourgs de la ville, à trouver un médecin. L'homme, à moitié endormi, l'écoute en se frottant la figure avec sa main.

— Une jambe cassée... fait-il. Il vaudrait mieux le faire transporter à l'hôpital. Il faut réduire la fracture convenablement.

— Qu'est-ce que je fais? demande Philippe.

— Rien. Retournez-y. Je vais demander une ambulance et le faire prendre.

— Bon, dit Philippe. Merci, docteur.

— Drôle d'heure pour se casser une jambe, grommelle le docteur.

— Y a pas d'heure pour les braves... dit Philippe qui regrimpe sur son vélo.

Il sue sang et eau. Dans la dernière côte avant d'arriver, il est dépassé par l'ambulance.

Quand il arrive, celle-ci s'éloigne. Il court après.

— Hé! Arrêtez!

Elle ne s'arrête pas. Il revient, rentre dans la maison, s'étire. Il va toujours dormir un bon coup.

5

Un homme est là qu'il ne connaît pas.

— Salut! fait Louis.

— Salut! dit Philippe. Ils l'ont emmené?

— Oui. Sale coup pour Marc.

– Ça... dit Philippe... C'est toujours moche de se casser une patte.

Il se met en devoir de chercher un coin où dormir.

– C'est pas tellement ça, fait l'homme. C'est pour le boulot.

– Le boulot?

– Ben oui. Il perd gros, Marc, cette nuit.

– Je sais, le travail de nuit, c'est payé double, dit Philippe. Mais moi, la nuit, je dors.

– Vous ne dormiez pas tout à l'heure. Et sans Marc...

– Sans Marc, je dormirais pour de bon, dit Philippe. Quel abruti, celui-là.

– Vous lui avez fait du tort. Honnêtement, vous devriez réparer ça.

– Vous avez des copains chez les poulets?

Louis sourit.

– Pas précisément. Je ne travaille pas de ce côté-là. Et Marc non plus.

– C'est pas mes oignons, dit Philippe.

Il s'étend voluptueusement.

– Ouf! Ce qu'on est bien!

– Pourquoi vous ne le remplacez pas? suggère Louis. En trois heures, vous vous mettez cinquante billets dans la poche...

Philippe se redresse.

– Ah... Je comprends ce que vous vouliez dire...

– Quoi?

– Cinquante billets en trois heures... C'est sûrement pas un travail pour les poulets.

– Allez, dit Louis. On y va. Vous devez bien ça à Marc. Qui paiera l'hôpital, hein?

– Je m'en fous!

– Vous auriez pu lui fracasser le crâne.

– Ça ne m'aurait fait aucun plaisir.

– L'intention y était. Enfin... on pourrait le dire. Le plaider, au besoin.

Philippe le regarde, ironique.

– Je vois.

Il tend la main.

– Alors, la moitié d'avance.

Louis n'est pas content.

– C'est pas l'usage.

– Bon, j'y vais pas.

Louis se rend compte qu'il ne pourra pas fléchir Philippe. Il se lève, tire des billets de sa poche.

– Voilà.

– Parfait.

Philippe empoche.

– Allons. Je serais curieux de voir ce travail.

– Ne soyez pas trop curieux. Ça fait partie du travail en question.

6

Ils descendent au port et arrivent à la barque où Marc s'affairait au début.

— Vous savez piloter, dit Louis.
— Je sais monter à bécane. Un point c'est tout.
— C'est pas plus dur.

Louis saute dans la barque, met le moteur en marche, défait l'amarre. C'est un petit bateau solide, capable de transporter pas mal de choses.

Louis remonte à terre.

— Vous voyez le feu là-bas?
— Je vois.

Louis explique la manœuvre et indique à Philippe le lieu de rendez-vous.

— Et pas de blagues, hein!...

7

Seul en mer, Philippe trouve la situation plutôt curieuse. Du coup, il n'a plus du tout envie de se flanquer à l'eau. Est-ce la présence de ces billets tout neufs qu'il déplie et lorgne en rigolant? Une seconde d'inattention fait chanceler la barque. Il se redresse, tout pâle.

— M... Un peu plus... J'étais à la flotte!

Sur quoi, tout seul, comme un fou, il éclate de rire.

Là-bas, sur la grève, on distingue deux yeux lumineux, les feux d'un gros camion. Philippe pique droit dessus. Ce petit bateau lui plaît.

A vingt mètres du bord, il coupe le gaz et se redresse. L'eau est assez profonde. Il y a une sorte de petite jetée naturelle.

Louis est là, et, sans mot dire, il commence à transporter les caisses du camion au bateau.

Au large retentit un coup de corne de brume un peu étouffé. Une petite lumière clignote.

— Donne-moi un coup de main, dit Louis.

Philippe s'y met. Il a repéré un beau rocher pointu. A la troisième caisse de lait condensé — du moins, c'est ce qui est marqué dessus — il lâche.

La caisse s'éventre sur le caillou.

Très joli spectacle. De belles mitraillettes toute neuves.

Il rafistole la caisse. Louis n'a rien vu et remonte en chercher une autre.

Posément, Philippe s'assied sur la caisse et attend.

Un coup de sirène léger, au loin.

Louis arrive avec une nouvelle caisse et s'arrête.

— T'es cinglé? dit Louis.

Sa caisse lui tombe des mains.

— Qu'est-ce qu'il y a là-dedans? demande Philippe.

— C'est marqué dessus, fait Louis en haussant les épaules. Du lait condensé.

Puis, soudain, son poing part.

Philippe bloque et se met en devoir d'administrer une correction à Louis.

— Je te crèverai! gronde Louis.

Philippe l'étend d'une droite saignante.

— T'aimes te battre? dit-il, narquois. Moi, pas. Je veux bien faire du trafic avec n'importe quoi, mais pas des flingues.

— Salaud!

— Personne a voulu que je me suicide, expose Philippe, en continuant à amocher méthodiquement Louis; je vois pas pourquoi j'aiderais à tuer des gens qui en ont peut-être pas du tout envie.

Il abat Louis pour le compte.

— Moi, dit-il en conclusion, la guerre, je suis contre. C'est anti-commercial; ça tue le client.

Il installe Louis sur le camion, se frotte les mains, s'étire.

— Je te laisse le camion pour rentrer. Je vais revenir en bateau. C'est plus sportif.

8

Le voilà chez Marc. Un bonne odeur de café flotte dans l'air.

Il entre. Une belle fille, bien en chair, dans une robe assez fraîche, sort de la cuisine avec un plateau fumant.

— Marc! commence-t-elle.

— C'est pas Marc... dit Philippe. C'est... heu... Je suis son frère de lait.

Elle le regarde.

— C'est curieux, pour des frères de lait, vous ne vous ressemblez pas... Où est Marc?

— A l'hôpital. Il s'est cassé une jambe.

— Comment?

— Ben... heu... il est tombé; on jouait...

— En jouant?

— A la marelle... précise Philippe. Comment vous vous appelez?

— Je m'appelle Denise.

— Vous êtes la petite amie de Marc ou la femme de ménage?

— Je ne suis pas la femme de ménage.

Elle est furieuse.

— Je me disais aussi, drôle de boxon, ici! commente Philippe.

Il avise le bracelet, pas intéressé par le bras.

— Pas mal. C'est Marc?

– Oui.

– Faites voir?

Il regarde.

– Il vous aime beaucoup, dites donc, il a dû payer ça cher?

– Quarante mille.

– Mm... siffle Philippe.

Il défait le bracelet.

– Il vous aime drôlement.

– Il fait ce que je veux.

Il met le bracelet dans un tiroir.

– Bon, ben... vous n'êtes pas la femme de ménage, Marc n'est pas là... alors, heu... merci pour le petit déjeuner. Au revoir.

Elle ne comprend pas. Il la pousse gentiment dehors.

Elle est complètement interloquée.

– Marc, explique-t-il, c'est un vieux pote à moi. Il m'a guéri d'une sale maladie. Alors, ce matin, je vais lui nettoyer sa maison à fond.

– Vous êtes fou?

– Non, dit-il gentiment... je nettoie.

9

Il referme la porte, va vers la table, s'assied et déjeune.

– Le café est fameux.

Bien retapé, il met un peu d'ordre, démolit quelques éléments de décoration qui lui semblent de mauvais goût, réarrange le lit à sa façon et, sifflotant, sort. Il regarde le ciel, il va faire beau. S'étirant, il rentre, ferme soigneusement la porte et se laisse tomber de tout son long sur le lit.

On peut dormir. La vie est belle.

10

L'ambulance arrive à ce moment, et deux infirmiers amènent Marc. Ce dernier est muni d'un plâtre volumineux.

– Posez ça là! dit Philippe, en désignant le lit aux infirmiers, qui, un peu abasourdis, y déposent Marc.

Marc est, sous l'effet des piqûres d'anesthésique, un peu vaseux.

– S'qui se passe? murmure-t-il. Où est Denise?

– Qui c'est? demande Philippe en le bordant. Merci, les gars, ajoute-t-il à l'adresse des infirmiers, qui sortent.

Philippe vient s'asseoir au chevet de Marc.

– Ben, ils t'en ont collé, un beau plâtre! Mais tu sais, à ta place, je laisserais tomber le trafic du lait condensé. C'est lourd à digérer...

– T'as pas fait rater le coup, non? proteste Marc.

– Tout est intact! assure Philippe. T'as pas faim?

– T'occupe pas... murmure Marc. Où est Louis?

– Qu'est-ce que tu aimerais bouffer aujourd'hui? demande Philippe, affectueux. Je peux te faire un bon bouillon de légumes?

– Oh! Merde! soupire Marc, excédé.

– Avec des pattes de poulet, dit Philippe. Profites-en, je suis plein aux as.

– Où est Louis? répète Marc.

– Une bonne purée de patates? suggère Philippe.

Marc ronge son frein.

– Pour boire, tu voudrais pas de la bière?

Marc ne dit rien.

– Oh, t'es pas causant!

Philippe remet sa veste, va au tiroir, l'ouvre, sort le bracelet, le montre.

– Tiens, au fait, y a une fille qui a apporté ça pour toi, tout à l'heure. Une belle fille... Salut, je reviens...

Il referme la porte sur Marc écumant, et descend vers le port.

11

Le port. Philippe arrive.

Attiré par les bateaux, il les regarde et, ragaillardi, entre dans le bistro du port.

C'est Denise qui est au comptoir.

– Bonjour, mademoiselle.

– Ah, ben, vous, alors!... s'exclame-t-elle ébahie.

– Un café! commande Philippe.

Louis apparaît derrière le comptoir.

Philippe le voit. Louis est salement marqué.

– Sers pas ce type-là! grogne Louis à l'adresse de Denise.

– C'est Monsieur votre père? dit Philippe, mondain. Il ne devrait pas se maquiller!

Louis recule, écœuré.

– Ah, ben, vous, alors! répète Denise, médusée, en servant un énorme café.

– Oubliez pas le lait, condensé! rappelle Philippe.

Louis a saisi un énorme tube de lait condensé et le vide dans le bol de Philippe qui déborde de façon répugnante.

– Monsieur est servi! termine Louis en plantant une cuiller à la verticale dans l'ignoble brouet.

Denise n'en revient pas.

– Ah, ben, vous deux... conclut-elle.

Louis décroche le téléphone. Philippe paie et s'en va.

– Monsieur René? demande Louis, au moment où Philippe sort.

12

Philippe continue son tour en ville. Il fait son marché, puis, en passant devant le bazar, il achète un jeu de dames, un nain jaune, des cartes.
— C'est pour un enfant déjà grand? suggère la vieille.
— Assez grand, dit Philippe. Un mètre soixante-quinze.
Il repart, achète un gros poisson, et remonte le sentier.

13

Une voiture monte le sentier. Il y a Louis, Monsieur René et un costaud d'allure pas commode.
Ils entrent dans la pièce où est Marc, qui sursaute et se redresse.
— Eh ben, dit Louis, je le retiens, ton copain...
— Quoi? dit Marc. C'est pas mon copain... Qu'est-ce qui se passe, Monsieur René?
— Regarde s'il est là! dit Monsieur René à Louis.
Louis passe dans la cuisine.
— Il n'y a personne! dit-il.
— Alors, on l'attend, dit Monsieur René.
— Qu'est-ce qui se passe? répète Marc.
— Ta gueule! dit le costaud, qui n'a encore rien dit.
— Mais enfin... proteste Marc.
— Assez, dit Monsieur René. On attend, un point.

14

Philippe arrive, chargé de paquets.
Il voit la voiture arrêtée devant la porte. Prudent, il passe de l'autre côté, soulève le capot, fait quelque chose, reprend ses filets et entre.
— Zut! s'exclame-t-il. T'aurais pu me dire qu'il y avait des invités! Je vais manquer de poiscaille...
Et il prend en plein dans les côtes le poing du costaud, planqué le long de la porte.
— Le tuez pas, dit Monsieur René, mais laissez-lui des souvenirs...
Philippe ne se laisse pas faire, mais il n'est pas de force. Il reçoit la raclée.
Monsieur René observe, puis se lève.
— Ça suffit, dit-il.
Il sort, suivi de Louis, un peu honteux d'avoir été aussi brutal

devant Marc, et à deux contre un. Le costaud s'essuie les mains aux rideaux et ferme la porte.

Philippe, assis par terre, se tient la tête à deux mains.

On entend un bruit de démarreur qui tourne sans accrocher. Et Philippe commence à se tordre silencieusement.

Marc est atterré.

— Dis donc... ça ne va pas?

Philippe fouille dans sa poche et lui envoie le rupteur du Delco qu'il a fauché dans la voiture.

Marc comprend.

On voit passer la voiture. Monsieur René est au volant... Les deux autres poussent.

Marc s'écroule à son tour.

15

Un garage, en bas de la côte. Le garagiste referme le capot. Le moteur se met à ronfler. Monsieur René paie.

— Le rupteur... murmure Monsieur René... Évidemment... Il sourit.

— On va boire un coup chez toi, dit-il à Louis. Je dois avoir vingt-cinq sacs de crédit, si je compte bien...

Louis râle ferme.

16

Chez Louis. Ils sont attablés, Denise apporte une bouteille fraîche.

— Il faut que ça se fasse cette semaine, dit Monsieur René. Débrouille-toi. Et ce coup-là, pas de Marc ni de copain... Tu auras Geo pour t'aider.

Et il tape sur l'épaule du costaud.

— Mais j'aimerais bien revoir ce gars-là.

— C'est un salaud! dit Louis.

— C'est le genre de salauds qui m'intéressent, répond René. Les types qui ont un petit quelque chose à se reprocher... ou à reprocher aux autres...

17

Un bruit formidable fait sursauter Marc. C'est Philippe qui éternue.

Il se retourne vers Marc, menaçant.

— C'est grâce à toi, ça, encore!

Par la suite, il ne le dira même plus et lorsqu'il éternuera, se contentera de foudroyer Marc du regard.

La conversation continue autour d'un nain jaune.

— Dix qui emporte, valet qui emporte, dame qui n'emporte pas et roi de même! annonce Philippe. Sans as.

— As, deux, trois, dit Marc.

— Quatre, cinq, six, sept, qui emporte huit...

— Zut, dit Marc, tu as encore tout raflé.

Il repousse le nain jaune.

— C'est parce que je triche en donnant, explique Philippe. C'est pour te montrer comme c'est pas bien, d'être malhonnête.

— Dis donc, dit Marc, tu vas me faire la morale longtemps?

— Le temps que ta jambe se recolle, dit Philippe. Faut que tu comprennes. Les cartes, c'est fait pour jouer, pas pour gagner. Un bateau de pêche, c'est fait pour pêcher.

— C'est vaseux, dit Marc.

— Moi, conclut Philippe, j'adore le poiscaille. Et les bateaux encore plus. Qu'est-ce que tu en as à faire, de tout ce pognon.

— J'ai des dettes.

— Des comme ça? fait Philippe.

Il ouvre le tiroir et en retire le bracelet.

— Avec ça, il y a de quoi le réarmer pour la pêche, ton transatlantique.

— Il est à Denise...

— Elle me l'a rendu.

— Tu mens. Elle est incapable de ça.

— Tu vois, dit Philippe. Tu couches avec une fille que tu méprises.

— Je ne méprise pas ce qu'elle a sous sa robe, dit Marc.

— Moi non plus, mais ça ne vaut pas ce prix-là. Donne-lui le tarif.

— Ferme ça, dit Marc.

— Je ferme que le soir, dit Philippe.

Il éternue un coup et regarde Marc.

18

On frappe à la porte.

— Si c'est pour une raclée, dit Philippe en se levant, je ne suis pas là...

Denise entre. Elle le voit entouré de sparadrap.

— Qu'est-ce qui vous est arrivé? dit-elle. Vous êtes tombé dans le moulin-légumes?

— Très drôle! dit Philippe.

— Denise... commence Marc.

Elle met un peu d'ordre, s'affaire.

— Monsieur René a demandé que vous passiez chez papa vers quatre heures.

— Pour le goûter? dit Philippe. Ils sont combien, ce coup-ci?

Il regarde Denise ranger.

— Vous voulez me mettre au chômage, ou quoi? C'est mon boulot que vous faites.

— Tu lui fous la paix? dit Marc.

— Pardon?

— Je dis : fous-lui la paix. Elle était là avant toi.

— Quand?

— Mais qu'est-ce que vous avez? demande Denise. Vous n'allez
pas vous battre, non? Pourquoi tu es comme ça avec lui?
reproche-t-elle à Marc.

Ce dernier en reste muet.

— C'est vrai, quoi, dit-elle, si c'est ton copain, ne le traite pas
comme ça, et si c'est pas ton copain, qu'est-ce qu'il fait ici?

— Je m'apprends le nain jaune, dit Philippe.

Denise est lancée.

— Enfin, moi, je ne comprends plus... Il n'est pas venu s'installer chez toi sans que tu le lui demandes...

— Vas-tu la fermer? demande Marc avec un calme inquiétant.

— C'est ça! Engueule-moi, en plus! C'est *moi* qui t'ai cassé la
jambe, peut-être?

— C'est *moi*, rectifie Philippe.

— Vous, le grand idiot, ne recommencez pas... Et puis, j'en ai
assez, je m'en vais... Je ne vais pas passer ma vie avec des fous...
Ton frère de lait, il est bien, tiens!

— Je vous raccompagne? propose Philippe.

— Reste là, bon dieu! jure Marc.

— Je la raccompagne, dit Philippe. Les routes ne sont pas tellement sûres.

— J'ai pas besoin de vous! dit Denise. D'ailleurs, je ne vois pas
pourquoi je m'en irais.

— On fait un nain jaune à trois? suggère Philippe.

Marc retombe, dégoûté.

— Depuis quand connaissez-vous Marc? demande Philippe.

— Oh, on s'est connus tout petits, répond Denise. Il a toujours eu un caractère comme ça. Je ne sais pas pourquoi je
reste avec lui.

— C'est vrai qu'il est un peu casse-pieds... dit Philippe.

— Je l'aime bien, remarquez, mais c'est plus ce que c'était...
hein, Marc?

— Non, dit Marc... tu étais moins bavarde.

— Enfin, je peux parler devant lui, non? C'est pas des secrets
intimes! proteste Denise. De quoi tu veux qu'on parle, avec ta
jambe cassée?

— Je vous laisse, dit Philippe. J'ai horreur des scènes de
ménage. Y a un tabac avant le port?

— Demandez au garagiste, dit Denise... il en a du formidable...

— Tu la fermes? dit Marc.

— A t't' à l'heure! chantonne Philippe.

19

Il entre chez le garagiste qui a dépanné la voiture de Monsieur René.

— Salut!

Le garagiste est sympathique et jovial.

— Bonjour! Vous êtes le monsieur de chez Marc...

— Oui... dit Philippe. C'est un vieux copain. Denise m'a dit qu'on trouvait du tabac, chez vous...

Le garagiste cligne de l'œil.

— On en trouve... quand on a le nez fin...

Il entraîne Philippe vers la réserve. Du tabac de contrebande en quantité impressionnante, planqué dans la seconde fosse à réparations.

— Servez-vous... ça s'en ira ce soir...

— Ah! Bon! dit Philippe. Alors, faut en profiter.

Il bourre ses poches.

— Je vous dois?

— Rien du tout! C'est sur la part de Marc! fait le garagiste. Vous êtes en compte avec lui?

— Bien sûr, dit Philippe. Merci...

Il tire une vieille pipe de sa poche, la bourre, l'allume.

— Il est pas truqué! observe-t-il en toussant.

— Ça, observe le garagiste, vous trouverez rien de truqué par ici! Franc comme du beurre de bique! Dans trois, quatre jours, on va avoir des cigares et... (il dit quelques mots à l'oreille de Philippe, qui sursaute).

— Merci! dit Philippe... Je ne suis pas client... Salut!

20

Il a repéré Denise qui descend le sentier, furieuse, et il va l'intercepter.

— Vous êtes pas restée longtemps avec Marc! dit-il.

— On s'est disputés, dit Denise. Il n'était pas content après moi.

— Je ne comprends pas ce garçon-là, dit Philippe. Il vous adore, pourtant.

— Il fait tout ce que je veux... mais, il m'a disputée pour le tabac.

— Comment ça?

— Oui... J'aurais pas dû vous le dire... mais puisque je vous l'ai dit, il était déjà trop tard, alors pourquoi me disputer?

— C'est juste, dit Philippe.

Ils cheminent côte à côte, vers le port.

— Je vais être en avance pour René, dit Philippe. Si on allait se balader?

– Et mon travail? proteste Denise.

– Bon, bon, bon... dit Philippe. Eh bien, je serai en avance.

21

Ils entrent dans le bistro. Il n'y a personne qu'un douanier assis au comptoir.

– Papa! appelle Denise qui passe derrière le comptoir.

– Ton père est sorti! dit le douanier qui cogne sa pipe contre un cendrier.

Machinalement, Philippe lui tend le paquet. Le douanier bourre sa pipe et lui rend le paquet.

– Eh, ne laissez pas traîner ça! dit-il. C'est de la contrebande!

– Ah, excusez-moi, dit Philippe, je ne suis pas d'ici.

– Papa n'est pas là, dit Denise qui revient.

Le douanier se lève et s'en va.

– Au revoir, petite... Au revoir.

Philippe s'assied au comptoir.

– Qu'est-ce que vous m'offrez? demande-t-il.

– Vous voulez de la réserve spéciale? propose Denise.

Elle sort une bouteille sans grand aspect et en verse un alcool incolore. Philippe savoure.

– Fameux!

Puis il commence à la questionner sur Marc.

– Pourquoi il ne fait plus la pêche, Marc?

– Oh, y en a plus beaucoup qui font la pêche, par ici, dit Denise.

– C'est à cause des chalutiers?

– Marc trouve que c'est la même chose que d'être ouvrier en usine...

– Et il aime pas les ouvriers?

– Il aime bien les ouvriers, mais il aime pas les usines...

– Et il se lève à trois heures du matin pour passer du lait condensé?

– Oui, mais c'est pas tous les jours... dit Denise.

– Et comment ça va finir?

– J'en sais rien...

– Ça va finir en taule, dit Philippe. Et c'est pas un endroit tellement marrant.

– Qu'est-ce que vous en savez?

– Ça se dit... répond Philippe. J'ai de la culture. C'est pas marrant, un point.

– Et qu'est-ce que vous voulez faire?

– J'ai une ou deux idées, dit Philippe. D'abord, je vais me retaper un petit coup de gnôle. Quelle heure il est?

Denise le sert, il boit et regarde la pendule du bar.

– Ils vont arriver, dit Denise.

– Ils sont pas sérieux dans le boulot, dit Philippe. Quatre heures, c'est quatre heures, c'est pas quatre heures dix.

Il descend de son tabouret au moment où René et Louis entrent.

— T'es en forme? demande René en le voyant.

— Incassable, dit Philippe.

— Ça va, dit René. J'aime bien les gars qui savent encaisser une leçon.

— Moi, j'aime pas les profs, dit Philippe, mais ça ira quand même. Pour le détail, je me paierai sur vos deux durailles en fer-blanc quand ils seront pas ensemble.

— Dis donc, proteste Louis, qui c'est qu'a commencé?

— Écrase! dit René. Petite, sers-nous une tournée. On cause?

— On cause, dit Philippe. Mais pas longtemps. Vous voulez que je bosse pour vous?

— T'as deviné, dit René.

— Je suis cher, dit Philippe.

— J'ai les moyens, répond René.

— Alors, ça marche, dit Philippe.

Ils s'attablent tous les trois.

22

Philippe est en mer, sur la barque de Marc. Il pêche, et il réfléchit ferme. Il chantonne, se gratte la tête, va relever une ligne, décroche un petit poisson minable, réamorce, relance la ligne et manque se casser la figure quand la ligne file, entraînée par un énorme congre.

On le retrouve en train d'amarrer la barque à sa place. Le costaud est là qui le regarde, l'air de le surveiller plus ou moins. Le grand congre est dans le fond de la barque et Philippe le ramasse. Il saute sur le quai.

— Alors, fait Geo, ça mord?

— Ça mord, dit Philippe.

— Il paraît que t'as envie de me causer, dit Geo. Un duraille en fer-blanc, t'as dit?

— Moi? s'étonne Philippe. T'aimes le poisson?

— J'aime pas les salades, dit Geo.

— Tu sais nager?

— Non, dit Geo surpris.

— Ah, c'est bête, dit Philippe.

Il balance à Geo un énorme revers de congre en pleine figure. Geo cherche à se raccrocher au congre, ses mains glissent, il tombe à l'eau.

— Fais gaffe, dit Philippe, le fer-blanc, ça rouille, à la longue...

23

Philippe chez Marc. Il est dans le fauteuil, toujours absorbé, tirant sur sa pipe. Marc veut parler.
– Tais-toi, dit Philippe, je pense...
Marc grommelle quelque chose.
– Ils sont combien, en tout, dit Philippe. Y a René, y a Geo, y a Louis et y a toi?
– Tu ne vas pas me mélanger à ces types-là? dit Marc.
– Tu travailles avec eux, dit Philippe.
– Je travaille *pour* eux, dit Marc. Y a une nuance. René et Geo, c'est pas des types du pays...
– Bref, ils sont quatre, dit Philippe. Toi, t'es éliminé, ça va...
– Merci, dit Marc.
– Bon, dit Philippe qui ne l'écoute pas. Ça commence à se dessiner. Les gars qu'amènent la camelote, ils sont dans le coup?
– Rien du tout! dit Marc. Ils trimbalent du lait condensé et ils ne se posent pas de questions.
– Ah... dit Philippe.
– Mais qu'est-ce que tu manigances? dit Marc.
– Je m'intéresse à mon nouveau job, dit Philippe. On fait un nain jaune... J'ai besoin de détente.
– Non! dit Marc.
– Si! dit Philippe d'un ton sans réplique.

24

On retrouve Philippe avec un panier au bras allant aux commissions. Il entre dans le bistro de Louis et bavarde avec Denise. Il lui tire les vers du nez en ce qui concerne la date de la prochaine livraison d'armes, à laquelle il ne doit pas participer puisqu'il a refusé.
Louis qui veut se mêler à la conversation se fait rabrouer par les deux.

25

Philippe fait son marché, un marché bizarre. D'abord, il achète une trompe chez un brocanteur et un gros chandail. Puis des provisions. Enfin, il entre chez l'instituteur, il y reste un long moment.
Il regagne la maison de Marc, un jerricane au bout d'un bras, le panier de l'autre, sifflant comme un merle. Il s'arrête au garage en remontant.

— Z'avez à boire? demande-t-il.

Le garagiste démasque la réserve de gnôle. C'est la même que celle de chez Louis.

— Sur le compte de Marc! dit Philippe en prenant deux bouteilles.

26

C'est le soir chez Marc. Il y a eu un nain jaune interminable. Marc a flanqué le jeu en l'air. Philippe lui fait de doux reproches hypocrites.

On entend un chœur céleste. Ce sont les enfants des écoles, menés par l'instituteur, qui viennent donner la sérénade à Marc.

Philippe s'installe dans un fauteuil et se délecte en battant la mesure.

27

Quelques heures avant la date de la livraison des armes, Philippe truque le bateau de Marc. Il y cache un revolver, celui de Marc, puis le chandail et la trompe achetée chez le brocanteur. Il remplit d'eau de mer son jerricane.

28

Il s'en va alors chez Louis et réussit à le cuiter; il l'enferme dans le placard de la cave, bien ficelé.

29

Geo a amené le camion sur la plage. Il attend Louis et le bateau. C'est Philippe qui arrive.

— Tu devais pas faire les armes? dit Geo.

— Louis a pas pu venir, dit Philippe. Je me suis décidé.

Philippe et Geo chargent les caisses et laissent le camion.

Ils partent et arrivent au milieu de la baie. Il y a un peu de brume.

— Je vais remettre de l'essence, dit Philippe.

Ce qu'il fait. Il vide dans le réservoir le jerricane d'eau de mer. Panne irrémédiable.

Geo se fâche.

Mais Philippe a le revolver en main. Il tient Geo en respect et monte dans le youyou attaché au derrière du bateau.

— Ouvre le coffre, dit-il à Geo.

Geo obéit. Il trouve le chandail et la trompe.

— Mets le chandail, dit Philippe. Comme ça t'auras pas froid. Et pis souffle dans la trompe, rapport à la brume.

Geo fulmine.

— A ta place, dit Philippe, je ne garderais pas ces caisses à bord. Des fois qu'un garde-côte passerait...

Geo, écœuré, commence à jeter les caisses à la mer tandis que Philippe s'éloigne.

30

Philippe est revenu sur la plage avec le youyou.

Il prend le camion et retourne chez Louis où il sait que René attend.

D'une marche arrière bien venue, il précipite dans le port la voiture de René.

Puis il entre chez Louis. Ce dernier est libéré de ses liens.

La bagarre se déclenche. Louis a parlé et il se jette sur Philippe. Mais Denise assomme Louis et s'enferme en haut.

René, revolver en main — Philippe n'a pas montré le sien —, oblige Philippe à prendre un autre bateau pour récupérer les armes.

Philippe obéit.

Et, en mer, il informe René du sort des armes en question.

René a tiré son revolver. Mais Philippe est plus rapide. René est touché en pleine poitrine tandis que Philippe n'a qu'une écorchure.

Philippe, sans se troubler, fait l'échange des revolvers, marque les empreintes de René sur l'arme et jette le revolver de René à l'eau.

Puis, à la nage, il regagne le bord.

Il remonte chez Marc.

31

Philippe entre, trempé, et il éternue. Puis, sur la pointe des pieds, il commence à faire ses paquets.

Marc est éveillé. Il fait semblant de dormir.

Philippe a terminé et se dirige vers la porte. Marc se redresse.

— Eh... Philippe...

Philippe, sans se retourner, s'immobilise, la main sur la poignée de la porte.

— Qu'est-ce que tu dirais d'un nain jaune? propose Marc.

Philippe laisse choir son sac de matelot.

Bourru, il grommelle, apporte le jeu, s'assied au chevet de Marc.

— Toi, alors, dit-il, ce que tu peux être emmerdant, avec ton nain jaune...

FIN

STRIP-TEASE

1958

Les premiers personnages de cette histoire sont *PAT*, 20 ans, et sa sœur *MARTHE*, 17 ans.

Il a passé son bac et poursuit ses études.

Elle les continue sans grand espoir et sans grand intérêt.

Le spectateur prend contact avec eux par exemple à l'occasion d'un dîner de famille chez leurs parents. Un dîner où Pat et Marthe s'ennuient et où se manifeste par mille détails le manque de contact qu'il y a entre les parents et eux.

Le père dirige une usine de machines agricoles dans l'Est. C'est un homme qui travaille beaucoup. Il est dévoué à sa famille, mais ne comprend rien à ses enfants.

La mère, assez dévote, et bonne, à sa façon un peu niaise, est un peu rebutée, elle aussi, par la dureté apparente de Pat et de Marthe.

Ce sont, de toute façon, deux personnages épisodiques et que l'on ne verra que très brièvement, pour les situer.

Dès la première prise de contact, on sent cependant l'intimité profonde des deux jeunes gens. Plus que frère et sœur, ils sont amis.

Pat et Marthe sont les représentants d'une faune bien plus abondante qu'on ne le croit : celle des jeunes gens sans illusions, certes, mais sans amertume, et qui sont prêts à travailler pour s'évader de ce qui les ennuie.

Ce qui les ennuie en l'occurrence, c'est de vivre chez les parents.

— Si seulement on avait un appartement à nous... dit souvent Marthe.

— On l'aura, répond Pat. Il suffit de s'y mettre.

— Comment veux-tu gagner de l'argent vite... soupire Marthe.

— Sûrement pas en faisant des idioties, répond Pat.

Pat et Marthe sortent souvent le soir, après leur travail. Tous deux adorent le jazz et la danse, et ils se sont réglé un excellent numéro d'amateurs. Comme ils sont décidés à faire les choses jusqu'au bout, ils ont, au hasard de leurs sorties, lié connaissance avec quelques danseurs professionnels rencontrés au music-hall ou dans les cabarets, en particulier, Michel, un jeune Noir formé à l'école moderne de danse de caractère.

Ainsi, loin de passer leur jeunesse à « tricher », ils vivent, comme une majorité de gosses de leur âge, une vie remplie et pleine de mouvement.

Souvent, ils reçoivent chez eux des copains, danseurs ou danseuses, étudiants. On ne boit que du vin rouge... c'est la seule boisson, traditionnellement, que supportent les danseurs.

Marthe est devant un autre problème que celui de parents ennuyeux : elle se trouve laide. Pleine d'admiration pour des amies très différentes d'elle, elle n'aime pas son physique.

— Pourquoi veux-tu que je termine mes études ? dit-elle à Pat. Avec la gueule que j'ai et la galette de papa, c'est réglé d'avance – j'épouserai un ventru plein d'avenir... à Bourges.

— T'es une gourde, répond Pat. Qu'est-ce que tu as de mal ?

— Tu es habitué, soupire Marthe, alors ça ne te surprend plus...

Leur ami le danseur est obligé, pour gagner sa vie, de passer dans une boîte à strip-tease. Chaque fois qu'ils vont au Cheval Fou voir ce Noir, *Michel*, Pat et Marthe sont indignés de voir son travail remarquable remporter moins de succès que le déshabillage bête de certaines filles.

— C'est des vrais veaux, ces mémères, proteste Pat. Ça ne devrait pas être permis.

Michel rit doucement.

— Il y en a beaucoup de gentilles, dit-il. Naturellement, il y a une solide proportion de putains et de filles entretenues ; mais généralement, elles n'ont rien demandé. Qu'est-ce que tu veux, tout le monde n'a pas le courage de travailler en usine... elles gagnent leur vie rien qu'en se montrant, c'est tentant.

— Ça me laisse toutes mes chances, quand je vois des tocardes comme ça, grogne Marthe.

Pat et Marthe, par l'entremise de leur camarade Michel, font la connaissance de diverses personnalités du Cheval Fou.

Bernard, le patron, un garçon cultivé, la quarantaine, a essayé pendant des années de gagner sa vie en montant dans sa boîte des spectacles intelligents, avec de bons acteurs et des textes de qualité.

— Je les ai tous eus, tous ceux qui sont vedettes aujourd'hui. Daniel, Marc, etc. Ça ne faisait pas un sou. Ma femme et moi, nous en avions assez de crever de faim; nous avons eu l'idée de monter un show burlesque à l'américaine. Mes numéros de strip, je croyais que ça ferait rire... Pas du tout! les clients se sont rués chez moi.

Dégoûté, Bernard a joué le jeu. Évidemment, trop d'occasions tentantes ont cassé son ménage. Maintenant, il fait rentrer de l'argent avec de la fille nue. Cependant, sa boîte a gardé de la classe; il a pour pensionnaires les strippeuses les plus en vue.

Bernard a pris en amitié Pat et Marthe à qui il offre un coup de rouge à l'occasion. Il les emmène dans les coulisses de son club et leur fait connaître ce curieux milieu.

– Les petites qui débutent, je leur donne cinq mille francs, dit-il. Ce sont les mieux payées de Paris, mais je suis difficile.

Lolo, une des effeuilleuses, est un singulier personnage. Elle sort d'une grave crise sentimentale. Elle avait un mari qui l'aimait; elle a pris un amant; le mari, mis au courant de la liaison, s'est suicidé. Elle a quitté l'amant, fait du strip pour entretenir sa mère et sa sœur, et elle a une vie de fonctionnaire modèle. Pas d'homme, quatre cabarets par soirée, un compte en banque et des vacances à la campagne où elle soigne ses fleurs.

Pat et Marthe apprennent également à connaître *Virginia*. C'est tout le contraire. Originaire d'Europe Centrale, ayant eu une enfance atroce de bombardements et de famine, elle a mis au point une technique de survie totalement dénuée de scrupules. Elle prend et ne donne rien. Elle a le strip le plus surprenant du show; les spectateurs la déshabillent selon un tarif progressif, de cent à mille francs le centimètre carré selon l'endroit. Chaque soir, elle a un nouveau costume et chaque soir, on le lui achète en entier.

Virginia s'est fait offrir un appartement de six pièces à Passy par un riche industriel de Lyon, marié, père de quatre enfants. Elle a une Thunderbird assortie et de quoi faire marcher tout ça.

Roberte fait du strip-tease parce qu'elle s'ennuie; mariée et fidèle, elle éprouve pourtant un certain plaisir à exciter les hommes. Très provocante une fois nue, elle récupère, sitôt habillée, une classe et une réserve qui découragent les suiveurs.

On verra encore *Carla*, ex-dactylo d'usine qui en avait assez de pointer mais qui, maintenant, est aux mains d'un souteneur, *Lola*, une ex-bonne à tout faire qui se venge du passé en faisant payer cher ceux qu'elle considère comme ses ex-patrons.

Pat et Marthe sont copains avec toute la boîte; ce milieu les amuse et les change de celui des parents. Un soir, pour rire, Bernard, le patron, qui sait leur talent de danseurs, annonce sans les prévenir leur numéro de danse et les pousse sur scène entre deux strip.

C'est un franc succès, surtout lorsque Marthe, virevoltant sans gêne, perd sa jupe et découvre ses jolies jambes...

Mais il y a toujours les repas de midi avec la mère, les dimanches mortels, l'inexistence du père et le cadre assommant de leur vie.

— Pat, murmure Marthe, tu ne les laisseras pas me marier à un crétin... Je ne veux pas qu'on se quitte.

— Il va bien falloir finir comme ça, dit Pat, amer. Moi, je ne veux plus rester ici... ça me tue...

— Je peux peut-être tout de même épouser un type riche et tu viendras chez moi?

Pat rit.

— Tu es folle! Faut qu'on se débrouille nous-mêmes... mais c'est le temps qui manque...

C'est le soir, ils sont seuls dans l'appartement, dans la chambre de Pat.

— Si on faisait notre numéro dans des boîtes?

Il hausse les épaules.

— Tu sais bien ce que c'est... Je veux terminer mes études; si on rentre tous les soirs à quatre heures du matin, c'est foutu... Je ne ferai plus rien. Ça va une ou deux fois par semaine, pas plus...

— Je peux faire le numéro avec Michel.

— C'est une vie de dingue. Et ça ne rapporte pas assez. Tu sais ce que ça coûte, un appartement?

— Pat, et si je faisais du strip-tease? Ça, ça rapporte.

Il ricane.

— Tu bats la campagne.

Ils ont bu un peu trop de vin, ils ont trop bavardé. Ils sont fatigués. Marthe se lève, passe dans sa chambre. Pat reste sur son fauteuil à boire.

Marthe reparaît, transformée. Elle a coupé ses cheveux. Elle est outrageusement maquillée. Elle met un disque — et sous les yeux de Pat, elle fait un numéro de strip-tease extraordinaire, maladroit et indécent.

Pat est gêné et troublé.

— Arrête, Marthe...

Elle ne s'arrête pas. Elle est presque nue. Butalement, il se lève, retire le disque. Marthe se serre contre lui. Il se dégage avec violence. Elle rit.

— Tu vois que je peux le faire...

Marthe et Pat n'ont plus les mêmes rapports depuis cette nuit-là. Seule, elle va un soir trouver Bernard.

Elle a du mal à le fléchir. Il la connaît et la met en garde.

— On va vous faire des propositions tentantes, dit-il. Vous aurez du mal à résister...

Il a un ton un peu railleur.

— Vous pensez que je ne saurai pas, dit Marthe, et vous vous moquez de moi. C'est pas chic.

– Ce n'est pas si facile à faire bien, dit Bernard. Les filles d'ici, je me suis souvent creusé la tête pour leur numéro.

– Vous me réglez un numéro, dit Marthe, et j'auditionne au Black Boy.

Bernard est fâché.

– Marthe, vous êtes un serin. Si vous mettez les pieds là-bas, demain vous avez votre fiche à la préfecture.

– Ah... c'est ça, le Black Boy?

– Il y a pas mal de boîtes où on vous demandera de faire la salle. Vous savez où ça mène.

– Je m'en fous, dit Marthe. Personne ne me touchera tant que Pat sera là.

Bernard la regarde.

– Pat est d'accord?

– C'est moi qui décide.

– Bon, dit Bernard. Vous passez dans quinze jours.

– Au tarif habituel?

– Au tarif habituel.

Marthe met au point un numéro de strippeuse masquée. Bernard la fait travailler, Michel lui règle sa danse.

Un soir, Pat est là et il prend Marthe à part.

– Marthe... c'est quand même idiot... On n'est pas tellement mal chez les parents... Si tu attends un peu, dans trois ou quatre ans, je suis tiré d'affaire.

– C'est ça, dit Marthe, et tu deviendras comme papa. Moi, à ce moment-là, je ne te verrai plus...

– Et si tu tombes amoureuse d'un type et si tu te maries? Elle sourit. Ne répond pas tout de suite.

– Viens, Pat, on va sortir.

Ils sortent, et font une espèce de tournée des grands ducs. Marthe passe demain; c'est comme s'ils enterraient sa vie de garçon.

Ils boivent. Un ami de rencontre les ramène dans une somptueuse Bentley. Visiblement, Marthe ne lui est pas indifférente. Pat est très détaché.

– Vous sortez avec moi un de ces soirs? dit-il à Marthe. Elle le regarde.

– Avec une bagnole comme ça sans chauffeur? Je ne veux pas avoir l'air de la femme de ménage...

– Oui, appuie Pat, une Bentley sans chauffeur, ça fait un peu miteux...

Ils le plantent là, suffoqué, et remontent chez eux en proie au fou rire. Ce soir, ils se sont retrouvés et s'embrassent avant d'aller se coucher.

Marthe a commencé son numéro et fait un très convenable succès. Pat l'a accompagnée les premiers jours et il a vu qu'elle sait très bien se défendre. Il revient assez fréquemment au Cheval Fou, non parce qu'il veut surveiller Marthe mais parce qu'il n'est pas insensible au charme d'une des strip-peuses, Lolo, la jeune veuve à l'histoire curieuse.

Il ne lui fait pas réellement la cour; elle a des façons ami-cales et nettes qui découragent ça. Malgré sa grande jeunesse, on sent en elle une fille qui a eu l'expérience de la douleur et du remords et qui est décidée à ne plus se laisser aller à abî-mer la vie de quelqu'un d'autre.

En outre, Pat est très jeune; il ne tient pas réellement à cou-cher avec Lolo. Il est attiré par elle, mais il a cette réserve des jeunes un peu timides, en plus grand nombre qu'on ne l'ima-gine, et qui ont peur de ne plus savoir se débrouiller avec une femme plus expérimentée qu'eux.

Lolo, d'ailleurs, est la seule que Marthe accepte, avec une certaine réticence. Les autres, elle les ignore plus ou moins; elle n'a guère de contacts avec elles. Avec Lolo, de temps en temps, on boit un verre, et on peut parler d'autre chose que de maquillage et de chaussures.

Parfois, Pat et Marthe, un après-midi où Pat peut se rendre libre, se mettent en quête d'un appartement, entretenant le vieux rêve de l'« île » cher au cœur des gosses de leur âge. Mais les prix les font reculer.

— Ah, dit Marthe, taquine, il y a un mandataire aux Halles qui vient tous les soirs, en ce moment... si je faisais ce qu'il me propose j'aurais mon six-pièces à Auteuil, comme Virginia.

— Et tu y habiteras avec lui, dit Pat brutalement.

— Pat! proteste Marthe, si on ne peut même plus rire...

— Ça ne me fait pas rire, dit-il durement.

Marthe, maintenant, fait son numéro dans trois ou quatre boîtes et gagne bien sa vie.

Le jour de l'anniversaire de Pat, Marthe l'éveille au lever du jour.

— Tiens, Pat... pour tes 21 ans.

Elle lui tend un petit portefeuille de cuir. Il y a dedans une carte grise au nom de Pat.

— Elle est d'occasion! dit Marthe...

Il se frotte les yeux... il est saisi. Elle le pousse vers la fenêtre qu'elle ouvre.

— Elle te plaît?

Pat se penche. Tout en bas, il y a une jolie petite Triumph grise.

— Marthe! dit-il. Et l'appartement?

— Elle est d'occasion, je te dis... Je l'ai eue pour rien... Viens... Emmène-moi...

— Mais qu'est-ce que tu veux que je t'offre d'équivalent... murmure-t-il.

— Reste avec moi... dit Marthe. Allez... viens... je veux voir la mer avant de mourir... habille-toi...

En hâte, elle quitte sa robe, met des blue-jeans et un chandail. Tous deux courent à la voiture.

— Tu sais la conduire? dit Marthe. Moi j'ai eu une frousse terrible en la ramenant... ça va trop vite, ce machin-là...

— Oh, Marthe... dit Pat, encore sous le choc...

Ce dimanche-là, ils le passent à la mer; ils font un pique-nique et passent un après-midi formidable.

Un soir que Pat est venu chercher Marthe, il arrête sa voiture à quelque distance du Cheval Fou; presque au même instant, une somptueuse BMW de sport stoppe derrière lui et se range à la place restée libre.

Pat ne peut retenir un geste d'admiration. *Yörn*, un jeune Suédois d'une trentaine d'années, descend de la voiture et constate la stupeur de Pat. Amical, il lui montre la mécanique. Puis ils se dirigent vers le Cheval Fou.

— C'est drôle, dit Pat, vous n'avez ni l'âge ni la gueule à aller voir ce truc-là...

— Pourquoi? dit Yörn en riant. Les jolies filles, on peut les apprécier à tout âge...

— Ouais, dit Pat. Mais c'est des beaux chameaux, pour la plupart...

— Pour la plupart, d'accord, dit Yörn. Mais il y en a deux qui m'intéressent.

— Qui ça? demande Pat.

— Lolo, je l'aime bien, dit Yörn, mais je me suis cassé le nez dessus... c'est un mur...

Pat sourit, secrètement flatté. Lui est copain avec Lolo.

— D'accord pour Lolo, dit-il. Elle est bien. Et l'autre?

— Mercédès... dit Yörn. (C'est le pseudonyme de Marthe.)

— Ah... dit Pat sans se compromettre.

— Les bourgeoises sont tellement... emmerdantes, dit Yörn avec son léger accent.

Pat se tord.

— Mercédès, c'est ma sœur, explique-t-il. Et question bourgeoisie, ajoute-t-il, là, on est placés...

Yörn rit à son tour.

— Vous voyez, on ne peut pas échapper à sa classe... On boit un coup?

Ils boivent un coup, et il est visible que Yörn et Marthe ne se déplaisent pas. Ce soir-là pourtant, elle rentre avec Pat.

Et puis, un soir que Pat est venu chercher Marthe, il a un pépin d'allumage. Il change une bougie, arrive trop tard. La BMW de Yörn est là. Marthe y monte. Yörn aussi. Et, avant de partir, Marthe se blottit contre Yörn qui lui passe le bras autour des épaules.

Pat reste sur place, taquinant, du bout du pied, un caillou.

Il est abasourdi. Tout s'est passé devant lui mais il n'a rien vu, il n'a rien compris. Et le rêve de l'île déserte, devant lui, se casse.

Sans qu'il s'en rende compte, il est jaloux.

Lolo est devant lui, elle lui tend un bout de papier. C'est Marthe qui l'a écrit.

Pat, mon chou, ne m'attends pas, Yörn me ramènera...

Pourquoi Marthe ne le dirait-elle pas; elle n'a pas honte...

— Qu'est-ce qui t'arrive, dit Lolo.

— C'est Marthe, dit Pat. Elle me laisse tomber.

— Quoi, elle te laisse tomber ? Ta sœur peut avoir des copains, non.

— On devait vivre tous les deux, dit Pat...

Lolo rit franchement.

— Et tu as peur que cette ignoble limace de Yörn ne souille la fleur précieuse ? Pat, ne fais pas l'abruti... une femme et un homme, c'est pareil... Elle a autant le droit de vivre que toi... Si tu étais amoureux d'une fille, tu ne viendrais pas chercher Marthe si souvent...

— Les filles me dégoûtent, dit Pat écœuré.

— Tu es un crétin, dit Lolo. Tu ne sais pas ce que c'est...

— Qu'est-ce que c'est ? dit Pat. Coucher ensemble, et puis ?

— Coucher ensemble, quand on s'aime, dit Lolo... eh bien, il n'y a rien de mieux !... Et rien de plus propre... Emmène-moi, il faut que j'aille passer au Sexy...

Cette nuit-là, Pat sert de taxi à Lolo. Il n'a pas sommeil. Et il n'a pas envie de boire. Et il s'aperçoit, peu à peu, qu'il n'a envie que d'une chose...

Il raccompagne Lolo chez elle. Et là, gentiment, tendrement, joliment, ils s'aiment.

Et c'est merveilleux.

Pat en devient idiot.

— Je veux t'épouser... dit-il à Lolo.

Elle hausse les épaules.

— Si tu veux.

— Ça ne t'intéresse pas ?

— Non. Je m'en fous. Ce qui m'intéresse, c'est qu'on s'aime. Ça dure ce que ça dure...

— Je suis bon pour un bout de temps, dit Pat.

— Au jour le jour, dit Lolo. Moi aussi, je suis partie pour un bout de temps — alors pourquoi se tracasser... Tu en veux encore à Marthe ?

— Comment veux-tu que j'en veuille à Marthe ?... Mais j'espère que ce salaud de Yörn va l'épouser...

Lolo rit beaucoup.

— Qu'est-ce que ça peut te faire? Tu as vraiment besoin de signer des papiers pour dire que tu aimes quelqu'un?

— Non, dit Pat. C'est juste pour les parents...

FIN

Autre fin de *Strip-tease*

Marthe a commencé et fait un très convenable succès. Bientôt, elle a trois ou quatre passages par soirée dans les boîtes solides. Le soir, elle retrouve souvent Pat en train de bûcher ferme dans sa chambre. Le samedi, il l'accompagne. Il sait qu'elle est capable de se protéger elle-même.

Parfois, ils se mettent en quête d'un appartement; les prix les font reculer.

— Ah, dit Marthe, il y a un mandataire aux Halles, en ce moment, si je faisais ce qu'il me propose, j'aurais mon six-pièces à Auteuil, comme Virginia.

— Tu y habiteras seule... dit Pat avec une sécheresse brutale.

— Pat! proteste Marthe, si on ne peut même plus rire...

Pat est pâle et dur.

— Ça ne me fait pas rire, dit-il.

Le jour de l'anniversaire de Pat, Marthe l'éveille au lever du jour.

— Tiens, Pat... pour tes 21 ans.

Elle lui tend un petit portefeuille de cuir. Il y a dedans une carte grise au nom de Pat.

— Elle est d'occasion! dit Marthe...

Il se frotte les yeux... il est saisi. Elle le pousse vers la fenêtre qu'elle ouvre.

— Elle te plaît?

Pat se penche. Tout en bas, il y a une jolie petite Triumph grise.

— Marthe! dit-il. Et l'appartement?

— Elle est d'occasion, je te dis... Je l'ai eue pour rien... Viens... Emmène-moi...

— Mais qu'est-ce que tu veux que je t'offre d'équivalent... murmure-t-il.

— Reste avec moi... dit Marthe. Allez.. viens... je veux voir la mer avant de mourir... habille-toi...

En hâte, elle quitte sa robe, met des blue-jeans et un chandail. Tous deux courent à la voiture...

— Tu sais la conduire? dit Marthe. Moi j'ai eu une frousse terrible en la ramenant... ça va trop vite, ce machin-là...

– Oh, Marthe... dit Pat, encore sous le choc...

Ce dimanche-là, ils le passent à la mer ; ils font un pique-nique et passent un après-midi merveilleux.

Pat, le soir, va maintenant souvent chercher Marthe. Celle-ci est de plus en plus connue, et elle est toujours aussi inaccessible.

Mais c'est Pat qui va faire son propre malheur.

Par l'intermédiaire du garagiste, il se lie avec un garçon séduisant d'une trentaine d'années, possesseur d'une somptueuse BMW sport. Un étranger, Jörn.

Un soir, il emmène Jörn voir Marthe.

Et le coup de foudre survient entre Jörn et Marthe.

Pat ne s'est rendu compte de rien.

Mais une nuit, comme il va chercher sa sœur, il arrive un peu en retard. Il voit, dans la BMW, Jörn et Marthe qui s'embrassent. Et la voiture part.

Pat fonce sur la route, vers la mer.

La Triumph aborde en rugissant la montée de la falaise.

Et il ne reste plus qu'un tas de ferraille au pied des rochers.

FIN

FAITES-MOI CHANTER

1958

Une jeune femme, Corinne, a décidé de devenir chanteuse de variétés.

Elle prend des leçons de chant depuis longtemps, elle s'est mise en rapport avec les auteurs, les compositeurs et les éditeurs, elle a pris un accompagnateur, elle a préparé très soigneusement un tour de chant.

Elle tente d'obtenir des engagements dans les boîtes.

Elle réussit à trouver un peu de travail dans quelques petits cabarets. Mal payée, elle arrive tout juste à subvenir aux frais d'accompagnement et de robe occasionnés par sa profession.

Elle se rend vite compte que si elle désire arriver dans ce métier, il lui faudra coucher avec quelqu'un, impresario, agent, accompagnateur ou directeur de cabaret.

Or, elle est absolument décidée à ne pas y arriver par cette méthode.

Comme elle n'est pas bête, elle trouve une solution : elle trouve une place de secrétaire chez un agent, ex-musicien devenu manager.

Et commence à apprendre le côté commercial de sa profession.

Excellente secrétaire, elle a très vite la confiance de l'agent. Elle s'est un peu enlaidie pour ne pas courir de risques, elle paraît sérieuse, parle intelligemment de leurs problèmes avec les artistes.

Peu à peu, l'agent lui confie tout ce qui concerne les petits numéros, se réservant de s'occuper des vedettes.

Et elle en vient à connaître à fond tout le circuit des cabarets, des tournées et des music-halls.

C'est là qu'elle constate que les débutants ont de nombreuses occasions de travailler.

Et elle prend l'habitude, avec l'accord de son patron, ravi, de suivre les tournées importantes à sa place.

Un jour, un trou dans un programme ; une artiste tombe malade en province.

Corinne est là. Vite, elle trouve la solution : elle se procure une robe, passe sur scène, remplace la défaillante.

Cela marche à peu près.

Désormais, sous un faux nom, elle s'engage chaque fois qu'elle sait que son patron ne pourra pas venir.

Et elle mène sa double vie d'artiste et de secrétaire.

Elle maîtrise bientôt les ficelles du métier. Les vedettes intelligentes savent qu'il faut des petits numéros de classe pour faire un programme fort.

Elle a l'amitié d'un certain nombre d'entre elles qui ne soupçonnent pas qu'il s'agit de la secrétaire, et la réclament en complément de programme.

Ne passant sur scène qu'avec des cracks, elle se fait un nom qui va grandissant.

L'Agent, son patron, commence à être intrigué par cette personne qui s'attire de si flatteurs éloges dans la presse.

Mais quoi qu'il fasse, il ne parvient pas, et pour cause, à la rencontrer. Elle s'arrange toujours pour qu'il soit forcé d'être ailleurs.

Corinne est maintenant vedette anglaise. Elle est demandée en américaine.

Elle se débrouille pour enregistrer des disques et organise magistralement sa publicité.

Elle gagne énormément d'argent. Elle a, maintenant, son accompagnateur personnel, un garçon qui s'est présenté à elle un jour et qui lui a paru connaître admirablement la profession.

Elle a moins de temps à consacrer aux autres, et son accompagnateur commence à lui servir de secrétaire. Elle se décharge sur lui du soin de jouer les secrétaires auprès de son patron.

Il se trouve qu'un jour, l'accompagnateur et elle tombent amoureux l'un de l'autre.

Et quand il retire son faux ventre, ses lunettes et sa moustache, elle s'aperçoit que c'est son patron qui, plus roublard qu'elle ne croyait, a trouvé ce moyen de rencontrer enfin sa vedette inconnue.

Naturellement, ils se marient, ils ont une grosse agence et beaucoup de petites chansons.

J'IRAI CRACHER
SUR VOS TOMBES

1959

La caméra découvre un plan de forêt tranquille dans le Sud des États-Unis pendant une nuit d'été, plus précisément le 17 juillet à 21 heures 45. Au premier plan à droite, un arbre planté en 1874 par un fonctionnaire des Chemins de Fer retraité, orme dont la hauteur atteint au bas mot 97 pieds et qui, à 18 pieds du sol, se ramifie en deux branches de grosseur inégale. A 7 pieds de cet arbre, sur la gauche et en retrait de 2 pieds environ, un pin noir d'Autriche en assez mauvais état au sommet duquel une buse avait fait son nid et qui démarre en raison de circonstances exceptionnelles. Vers la gauche, un hickory, un chêne rouvre ordinaire, un hêtre pourpre, un cèdre bleu (*cedrus atlantica glauca*), un buisson d'ellébore, une touffe de chiendent, sept bouleaux de petite taille, un séquoia nain de 120 mètres de haut, et une affreuse agglomération de 14 arbres d'espèces indéfinissables et dont les branches ont toutes ceci de particulier qu'elles se dirigent vers le nord. Au ciel, la lune, naturelle de préférence, et qui se trouve à cette phase troublante qui se situe entre la pleine et la pas tout à fait pleine, c'est-à-dire qu'elle répand une lumière nécessaire et suffisante, moyennant l'adjonction de quelques kilowatts, pour faire une prise de vue visible en Kodak triplix-x-x. De toute façon, les ombres résultantes doivent être nettes, comme dessinées au pinceau par ce vieil artiste japonais du nom d'Hokusaï dont les œuvres originales atteignent des prix fabuleux aux ventes aux enchères internationales. Dans le lointain, à perte d'ouïe, on entend résonner le chant plaintif et doux de l'oriole; comme on sait que ces oiseaux sont diurnes, il s'agit audiblement d'un spécimen d'oriole qui souffre d'insomnie.

La caméra recule et découvre une route, ou plutôt un chemin de terre, que l'on n'avait pas remarqué jusqu'ici en raison de la maladresse du réalisateur (maladresse voulue et qui fait partie du style de la réalisation). Brisant le calme de la nuit, embaumée par le parfum sylvestre que l'on doit sentir derrière la caméra, on entend soudain un bruit de moteur qui augmente rapidement hors champ jusqu'à devenir pratiquement assourdissant au moment où la voiture passe en trombe le long du chemin, soulevant environ 22 kilos de poussière aux 10 kilomètres.

(L'auteur s'excuse, mais se voit dans l'impossibilité d'introduire un dialogue à cet endroit du film, purement visuel, et dont tout le charme doit résider dans la perfection plastique.)

La voiture qui vient de traverser le champ et que l'on suit maintenant en courant très vite malgré le poids de la caméra, est une Dodge modèle 1952 dont le longeron gauche a été ressoudé en 1953 par un mécanicien nommé Audrey P. Smith, né dans le Minnesota le 9 mai 1915, voiture qui à l'origine était peinte en vert, ce qui est fâcheux pour une prise de vue nocturne, mais il appartient au décorateur de régler ce point de détail. La carrosserie, rapiécée tant bien que mal avec du chatterton, du scotch-tape et diverses espèces d'emplâtres médicinaux, émet des bruits indéfinissables apparentés au chant du rossignol, et, dans l'ensemble, le spectateur doit avoir l'impression qu'elle a du mal à soutenir une pareille allure. Il importe cependant que l'on n'ait pas la sensation que la Dodge a été gonflée exprès pour les besoins du film. On devine, grâce à l'apport de quelques kilowatts placés judicieusement à contre-jour, la silhouette d'un homme crispé au volant et qui est revêtu d'un costume civil ordinaire du modèle en usage dans la région à l'époque où se déroule l'action.

Soudain, ô stupeur, une haute croix noire surgit en plan de coupe (cette indication n'a aucune valeur d'indication et ne doit en aucun cas obliger le réalisateur à en tenir compte) dans le champ de l'objectif, qui est censé, grâce à un ingénieux dispositif, occuper à cet instant précis, la place du conducteur de la Dodge. Cette croix, en assez piteux état, encore que les enfants du Révérend Charles K. Smith, pasteur de la petite ville de Fucktown, l'entretiennent en lui appliquant chaque année une couche de goudron, signale un croisement dangereux, puisque, entre 1917 et 1934, cinq accidents mortels sont survenus à ce point précis. Le réalisateur s'efforcera de rendre cette atmosphère de danger par les moyens que la production voudra bien mettre à sa disposition. Néanmoins, aucun accident ne survient car le croisement est désert et la Dodge, dont la couleur verte tourne visiblement au marron sous l'action de la lune, suit l'exemple de sa couleur et tourne à son tour brutalement dans le chemin, si l'on ose s'exprimer ainsi, qui est constitué par deux ornières de 7 inches de profondeur sur 5 inches de largeur entre lesquelles s'étend un espace herbeux et moussu, et souillé de-ci de-là par les excréments circulaires de bêtes à cornes d'espèce à préciser.

(L'auteur, à ce point du récit, s'excuse derechef de ne pas introduire de dialogue, vu qu'il n'y a personne en scène.)

La caméra suit péniblement la voiture qui écrase un gros crapaud répondant au nom de Joseph, avant de s'arrêter dans un espace dont l'espèce évoque assez bien celui d'une clairière, à la lisière d'un bois obscur composé principalement d'érables sycomores, de peupliers de Prusse et de magnolias en fleur, dont le sol s'élève en pente douce pour donner au machiniste chargé de pousser le chariot de travelling l'occasion d'exercer des muscles détendus par l'abus du théâtre filmé. La caméra sursaute pour traduire la surprise du spectateur qui s'aperçoit tout à coup, avec un frisson de terreur, qu'il y a déjà là une bonne demi-douzaine de véhicules automobiles, apparemment en bon état de marche bien qu'ils soient tous à l'arrêt, vides, et qu'ils semblent avoir été abandonnés en hâte. Les portières de la deuxième voiture à partir de la gauche et de la troisième voiture à partir de la droite sont même restées ouvertes, et le réalisateur devra s'effor-cer (il en est sans nul doute capable) de donner au public l'impression que ces voitures auraient censément été quittées par des occupants pressés d'accomplir quelque sale besogne.

Mais revenons à la Dodge. La caméra la cadre en plan améri-cain, comme il est normal pour une voiture de cette marque, et, sans prendre le temps d'arrêter le moteur mais en mettant le levier de vitesse au point mort et en serrant le frein à main, le conducteur, un bel homme grand et fort qui fait, apparemment, dans les vingt-quatre, vingt-cinq ans, met pied à terre. Le pied gauche, naturellement, la conduite des voitures Dodge étant à gauche car ces engins ne sont pas destinés à l'exportation vers les îles Britanniques. Le conducteur, dont on ne sait pas encore le nom puisque, malheureusement, personne n'a encore parlé, jette un bref regard autour de lui, a un instant d'hésitation et, s'orien-tant au moyen d'une petite boussole qu'il porte attachée à une chaîne dorée de 2 pieds qui lui passe autour du cou, s'engage dans un sentier (d'ailleurs le seul praticable) qui monte vers le bois. Il évite au passage une grosse racine de bruyère qui, s'il avait eu une seconde d'inattention, aurait suffi à le faire trébucher et à le faire sortir du champ, ce qui n'est pas souhaitable, et il reste dans le champ de l'appareil, à moins que l'opérateur, s'il est encore lucide, ne préfère le suivre lui-même, ce qui peut se jouer à pile ou face au bar du studio. Cet homme, c'est Joe Grant, qui s'appelait Lee Anderson dans le roman, mais on sait que le présent scénario est tiré de la pièce et non du roman et d'autre part, pour éviter les problèmes de censure, on a changé les noms, ce qui ne servait à rien d'ailleurs puisque le scénario dans son état brut a été accepté avec enthousiasme par la Commission de cen-sure. Joe Grant (puisque c'est de lui qu'il s'agit) s'écarte du sen-tier avant de tomber dans une mare profonde, gravit un talus par-semé de myosotis et se trouve maintenant sur un terrain dont la déclivité est moins prononcée, ce qui lui permet de souffler de façon audible pour le spectateur (le technicien du son aura soin de manœuvrer son potentiomètre de façon à renforcer l'intensité du son produit par la fin de l'expiration; ceci soulignera l'impression reçue par le spectateur). (Cette note technique destinée au preneur de son doit être déduite de la continuité en ce qui concerne la durée de celle-ci.)

Joe Grant halète et se met à courir comme un dingue, vu qu'à ce moment le spectateur ne peut avoir aucune idée des raisons qui motivent cette course inexorable. Il franchit au passage des buissons de genévriers nains, figeant sur place les mulots et les surmulots dérangés par sa course fiévreuse. Par-ci par-là, il peut se faire que, de façon visible, une branche ou une ronce lui égratigne le visage, mais sans aller jusqu'à lui crever un œil, ce qui serait préjudiciable au déroulement ultérieur du film. La caméra s'arrête tandis que Joe Grant continue de courir, et elle panoramique d'environ 27°30 sur la droite pour découvrir d'un seul coup un groupe de sept ou huit hommes qui descendent le sentier. De droite à gauche, il y a Peewee Schmürz, épicier en gros habitant au numéro 19 de la Grande Rue, qui porte un bandeau noir sur l'œil gauche et une carabine en bandoulière. Il est vêtu d'un vieux costume de velours côtelé vert avec des pièces aux genoux qui ont été cousues par sa femme Éloïse Schmürz, née Strumpf. Puis vient Jack Billingham, six pieds deux pouces, les cheveux roux, le nez pointu et la bouche mince, qui porte lui aussi un bandeau noir sur l'œil gauche et une carabine en bandoulière. Ce bandeau noir est une coïncidence purement accidentelle et sans aucun rapport avec des personnages existants. Ajoutons que Jack Billingham est gaucher et qu'il fume des Philip Morris. Puis vient Bill Osborne, qui a toujours dans son portefeuille une photographie de Marilyn Monroe, il porte un vieux complet de toile aux poches déformées par l'abus du tabac, et, chose étrange, n'a pas de bandeau noir sur l'œil gauche mais un vieux chapeau Stetson tout délabré sur l'occiput. Il porte en bandoulière un rifle datant de la guerre de Sécession qui lui a été légué en 1911 par son grand-père Abraham Osborne. Vient maintenant Lemuel Hopkins, trop laid pour que nous nous appesantissions sur sa description, un albinos de surcroît. Lui tient un fusil de chasse sous le bras, et la culasse ouverte laisse apparaître la douille luisante de 2 cartouches de calibre 12. C'est un fusil français de la Manufacture d'Armes et Cycles de Saint-Étienne, offert à Lemuel en 1944 par la veuve d'un paysan auvergnat devenue tenancière de bistrot près de la gare Montparnasse. A côté de Lemuel, Seymour Truman, sans aucun lien de parenté avec l'ex-président des États-Unis, mais qui n'en porte pas moins, lui aussi, une arme meurtrière, en l'espèce une carabine browning à répétition peinte en bleu clair pour ne pas effrayer les geais dont il est grand chasseur devant l'Éternel. A sa droite, John O'Farrell, qui dans le civil dirige une entreprise de pompes funèbres en assez piteuse situation économique, et qui d'ailleurs est effectivement vêtu en civil. Il a à la main gauche un grand fouet de cuir tressé dont il se sert l'été pour tuer les sauterelles. Enfin, complétant ce groupe sinistre et de mine patibulaire, un petit homme gras et replet, le shérif Harold Vinson, surnommé Tête-de-Mule par ses camarades, et dont les oreilles sont assez grandes pour empêcher son chapeau de lui tomber sur le nez. La caméra ne s'arrêtera évidemment pas à tous ces détails, mais il importe que la diversité de ces personnages vienne atténuer la simultanéité de leur progression vers Joe Grant. En voyant ce dernier, ils marquent un temps d'arrêt et barrent le sentier. On sent dans l'air l'approche imminente d'un orage, mais ce dernier n'éclate qu'à huit kilomètres de là, et l'on devine simplement à quelques lueurs que l'atmosphère est chargée d'électricité. Joe continue à s'avancer vers le groupe, les poings serrés. Alors, sans un mot (le scénario original ne comportant pas de dialogue à cet endroit, nous pensons inopportun d'en introduire, tout doit être dans l'image et c'est l'art du réalisateur qui saura donner à ce passage son caractère éminemment impressionnant), comme à regret, les hommes s'écartent en deux groupes inégaux et laissent le passage à Joe Grant qui passe sans se retourner et continue sa course folle vers un but mal déterminé.

La caméra reste sur le groupe. Osborne émet une petite toux sèche tandis que Lemuel se gratte l'oreille d'un geste machinal, que John se mouche et que Harold, prestement, enlève sa chaussure droite pour en retirer un silex pointu qui lui blessait visiblement le pied. (Ne pas s'attarder sur ce mouvement qui ne fait que souligner l'action.) Tous se consultent du regard et, visiblement gênés, reprennent leur marche le long du sentier, tandis que la lune extirpe quelques reflets métalliques aux canons des fusils et au nez le plus long du groupe. Ils arrivent aux voitures, toujours muets, s'installent les uns au volant, les autres à côté, un certain nombre de pieds appuient sur un certain nombre de démarreurs, les portières claquent et les voitures démarrent, sauf celle de Harold qui a des ennuis d'allumage, la bougie numéro 1 et la bougie numéro 5 étant sur le point de rendre l'âme (il s'agit évidemment d'un moteur V. 8). Seule reste la voiture de Joe Grant, dont le moteur continue à tourner, mais pas rond. Soudain, après avoir cafouillé quelques secondes, il s'arrête et c'est à nouveau le grand silence de la nuit, coupé par le chant d'un hibou qui, est-il besoin de le souligner, chante faux pour ajouter à l'impression de malaise que doit créer toute cette scène.

La caméra reprend ses esprits et retrouve Joe Grant qui court maintenant entre les arbres du petit bois. (Voir ci-dessus la description détaillée de la végétation.) Hors d'haleine, il trébuche et soudain s'immobilise tout net, comme pétrifié. La caméra le cadre de face, en plan américain, et l'on voit son regard se lever et fouiller avidement l'ombre des arbres. En plein champ subit, entre les arbres, découpé sur un coin de ciel plus clair, on aperçoit, tournant très lentement sur lui-même, le corps inerte d'un pendu. La caméra passe à Joe dont l'œil s'est arrêté de chercher.

Avec un calme inquiétant, il tire de sa poche une cigarette, sans quitter des yeux le corps, l'allume et s'avance vers le pendu. Il escalade les basses branches de l'arbre, tire un couteau de sa ceinture, et tranche la corde passée autour d'une branche et retenue par un nœud marin réglementaire, d'où l'observateur perspicace pourra déduire que c'est Vinson qui l'a fait car il est le seul à avoir servi sur un contre-torpilleur pendant la guerre mondiale numéro 2. On entend, hors du champ, le bruit d'un corps qui tombe. Joe se jette à genoux. Plan plus éloigné, on le voit près du cadavre, celui d'un jeune Noir de seize à dix-sept ans, au visage enfantin et doux. Un filet de sang coule de sa bouche et se perd dans l'ombre. Le cou est plié à un angle anormal, attestant ainsi que la mort a été provoquée par la rupture des vertèbres cervicales et non par strangulation. En plan rapproché, on voit Joe se pencher sur le cadavre, lui prendre la tête dans ses mains, et, avec une grande douceur, caresser les cheveux de l'adolescent. Ses mains blanches se détachent sur le visage sombre du mort.

Avec une tendresse infinie, Joe redresse la tête de la victime, lui ferme les yeux et, avec son mouchoir, essuie le sang qui luit faiblement sous la lune. En contre-champ, on voit alors le visage de Joe dont les yeux fixes sont perdus très loin, dans l'ombre des futaies d'où s'agitent les petits lapins et les musaraignes démentes, et sur ses joues claires, deux larmes, authentiques de préférence, coulent silencieusement, car il est sans exemple qu'une larme fasse du bruit.

On entend, tranquille, indifférent et tout proche, le cri pénible de l'oiseau nocturne.

La caméra enchaîne sur l'intérieur de la voiture de Joe, un quart d'heure plus tard. La capote du véhicule a été baissée de façon à faciliter une claire compréhension des choses. On voit les mains de Joe rivées au volant, son visage, de trois quarts arrière, dénué de toute expression, et sur les coussins, à l'arrière, le corps de l'adolescent mort. Joe conduit lentement, comme pour éviter des secousses au mort, à qui ça ne peut pourtant plus faire grand-chose en toute logique, mais on s'apercevra, au cours de ce qui va suivre, que le personnage de Joe est loin d'agir selon la logique ordinaire, ce qui fait précisément son intérêt en tant que héros d'un film cinématographique.

Si on était à Hambourg, on verrait maintenant des bateaux, mais la voiture traverse bientôt un village typique du Sud des États-Unis, qu'il faut un talent bien particulier pour décrire, ce que nous allons faire avec un talent très ordinaire. D'abord, le ciel, toujours nocturne et étoilé. Pour la disposition des constellations, on aura soin de consulter une carte du ciel indiquant leur emplacement à l'époque où se déroule le récit, afin de souligner le réalisme *saisissant* de l'action. En dessous du ciel, le village, composé de maisons de bois, les unes constituées de planches clouées horizontalement, ce qui est le cas le plus fréquent, mais demande des pièces d'angle taillées de façon spéciale si l'on veut assurer l'étanchéité de la construction, les autres, à la mode norvégienne, de planches clouées verticalement et munies de couvrejoints, l'assemblage à rainures et languettes étant peu pratiqué dans ces contrées démunies de tout et spécialement de bons menuisiers. Il y a des réclames, sur des panneaux en mauvais état, ou collées directement aux murs des maisons (il est évident qu'aux endroits où seront collées les affiches, le décorateur pourra s'abstenir d'indiquer de façon visible l'emplacement de la tête des clous). On distingue de la sorte une publicité pour Coca-Cola, une publicité pour les pneus Firestone, une publicité pour l'eau gazeuse Seven-up, une publicité pour une marque de whisky que l'auteur ne connaît pas, une publicité pour les machines à coudre Dupont, qui doit frapper par son caractère démodé mais rappeler l'influence française toujours vivace dans le Sud des États-Unis, et enfin diverses autres publicités que nous laissons à la discrétion entière du réalisateur. Le village est en réalité une simple rue, avec ses poteaux télégraphiques, ses réverbères bon marché, son poste de police sans police, et ses lumières, rares, car la plupart des habitants ne souffrent pas d'insomnie. La rue est quasiment déserte, à l'exception de quelques voitures vides et d'un chien efflanqué qui se fera écraser le lendemain par un autocar de la compagnie Greyhound et qui porte déjà sur son visage l'annonce de son destin tragique (c'est un cocker).

La caméra suit à pas pressés la voiture qui traverse le village et s'arrête à son extrémité. L'appareil cadre alors en plan moyen Joe Grant qui descend, ouvre la portière arrière, et, avec une infinie douceur, prend le cadavre dans ses bras, le charge sur son épaule et s'engage dans une sorte de sentier. Il arrive au bout de celui-ci et le champ de l'objectif s'épanouit comme une pâquerette au soleil, découvrant une foule assez nombreuse, silencieuse et recueillie, massée autour d'une baraque modeste. Tous ces gens sont Noirs. Un auteur sérieux en donnerait la liste et la description détaillée, et c'était bien notre intention, mais nous sollicitons ici un effort d'imagination de la part du réalisateur, qui devra s'assurer que tous sont différents, qu'il ne se trouve pas de sosie ni de jumeaux parmi eux, que ce sont des Noirs authentiques et non pas des clochards passés au cirage, et qu'aucun d'eux ne risque, par un jeu de scène maladroit, de compromettre l'impression de douleur muette résultant de leur sincère recueillement. Nous lui faisons confiance sur ce point. Quelques femmes pleurent (sept), des hommes (onze) courbent la tête, muets (toujours pas de dialogue), écrasés par ce qu'ils croient être la fatalité et qui est, en réalité, une situation pénible née de la coexistence aux États-Unis d'un groupe ethnique important de race non caucasienne, et qui pose chaque jour des problèmes encore mal résolus. Alors, le cercle s'écarte pour laisser passer Joe et son fardeau, cependant que l'on entend des sanglots étouffés.

Joe se dirige vers le bungalow où il entre sans même refermer la porte.

Une grande pièce unique, pauvre et sympathique. Un vieux fourneau de fonte dans un coin. Au milieu, une grande table. Aux murs, une guitare espagnole démodée, des photos de Noirs, un homme et une femme âgés au sourire confiant et doux ; à droite, la photo de Joe plus jeune, heureux de vivre ; à gauche, celle de l'adolescent mort, même visage, même douceur, mais beaucoup plus enfant. Contraste entre le visage de Joe qui n'a rien de négroïde et celui des autres.

Joe se dirige vers la table sur laquelle il dépose le cadavre. Il considère un long moment ce pauvre corps sans vie, et, comme voulant stopper net son émotion, et aussi sa rage, prend soudain une détermination. Son visage se fige dans la dureté du silex. Il attrape sous une vieille commode rafistolée tant bien que mal, une valise de fibre sans couleur et sans âge. Il ouvre les tiroirs de la commode et enfourne dans la valise, en vrac, quelques menues affaires, objets de toilette, etc., puis il la referme. Il ne réfléchit plus maintenant, il sait ce qu'il va faire. Il sort de la pièce avec sa valise. Au bout de quelques secondes, il revient portant un lourd jerricane d'essence. Il ouvre le jerricane et commence à répandre l'essence sur le cadavre. L'essence ruisselle sur le visage, s'infiltre par le col de la chemise. Le corps est maintenant complètement imbibé d'essence. Il en coule par terre et une grande flaque s'étale dans la pièce.

Joe pose le jerricane à terre. Il s'approche des photos et les regarde une dernière fois. On pense un instant qu'il va les prendre. Mais il se ravise. Il s'éloigne des photos. Ses yeux tombent sur la guitare. Il s'approche. Il est tenté de la prendre. Finalement, d'un geste brutal, il la flanque à terre dans un bruit sonore de cordes et de bois éclatés. Joe se trouve maintenant devant un petit miroir. Il se regarde avec attention. Aucun doute, apparemment, il n'a rien d'un Noir. Son visage est calme. Les traits en sont beaux et réguliers, les lèvres fines, légèrement dessinées et à peine plus colorées que le reste du visage, très pâle sous les mèches de cheveux châtain clair.

Joe jette un dernier regard autour de lui, il tire son mouchoir de sa poche. Il s'accroupit près de la flaque d'essence et en imbibe complètement le mouchoir. Puis, il gagne le seuil de la pièce. D'un geste bref, il craque une allumette et enflamme le mouchoir qu'il lance aussitôt près du cadavre. Joe se sauve en courant.

Cependant, la maison s'embrase d'un seul coup.

Joe est arrivé à la hauteur du cercle des Noirs qui s'écartent pour le laisser passer, mais l'un d'eux, un personnage âgé, des cheveux blancs, vêtu comme un pasteur, et d'ailleurs c'est un pasteur, lui pose lentement la main sur l'épaule et l'arrête. Le dialogue commence enfin.

PASTEUR : Joe, tu n'aurais pas dû.

JOE : Laissez-moi, mon père.

PASTEUR : Tu n'as pas le droit de répondre à la violence par la violence.

JOE : Ce n'est pas mon avis.

PASTEUR : Tes parents te blâmeraient.

JOE : Père, mes parents pleureraient, c'est tout, mais mon frère sera vengé.

Le pasteur esquisse un geste de découragement et se rend compte que cette grande brute de Joe est complètement buté et décidé à ne pas se laisser refaire par des consolations religieuses qui lui semblent aujourd'hui périmées. L'air las et résigné, il hausse les épaules et ses mains retombent.

PASTEUR : Joe, la haine te rend fou comme elle a déjà rendu fous ceux qui ont tué ton frère.

Joe se dégage brutalement des gens qui l'entourent et dévale le sentier en direction de la voiture. Hors champ, on entend crépiter l'incendie, qui projette une lumière étrange sur les gens rassemblés alentour. Lointain, sinistre, on entend résonner le signal aigu du gong d'incendie. La caméra reste braquée sur les flammes et, en fondu, enchaîne sur Joe qui vient de redescendre de sa voiture et frappe à la porte d'un petit bâtiment de ferme d'apparence modeste. Au loin, on entend toujours résonner le bruit du gong. La porte à laquelle frappe Joe vient de s'ouvrir. Joe est de dos et l'on voit apparaître le visage d'un jeune homme blanc, Lex, mal éveillé. Il reconnaît Joe et la brume qui emmitoufle son entendement paraît se dissiper dans une certaine mesure. Joe ne lui laisse pas le temps de demander des explications.

JOE : Tu as la lettre que tu m'as promise ?

Lex esquisse un geste de découragement et se dirige vers un petit bureau. Il s'assied, prend une feuille de papier, un stylographe de marque américaine et se met à écrire en anglais. Si l'acteur qui joue ce rôle ne sait pas écrire en anglais, la caméra devra éviter soigneusement de laisser apparaître le moindre détail de la lettre.

LEX : Est-ce que ton frère a souffert ?

Il a posé cette question d'un ton hésitant et embarrassé, mais on sent qu'il n'a pas pu s'empêcher de la poser.

JOE : Qu'est-ce que j'en sais.

LEX : Tu as vu qui c'était ?

JOE : Oui.

LEX : Ils n'ont rien dit ?

JOE : Non.

Lex continue d'écrire, voyant que Joe n'a décidément pas envie de s'expliquer. Pourtant, son attitude envers Lex n'est pas hostile. Simplement, ses pensées sont ailleurs. Lex a fini d'écrire, repose son stylographe non sans avoir remis le capuchon, et tend la lettre à Joe qui la parcourt rapidement des yeux. Lex semble maintenant remarquer pour la première fois le bruit du gong de l'incendie. Il lance un regard interrogateur à Joe.

Joe : C'est chez nous.

Lex : C'est toi qui as mis le feu ?

Joe : Oui.

Joe a plié la lettre et l'a mise dans la poche intérieure gauche de son veston (ce détail pourra être inversé si l'acteur incarnant le rôle de Joe est gaucher et ne possède pas de poche intérieure gauche à son veston. En réalité, il est même possible qu'il n'ait pas de veston, auquel cas il devra mettre la lettre dans une quelconque poche de son pantalon). Joe serre la main à Lex et se dirige presque aussitôt vers la porte.

Joe : Merci.

Lex regarde Joe avec une sorte d'affection mêlée de pitié. Joe est sorti, on le voit se diriger vers sa voiture, au bout du jardin. Lex lui court après et le rattrape avant qu'il ait pu démarrer. Lex s'agrippe à la portière de la voiture, comme pour retenir Joe.

Lex : Joe, ne te venge pas sur des innocents.

Joe : Je ne vais pas me venger, je vais venger mon frère.

Lex : Mais pas sur des innocents, Joe.

Joe, *sarcastique* : Il n'y a pas un Blanc qui soit innocent dans ce pays. Et mon frère, il n'était pas innocent ?

Lex paraît embarrassé, ne sachant que dire. Joe donne un coup d'accélérateur et le moteur ronfle.

Lex : Joe, fais attention.

Joe ne répond pas, embraie brusquement. La voiture s'arrache aux mains de Lex, sort du champ et, en contrechamp, on voit un instant le visage tourmenté de Lex, tandis qu'au loin résonne toujours le bruit du gong, ce qui laisse supposer que les pompiers ne sont pas encore arrivés.

Suivent quelques flashes de la voiture traversant de nombreuses contrées typiques. Au fur et à mesure que les plans se succèdent, on comprend que Joe se dirige vers le nord. Son visage est toujours aussi impénétrable. On n'entend que le ronron du moteur, monotone, obsédant, fatidique...

C'est le matin. La voiture est décapotée et arrive aux abords d'une petite ville... Trenton. La voiture entre dans la ville. Joe, d'une main, tire la lettre de Lex de sa poche. Il consulte l'adresse et demande à un passant où se trouve Broad Street.

Trenton est un petit bourg dont la topographie est assez simple. Une grande rue le traverse de bout en bout. C'est précisément Broad Street.

Joe, au fur et à mesure qu'il avance dans la rue, regarde les devantures, la banque, la quincaillerie, la pharmacie, le verdurier, l'Italien, le drugstore, etc.

Finalement, la voiture s'arrête devant une librairie assez claire et moderne, d'aspect un peu anonyme.

Joe descend de voiture. Entre dans la librairie. Une sonnerie retentit.

L'intérieur de la librairie. Le libraire, un homme de soixante-cinq ans, mince, lunettes d'or, est appuyé à un comptoir, occupé à classer une pile de bouquins.

Le libraire lève la tête en voyant entrer Joe.

JOE : Bonjour.

HANSEN : Bonjour.

JOE : Je viens de la part de Lex.

HANSEN, *étonné* : De la part de Lex.

JOE : Oui, tenez, lisez cette lettre, ça ira plus vite et vous comprendrez mieux.

Hansen prend la lettre et la parcourt rapidement. Il la pose ensuite sur le comptoir et, après un petit temps :

HANSEN : Vous tombez à pic. J'étais décidé à partir d'ici de toute façon, mais vis-à-vis de la maison, je préfère leur laisser un remplaçant sérieux.

Hansen entraîne maintenant Joe vers l'arrière-boutique.

HANSEN : Venez, je vais vous montrer votre chambre.

La caméra découvre une pièce assez en désordre, mal meublée que Hansen désigne d'un geste.

HANSEN : C'est là. Elle n'a pas servi depuis un bout de temps, il y a du désordre, mais quand elle sera nettoyée, ça vous fera un coin où vous serez tranquille.

JOE : C'est parfait. C'est grand, même. Et là, qu'est-ce qu'il y a?

HANSEN : La réserve à bouquins. Oh, il n'y a pas grand-chose. Quelques invendus. Ça communique avec le couloir de l'immeuble.

Joe y va, referme et va à l'autre porte.

JOE : Ici, c'est la salle de bains?

HANSEN : Oui... Oui... je vais faire nettoyer tout ça par le vieux Jérémie, ne vous en faites pas, vous serez très bien.

JOE : Vous avez une chambre en ville?

HANSEN : Oui... au-dessus de chez Ricardo... Je préfère là-bas, c'est plus commode.

JOE : Ricardo?

HANSEN : C'est le seul bistrot potable dans cette sacrée ville. Vous viendrez avec moi tout à l'heure... je vous présenterai.

JOE : Je ne bois pas beaucoup.

HANSEN : Ça n'engage à rien, mon vieux, voyons... ils vendent aussi du Coca-cola et des boissons non alcoolisées... Ce sont des gens très sympathiques... C'est pour ça que je m'étais décidé à louer une chambre là-bas. Vous pensez que vous la garderez?

JOE : Heu... ça dépend... A combien vous revient-elle?

HANSEN : Oh, elle n'est pas chère... vingt dollars par mois, tout compris. Elle est très bien installée... Très gentille...

JOE : Vingt dollars par mois, ça fait tout de même pas mal d'argent.

HANSEN : Qu'est-ce que vous voulez en faire, de votre argent, dans ce trou perdu? Vous n'allez pas le mettre en conserves.

JOE : Je préfère rester ici. *(Il se penche et tâte le lit.)* Le lit a l'air bon...

HANSEN : Oh... il n'a pas beaucoup servi... je l'avais mis là au début parce que c'est pratique, on peut avoir besoin d'un lit à tout instant... Mais vous voyez... il est presque neuf.

JOE : Eh bien, tout ça m'a l'air parfait. *(Silence.)* Quand est-ce que je commence à travailler?

HANSEN : Prenez votre temps, mon vieux... vous n'allez pas commencer tout de suite. Asseyez-vous un peu... vous devez être fatigué de votre voyage.

JOE, *sec* : Je ne suis jamais fatigué.

HANSEN : Vous avez de la veine... mais vous allez gaspiller votre énergie ici...

(La sonnette tinte.)

HANSEN : Excusez-moi une seconde. *(Il sort vers la librairie.)*

Plan de coupe de Hansen refermant la porte de la librairie tandis qu'un client s'éloigne. Joe rejoint Hansen à l'intérieur du magasin.

HANSEN : Si on allait boire un verre pour arroser votre arrivée?

On voit sur le visage de Joe que ce dernier n'est pas spécialement tenté, mais il acquiesce.

JOE : Allons-y.

On les voit maintenant dans la rue principale de la ville. Ils se dirigent vers une boutique où Hansen entre. Joe attend à la porte, impatient. Hansen ressort muni d'un sac de papier.

HANSEN, *d'un ton confidentiel* : Voilà, j'ai ce qu'il faut.

Plan pris de l'intérieur d'un drugstore dont la porte s'ouvre, et l'on voit entrer Hansen et Joe. Contrechamp de l'intérieur du drugstore, avec son comptoir à boissons sans alcool ni ice-creams, où Joe et Hansen s'installent. Hansen tire du sac en papier une bouteille de whisky qu'il débouche d'une main experte. Le garçon, visiblement habitué, lui a servi un Coca-cola et Hansen complète le verre avec sa bouteille.

JOE : Un Coca pour moi aussi.

Hansen veut faire subir au Coca de Joe le même traitement qu'au sien, mais Joe l'arrête d'un geste.

JOE : Merci, jamais d'alcool.

Hansen vide d'un trait son verre et le garçon le lui remplace aussitôt. Même jeu que précédemment avec la bouteille de whisky.

HANSEN : Ça fait du bien de se rafraîchir un peu.

JOE : Vous n'avez pas peur que ça fasse mauvais effet sur la clientèle?

Hansen : Je ne suis jamais saoul devant la clientèle.

Dans le drugstore entre une bande de jeunes gens, garçons et filles, qui s'installent bruyamment.

Judy : Un Coca pour moi, Mike.

Jicky : Un lait malté.

Jack : Et un Seven-up par ici.

Dans le brouhaha, deux filles se sont approchées du pick-up automatique et commencent à y mettre des pièces, composant tout un programme. Un rock and roll bruyant retentit, rendant pratiquement impossible toute conversation. L'œil allumé, Hansen suit avec intérêt les ébats des filles, particulièrement de Jicky et Judy qui dansent avec deux garçons, tandis que le reste de la bande frappe dans ses mains en cadence. Joe regarde la scène l'œil mi-clos, le visage impénétrable. Hansen lui donne une bourrade.

Joe : Oui, quoi?

Hansen : Bien roulées les deux petites, non?

Joe regarde Hansen, assez surpris, et il a un vague sourire. Il saisit la bouteille de whisky dans le sac et remplit le verre de Hansen.

Joe : Tenez, c'est moins dangereux que ça.

Il désigne d'un mouvement de tête les filles qui continuent à se trémousser. La musique augmente d'intensité et la caméra enchaîne en fondu sur le petit appartement de la librairie, quelques jours plus tard. Le décor est déjà modifié. Joe a apporté un certain nombre d'améliorations à l'intérieur, et il a notamment repeint les murs d'une assez jolie couleur vert épinard clair. Il a reculé le lit de 10 cm pour le rapprocher du mur et recouvert d'un petit tapis rouge une tache de peinture faite six ans auparavant par un ouvrier peu soigneux et profondément incrustée dans le bois du parquet.

Hansen, assis sur le lit, son chapeau sur la tête et sa valise à ses pieds, s'apprête à partir et fait ses adieux à Joe.

Hansen : Eh bien, voilà, j' vais vous quitter.

Joe : Ben, ça vous fait plaisir, vous allez enfin pouvoir écrire le best-seller de vos rêves.

Hansen : Ouais, depuis le temps que j'en vends, je crois que je sais comment on les fabrique.

La sonnette de la librairie retentit, Hansen esquisse le geste de se lever, Joe le retient et on entend craquer l'omoplate de Hansen.

Joe : Bougez pas, j'y vais... c'est moi le libraire, maintenant.

Hansen, *rire bête* : Eh oui, c'est vrai, c'est vous.

Il reste assis sur le lit. Plan de Joe en train de recevoir l'argent d'un client.

Joe : 3 dollars 50. Je vous dois 1 dollar 50.

Il tape la fiche à la caisse enregistreuse qui est sur le point d'exploser, mais se retient heureusement à temps, et il rend la monnaie au client.

JOE : Merci, j'espère que ça vous plaira.

CLIENT : On en dit beaucoup de bien. Au revoir, Grant.

Joe revient vers Hansen qui s'est levé et tient sa valise à la main. Joe le regarde et désigne une guitare accrochée au mur, guitare d'assez bonne qualité, marque Gibson (à défaut de Gibson, on pourra prendre une Épiphone).

JOE : Et ça, vous ne l'emportez pas?

HANSEN : Qu'est-ce que vous voulez que j'en foute? J'ai jamais su en jouer. Au début, je croyais que j'aurais la patience d'apprendre. J'avais acheté ça parce que j'avais peur de m'embêter. Et puis finalement, je ne me suis pas tellement embêté.

JOE : Oh, vous n'avez pas l'air.

HANSEN : Mais vous, j'en sais rien, vous ne buvez pas, vous fumez à peine. *(Il rigole.)* Vous vous embêterez sûrement. Alors, ça peut vous servir.

JOE : C'est pas une mauvaise idée.

Il va à la guitare et la décroche. Il gratte un accord qui sonne horriblement faux et commence à l'accorder.

HANSEN : Vous savez sûrement vous en servir. Tous les types du Sud savent jouer de la guitare.

Ce disant, il observe attentivement la réaction de Joe, mais ce dernier ne bronche pas et continue d'accorder l'instrument.

HANSEN : Bon, eh ben ce coup-là, je m'en vais. Bonne chance, mon gars.

Joe cesse d'accorder la guitare et, la tenant de la main gauche, serre la main de Hansen : « Bonne chance ».

Hansen sort. Joe reste seul, la tête baissée sur la guitare dont il tire un dernier accord plaintif. On entend la sonnerie de la porte et la voix de Hansen.

HANSEN : Joe, vous avez une cliente.

JOE : J'arrive.

Les scènes qui suivent, d'une grande variété, ont pour but essentiel et primordial de faire comprendre au spectateur que 1o le temps commence à passer, 2o que durant ce temps, Joe se familiarise avec la ville, la clientèle, et les potins locaux.

Un bar-restaurant où entre Joe. Il a des chaussettes vertes dissimulées par son pantalon, des bretelles taillées dans le cuir d'une vieille vache qui descend de la célèbre vache historique qui nourrit onze soldats blessés perdus dans une forêt de   ¹ au bord du petit ruisseau qui coupe en diagonale l'extrémité sud du champ de bataille de Gettysburg, lesdites bretelles ayant été léguées à Joe par un oncle aujourd'hui disparu qui les tenait lui-même d'un aïeul employé comme valet d'écurie dans une ferme où l'animal initial avait vu le jour, mais malheureusement son veston fermé empêche que l'on distingue la patine délicate du cuir verdi. Pour le reste, il est vêtu assez sommairement d'un pan-

---

1. Blanc dans le texte. (*N.d.E.*)

talon anthracite, d'une chemise marque Arrow, senforisée naturellement, d'une cravate beige et d'une paire de chaussures noires.

Joe entre dans le restaurant avec l'aisance d'un vieil habitué et vient s'installer au comptoir, devant lequel se trouvent des tabourets à dossier, derrière lequel se trouve un garçon en veste blanche et calot de toile de même couleur, qui a à sa disposition, dans un espace pourtant restreint, plusieurs dispositifs ingénieux permettant la cuisson rapide et adéquate de ces plats nourrissants et sains qui ont donné à l'Amérique la réputation enviable d'un des pays où l'on mange le mieux au moindre prix. En un mot, Joe se trouve dans un snack et s'apprête à déjeuner.

GARÇON : Salut, Joe.

JOE : Bonjour.

GARÇON : Comme d'habitude?

JOE, *grogne* : Oui.

A la suite de cet échange de reparties, Joe se trouve bientôt nanti d'une assiette où s'ébattent un hamburger, deux œufs et des frites.

Fondu enchaîné sur le drugstore où Joe achète ses cigarettes. Il entre, jette la monnaie sur le comptoir, et l'employé lui donne deux paquets de Lucky, sans même lui poser de question, ce qui laisse entendre au spectateur le plus radicalement borné que Joe commence à être connu dans l'endroit. Fondu enchaîné sur une scène analogue à un stand de journaux quotidiens. Dans chacune de ces scènes, Joe doit donner l'impression que, sans être exactement familier avec ces gens qui l'entourent maintenant, il est pour ainsi dire inséré dans son milieu social.

La caméra suit maintenant Joe de dos dans une rue de la ville. Il entre et achète dans une épicerie quelques provisions du genre utilisé par les célibataires : boîtes de conserve, paquet de biscuits, bouteilles. Il paie et lance un au revoir poli au vendeur qui l'a servi.

On enchaîne sur l'intérieur de la librairie. Joe est assis sur un de ses comptoirs et lit distraitement un bouquin, *Mechanical Resolution of Linguistic Problems*, de Booth, Brandwood et Cleave, édité à Londres par les Butterworths Scientific Publications en 1958. Le livre est ouvert à la page 125, la première d'un chapitre étudiant la possibilité de traduire l'allemand en anglais au moyen d'un calculateur électronique. Joe lève la tête en entendant une cliente entrer dans la boutique. Une femme d'une quarantaine d'années, avec un affreux chapeau, qui se met à regarder les livres sur le comptoir. Au bout de quelques minutes, elle lève les yeux vers Joe.

CLIENTE : C'est bien le livre dont on parle dans la chronique de cette semaine?

Joe se lève, examine le livre, l'ouvre et le tend à la cliente.

JOE : C'est bien celui-là, madame.

CLIENTE : Il paraît que c'est très, très bon?
JOE : Tout à fait digne de la réputation de l'auteur.
CLIENTE : Je vois que vous avez bon goût. Je le prends.
JOE : 4 dollars 50, s'il vous plaît. Désirez-vous voir autre chose?
CLIENTE : Je préfère revenir sitôt que j'aurai fini celui-là. Je vais me régaler.
JOE : Je l'espère bien, madame.

Et il lui rend 50 cents, sur un billet de 5 dollars, enveloppe le livre et le lui tend. Contrechamp sur le départ de la cliente qui sort par la porte. De l'autre côté de la rue, on aperçoit un drug-store où entrent des jeunes gens. Plan de Joe adossé à la porte de sa librairie, et qui s'essuie le front, l'air d'avoir très chaud. Il est d'ailleurs en manches de chemise, mais n'a pas ses bretelles. Il les a perdues la veille au jeu.

Travelling vers le drugstore où se trouvent les deux filles déjà rencontrées par Joe au cours de sa première sortie avec Hansen, Judy et Jicky, et trois ou quatre autres jeunes gens.

Joe entre dans le drugstore et s'accoude au comptoir. Jicky, une jolie blonde aux cheveux courts, vêtue d'un chandail en orlon et d'un blue-jeans, s'approche de lui.

JICKY : Bonjour.
JOE, *indifférent* : Bonjour.
JICKY : Je boirais bien quelque chose de glacé.
JOE : Pas bête. *(Alors au barman :)* Un Coca par ici.

Le barman décapsule prestement un Coca-Cola glacé à l'appareil offert gratuitement à ses dépositaires par cette grande entreprise de boissons hygiéniques et qui se trouve vissé à poste fixe sous le bar. Il introduit une paille dans le goulot de la bouteille et la dépose devant Jicky. D'un geste très doux, très calme et très précis, Joe la prend délibérément et se met à boire. Jicky, furieuse, flanque un bon coup de pied dans les tibias de Joe, qui l'empoigne et lui administre une belle paire de claques sur ses fesses. Elle est prête à exploser, mais Joe l'arrête en lui posant la main sur la bouche et ordonne au barman :

JOE : Une tournée de Coca pour tout le monde.
BARMAN : Vous avez dressé des chevaux?
JOE : Non, je n'ai jamais eu que des chats.

Les gars et les filles, sans cérémonie, empoignent les Coca ouverts par le barman et Joe tend une pièce de dix cents à Jicky.

JOE : Tenez, mettez un peu de musique, ce sera plus gai.

Jicky se dirige vers le phono automatique, introduit la pièce et opère sa sélection. Musique de blues lent. Elle revient vers Joe qui est descendu de son tabouret.

JOE : Assez de courage pour danser? *(Jicky se colle à lui étroitement.)*
JICKY : Vous allez me tuer.

Joe danse avec la fille de telle façon qu'on a l'impression qu'ils sont en train de faire l'amour. La musique s'arrête bientôt et Joe la lâche. Elle agite ses cheveux courts comme si elle sortait d'une presse à tourteaux.

JICKY : Vous dansez pas mal pour un adulte.

JOE : C'est mon grand-père qui m'a appris.

JICKY : Ça se voit.

JOE : C'est pas ma spécialité.

Il boit son Coca-Cola et fait la grimace.

JICKY : C'est pas assez fort.

JOE : Ça pourrait faire 40° de plus.

JICKY : Pourquoi on va pas boire chez vous ? Vous avez des disques ?

JOE : J'ai des disques.

Fondu enchaîné sur la chambre de Joe. Une bouteille de whisky ouverte sur la commode, quelques verres dépareillés, des bouteilles de Coca-Cola. Il y a Jicky, Judy et Scott, et deux garçons. Le pick-up tourne. Joe est assis sur le lit, le dos au mur, il tient sa guitare sur ses genoux, il a les yeux fermés. Le pick-up joue le blues leitmotiv du film, dont les paroles décrivent le lynchage d'un jeune Noir qui a eu le tort de regarder une Blanche. Joe accompagne le chant de quelques accords de guitare, pendant que Scott et Dick d'une part, Judy et Jack d'autre part, dansent comme pour eux-mêmes. Lorsque la musique s'arrête, Joe relève la tête, lâche la guitare et se passe le bras sur le front. Il se lève, va chercher la bouteille de whisky et remplit les verres en mélangeant avec du Coca-Cola. Jicky est passée dans la salle de bains, ouvre le frigidaire et constate qu'il n'y a plus de glace. Elle revient, munie d'un bac à glace, et le fourre sous le nez de Joe.

JICKY : Il vous faudrait une femme pour tenir votre intérieur.

JOE : C'est ce que je cherche. Une femme.

Il la regarde en rigolant, et elle, furieuse, reste le bac à la main sans savoir quoi dire. Un des garçons s'approche de Joe.

DICK : On pourrait aller boire du côté de la rivière.

JUDY : Oh oui, on va se baigner.

JOE : D'accord, on va se baigner.

JACK : Je vais chercher ma bagnole.

On enchaîne sur les mains de Joe en train de fermer sa boutique. Contrechamp sur une vieille décapotable trafiquée où sont déjà les trois filles et les deux garçons. Joe s'installe derrière avec une des filles, Scott, et Dick.

Plan de la voiture ; Dick, un peu rond, a pris Scott sur ses genoux, à côté de Joe, et l'embrasse comme un veau qui tète sa mère. Joe, agacé, se dresse, empoigne par les épaules Jicky installée devant à côté de Judy et de Jack, et la fait passer sur le siège arrière, non sans s'attarder en divers endroits arrondis de sa personne.

Plan de la rivière sous les arbres. La caméra découvre les trois garçons et les trois filles, en maillot de bain, autour de deux bouteilles de whisky et d'une radio portative qui fonctionne en sourdine. La première bouteille passe de main en main.

JOE : Pas mal, ce coin. Vous avez trouvé ça tout seuls?

JICKY : On est pas complètement idiots.

JOE : C'est toujours mieux de le prouver.

JUDY : Attendez un peu que Dexter soit revenu, vous ferez moins le malin.

(Joe prend la bouteille et la lui tend.)

JOE : Buvez, ça va vous arranger le caractère.

(Judy boit un coup et tend la bouteille à Dick.)

JUDY : N'empêche qu'à Dexter, vous ne lui parleriez pas comme ça.

JOE, *sarcastique* : Il va me faire peur?

JUDY, *hausse les épaules* : C'est pas ça que je veux dire.

Pendant toute la conversation, la bouteille n'arrête pas de circuler. La première est rapidement terminée, et Jack se lève, la saisit et la lance au loin dans l'eau où elle s'enfonce après avoir émis 231 glouglous caractéristiques, pour venir s'enliser au fond de la rivière, non loin de l'épave du cuirassé *Kamtchatka*, coulé à Port Arthur pendant la guerre russo-japonaise et arrivé ici on ne sait trop comment. Dick est déjà étendu sur le dos et commence à somnoler. Jack revient et ouvre la seconde bouteille de whisky d'où s'échappent des vapeurs odorantes malheureusement invisibles pour la caméra. Scott, la troisième fille, attend que Jack soit revenu, s'installe commodément contre lui et se met à l'embrasser. Joe se lève, se penche, empoigne Jicky par le bras et lui dit :

JOE : Alors, on va les chercher ces petites fleurs des champs.

Jicky le regarde, se lève à son tour et le suit tandis qu'il s'éloigne vers un fourré. La caméra les suit un moment tandis qu'ils se fraient un chemin parmi les herbes hautes et le saxifrage qui croît en abondance aux abords de la rivière, puis l'objectif revient se fixer sur le groupe somnolent. Le thème du blues se fait entendre en fond sonore dans la petite radio portative.

L'appareil montre maintenant Joe et Jicky, allongés l'un contre l'autre derrière un buisson, sur la mousse confortable des forêts, passée tous les matins à l'aspirateur par le Syndicat d'Initiative local. Joe est presque couché sur la fille.

On revient au groupe. Scott, un peu plus réveillée que les autres, se lève d'un bond, titubante, et déclare :

SCOTT : Y'en a ici deux qui ne sont pas là.

Elle s'affale sur Jack qui se réveille en sursaut et se frotte les yeux.

SCOTT : Allez viens, on va les chercher.

Jack et Scott se mettent en quête de Joe et de Jicky. Plan de Joe qui se dégage de Jicky, complètement abandonnée, son maillot de bain plutôt en désordre, un bras cachant ses yeux.

Joe lui saisit le poignet.

JOE : Viens.

Il se lève, la tire par la main ; elle se dégage et s'arrête.

JICKY : Joe, mon maillot.

Joe lui arrache son maillot, dont la fermeture Éclair est déjà complètement défaite dans le dos, et l'entraîne en courant vers la rivière où il se jette, tirant toujours Jicky. Ils nagent tous les deux en direction opposée de celle du groupe. Ils parviennent auprès d'une branche basse qui projette son ombre sur l'eau. Ils prennent pied et Joe attire la fille vers elle.

Plan de Scott et Jack en arrêt devant le maillot de Jicky, tous les deux assez gênés.

JACK : On ferait peut-être mieux de revenir.

SCOTT, *d'une voix furieuse* : Elle me paiera ça, la garce.

Jack l'entraîne et tous deux vont s'effondrer en courant sur Dick, toujours à moitié groggy, et Judy qui essaie vainement de le réveiller en lui chatouillant l'oreille avec une tige de prèle de 29 cm de long.

Plan de Joe et de Jicky, étroitement enlacés dans l'eau, presque immobiles. La musique monte pendant qu'on passe en fondu enchaîné à la librairie.

Deux vieilles dames, de dos, chuchotent vivement à voix basse autour d'un livre que tient l'une d'entre elles. Ce sont les deux sœurs, jumelles, du Révérend Terrance Cardigan Twinset, qui convertit onze Nègres Bantous de 1913 à 1922 et qui termine paisiblement ses jours au cimetière de la ville de Trenton, dont il est le gardien, ayant été privé de la dignité ecclésiastique pour luxure et conduite scandaleuse pendant un match de football à Chicago en 1934.

Le livre auquel s'intéressent les deux vieilles filles est intitulé *Science and Sanity*, quatrième édition, auteur Alfred C. Korzybski, et bien qu'il soit évidemment d'un niveau intellectuel inaccessible à ces deux vieilles crétines, elles n'en échangent pas moins des arguments enflammés à son endroit, mais comme elles ont toutes deux des râteliers, leur conversation se borne à quelques sifflantes.

DOLLY CARDIGAN : Sch, sch, sch, sch, sch...

MOLLY CARDIGAN : S, s, s, s, s, s, s, s, ...

DOLLY CARDIGAN : Je t'assure que tu as tort.

MOLLY CARDIGAN : C'est bien celui-là qu'elle m'avait dit.

On remarquera que les deux dernières phrases sont intelligibles, ce qui laisse entendre qu'un travelling avant a eu lieu au cours de leur conversation. Contrechamp sur Joe, très correct et toujours impénétrable, qui s'approche de ses clientes.

JOE : Puis-je vous aider ?

Les deux sœurs, très troublées par ce beau jeune homme, cherchent toutes deux à parler en même temps.

DOLLY :

Ma sœur m'affirme que ce livre...

MOLLY : Moi je prétends que ce n'est pas ce livre...

Elles s'arrêtent également en même temps, furieuses.

JOE : C'est un ouvrage assez difficile sur la logique non aristotélicienne.

Il est cadré en plan américain, on entend la sonnerie de la porte du magasin et l'on voit son visage se tourner vers la porte, où se tient en réalité un affreux machiniste borgne, mais où il est supposé apercevoir en cet instant Judy et Jicky, celle-ci portant toujours son poste de radio en bandoulière, qui entrent. Contrechamp des deux vieilles filles dont le visage revêt une nuance distincte de désapprobation empaillée. Plan moyen du groupe, Judy et Jicky se sont avancées. D'un geste net et brutal, Joe coupe la radio de Jicky, radio qui ne cessait de faire entendre un vacarme rythmé du modèle de ce que les affreux gamins modernes appellent le rock and roll.

Plan de Molly Cardigan qui repose le Korzybski sur le comptoir.

MOLLY : Viens, Dolly, ne restons pas ici.

Plan des deux vieilles filles sortant de la boutique, l'air pincé et le menton haut. Elles sont vraiment foutues comme des sacs à patates. Contrechamp de Joe.

JOE : Qu'est-ce que vous foutez là toutes les deux ?

JUDY : On venait voir si vous aviez pas besoin d'un bain.

JOE : Vous savez l'heure qu'il est, oui ?

JICKY : On s'en fout de l'heure. C'est l'heure de se baigner.

JOE : Allez, fichez-moi le camp.

JUDY : Ben, vous êtes très aimable, vous, aujourd'hui.

JOE : Je travaille, figurez-vous.

JICKY : Avec ces deux vieilles teignes *(elle s'esclaffe)* ça doit être excitant !

JOE : De quoi vous croyez que je vis ?

JUDY : Vous pourriez trafiquer de vos charmes. Moi, j' suis cliente à 2 dollars la passe.

Joe, d'un brutal revers de la main, la gifle et double. Judy ne bronche pas, mais rit en le regardant bien dans les yeux.

JUDY : C'est le chiffre qui vous vexe ? C'est toute ma fortune.

JOE : Fichez-moi le camp, je vous dis.

Joe est un peu gêné de l'absence de réaction de Judy.

JICKY : Joe, Dexter est revenu de vacances. On se réunit tous près de la rivière. Vous venez ?

Joe les pousse toutes les deux vers la porte de la boutique.

JOE : Je travaille.

JICKY : Mais après le travail ?

JOE : Je verrai.

JUDY : Faut toujours qu'il se fasse prier.

JOE : Une paire de claques, ça ne vous suffit pas ?

JICKY : Allez, Joe, un bon mouvement, faut absolument que vous connaissiez Dexter.

JoE : Vous verrez bien si je viens.

Il les pousse hors de la boutique et s'efface pour laisser passer un client qui, à l'instant d'entrer, se retourne, l'air approbateur, sur les deux jolies filles.

CLIENT : Vous en avez comme ça tous les jours?

JoE : Ah là là, quelles emmerdeuses!

Le client, un homme très digne d'une cinquantaine d'années, sursaute et regarde Joe avec étonnement. Joe comprend qu'il n'est pas habitué à la simplicité biblique de son vocabulaire et se reprend.

JoE : Excusez-moi, je me suis un peu emporté. Vous savez, c'est le genre de clientes qui vous font tout sortir et qui n'achètent rien. Qu'est-ce que je peux faire pour vous, monsieur?

Fondu enchaîné sur la rivière qui brille au soleil de cette fin d'après-midi du mois d'août. Toute la bande est là, avec des coussins de voiture, des matelas pneumatiques, des bouteilles, des ouvre-boîtes de conserve, des cigarettes, des godasses et un raton laveur. Dexter est au milieu du groupe, très entouré. Il a le genre assez snob, grosse gourmette en or au poignet droit, culotte de bain en tissu écossais, ton poseur. L'appareil qui l'a d'abord pris de face en plan éloigné, le cadre en contrechamp.

DEXTER : Dites, vous commencez à me fatiguer avec votre libraire.

JUDY : Attends de le voir, tu te sentiras gêné.

DEXTER : Tu m'as déjà vu gêné par quelque chose?

Judy le regarde bien en face mais baisse les yeux pendant que Dexter ricane.

JUDY : Bon, bien moi, je vais dans la flotte.

Elle se détache du groupe en courant et plonge dans la rivière. L'eau est douce et limpide. Judy est maintenant assez éloignée de la rive où se trouve la bande. Elle nage, heureuse, sous l'ombre des frondaisons qui frôlent la surface de l'eau.

A ce moment, l'appareil cadre Joe, un peu plus loin, qui nage en silence, avec une souplesse extraordinaire, pareille à celle d'une anguille. Il s'approche de Judy qui ne l'a pas encore aperçu. Il plonge sous elle, la regarde un instant et, brusquement, avec la rapidité d'un éclair, la saisit par un pied et la tire vers le fond. Il remonte à la surface, maintenant la tête de la fille sous l'eau. Judy se débat. Joe, dont personne ne soupçonne la présence, paraît décidé à en finir avec elle. Mais les mouvements que cette dernière fait sont tels que les yeux de Joe sont comme fascinés. Une lueur soudaine allume alors son regard, et il se décide à lâcher sa proie. La tête de Judy émerge. Au moment où la fille, le visage tordu par l'angoisse, va se mettre à hurler, Joe lui ferme la bouche d'un baiser brutal. Peu à peu, la fille plie sous la caresse, cependant que Joe l'enlace au milieu de la rivière.

La caméra reprend maintenant le groupe sur la rive, Jicky

debout à côté de Dexter est la première à voir arriver Joe et Judy
sortis de l'eau. Elle leur fait un signe. Contrechamp de Joe et
Judy qui s'approchent. Nouveau plan de Dexter, impassible, qui
regarde Joe.

DEXTER : Alors, voilà la merveille?

JOE : Bonjour.

Aucun des deux n'a esquissé un geste pour tendre la main à
l'autre, ce qui est absolument contraire au code de la bienséance
et en particulier au manuel de la Baronne Staffe, mais après tout,
peut-être bien que cet ouvrage capital est ignoré sous les longi-
tudes lointaines où se déroule censément cette histoire.

DEXTER, *tourné vers Jicky* : Effectivement, il n'est pas mal.

JOE, *acerbe* : Vous vous y connaissez en garçons?

DEXTER : Entre autres.

JOE : C'est vous, Dexter?

DEXTER, *railleur* : Comment avez-vous deviné?

JOE : On m'avait prévenu que vous étiez très antipathique.

DEXTER : C'est vrai, mais j'ai beaucoup d'argent, alors tout
le monde m'aime. (*A Jicky :*) Et il fait de la boxe, votre
copain?

JOE, *brutal* : Quand ça me prend... Dites donc, c'est à force
de fréquenter des larbins que vous parlez à la troisième
personne?

DEXTER, *à Jicky* : C'est curieux, il est bâti comme un boxeur
noir.

Contrechamp de Joe qui ne bouge pas et qui sourit en fixant
Dexter.

DEXTER : En tout cas, c'est gentil d'être venu.

JOE : Elles sont tellement mignonnes!

Il empoigne Jicky par le bras, posément, l'embrasse sur la
bouche, puis la détache de lui.

JOE : Donne-moi quelque chose à boire.

Joe se laisse choir sur le sol. Dexter recommence à parler.

DEXTER : Eh, Jack, est-ce que tu as...

Au moment où Dexter a pris la parole, Joe a tourné à bloc le
potentiomètre de la radio et couvre la voix de Dexter. Plan rapide
de Dexter, furieux mais surtout étonné. Plan de Joe, très aimable
et très moqueur, qui lève son verre à la santé de Dexter.

La caméra enchaîne sur une boutique de loueur d'habits, quelques jours plus tard. C'est une boutique comme toutes les boutiques, à cela près qu'elle n'a aucun rapport avec une épicerie ou
un marchand d'accessoires pour cycles, en ce sens qu'on y loue
des vêtements. Il s'y trouve un marchand, qui est âgé de qua-
rante-neuf ans, taille 1 m 79, deux dents en or à la mâchoire supé-
rieure, une verrue presque imperceptible à l'index de la main
droite, un pince-nez en argent doré qu'il s'est procuré en 1945 à
Los Angeles durant une visite qu'il faisait à sa belle-sœur, mariée
et mère de quatre enfants dont un frappé de poliomyélite par un

malencontreux hasard au moment où il traversait le pont célèbre de San Francisco; le marchand, qui est plutôt un loueur qu'un vendeur, est vêtu sommairement de chaussettes, de chaussures, d'un complet, d'un caleçon, d'une chemise et d'une cravate, et allume toutes les sept minutes une cigarette; ce jeu de scène échappera sans doute au spectateur qui ne doit le voir que pendant quelques secondes, mais il est important pour la psychologie de l'acteur qui aura à interpréter ce rôle. Il faut ajouter, afin d'être précis, que le loueur en question n'est pas un Blanc, mais un Noir. Derrière lui, à droite et à gauche du magasin, se trouvent de vastes placards à l'intérieur desquels dorment environ 789 complets, pardessus et vêtements de cérémonie de toutes les tailles, exécutés dans des étoffes diverses, et qu'il a coutume de céder pour quelques dollars à ses clients qui les lui rapportent une fois qu'ils s'en sont servis. Le nom de ce personnage est Dominus Vobiscum, nom singulier il est vrai, mais qui est le résultat d'un vœu fait par sa mère enceinte le jour où elle fut prise d'un malaise dans la cathédrale San Cucufa, bien connue au Nouveau-Mexique.

Il est debout en face de Joe qui vient, apparemment, de lui poser une question.

DOMINUS : Un smoking, un beau smoking, j'en ai justement un que je n'ai jamais loué à personne.

Il se retourne, fait quelques pas en direction de l'un des placards et il l'ouvre, puis en tire un smoking accroché à un cintre américain en fil de fer laqué noir, que l'on ne trouve pas couramment en Europe, mais qui sont largement utilisés aux États-Unis.

DOMINUS : Tenez, regardez-moi ça, c'est tout neuf.

JOE : Pas mal.

DOMINUS : Ça va vous aller très bien. Vous allez à la soirée de Monsieur Dexter ?

JOE : C'est bien possible.

DOMINUS : Eh ben, il n'invite pas n'importe qui.

JOE, *rigole* : Vous voyez bien que si.

DOMINUS : Allez, monsieur, vous plaisantez.

JOE : Si j'étais quelqu'un, je ne serais pas obligé de venir chez vous.

DOMINUS, *vexé* : Qu'est-ce que vous croyez, y a des gens très bien qui viennent chez moi.

JOE, *coupant court* : Allez, je vais l'essayer.

DOMINUS : Oh, il vous ira sûrement. C'est ce que j'ai de mieux dans la boutique.

Joe prend le smoking et passe l'essayer dans une cabine.

JOE, *voix off* : Vous savez comment ils ont gagné leur argent, oui ?

DOMINUS : Oui, ils ont de grandes plantations dans le Sud.

JOE : Et des bons Nègres qui travaillent toute la journée pour leur faire leurs rentes.

Gros plan de Dominus, un peu perplexe.

DOMINUS : Vous n'aimez pas les Nègres, monsieur ?

JOE : J'aime pas les esclaves.

Il ressort vêtu du smoking et Dominus fait quelques marques à la craie pour le retoucher, de façon qu'il lui aille parfaitement.

JOE : Ce sera prêt à 6 heures ?

DOMINUS : Sûrement, monsieur, sûrement.

JOE : Merci.

Il commence à retirer le smoking.

Fondu enchaîné sur la grille d'entrée de la propriété de Dexter, éclairée par les phares d'une voiture qui arrive et qui prend l'allée principale avec un bruit de pneus qui grincent sur le gravier.

Plan de Joe montant les quelques marches qui accèdent au rez-de-chaussée. Plans divers de la soirée, dans la musique, le brouhaha, le bruit des conversations et des rires. Un domestique noir prend le chapeau de Joe, très élégant dans son smoking ajusté. Dexter s'approche de Joe.

DEXTER : Tiens, c'est gentil d'être venu. Je vous avais invité ?

JOE : Non.

Il passe devant Dexter et rejoint un groupe où se trouvent ses amis habituels, tout à fait méconnaissables dans leurs robes de soirée et leurs smokings, et quelques visages inconnus, entre autres celui d'un jeune étudiant qui vient d'obtenir son diplôme de Rhéologie à l'université d'Oxford et qui est inscrit pour un cours spécial de français parlé à l'institut athénien de Brive-la-Gaillarde. Les visages des filles et des garçons s'éclairent en voyant Joe (il est bien entendu que ceci est une métaphore et qu'il n'est pas question de mettre en marche un projecteur supplémentaire de 5 kilowatts, ce qui ferait perdre du naturel à la scène).

JICKY : Joe, dansez avec moi.

JUDY : Pourquoi toi d'abord ?

JOE : Si vous commencez à vous bagarrer, moi je danse avec Scott.

Il est en train de passer son bras autour de la taille de cette dernière, assez charmante dans une robe décolletée de satin blanc brodée de grands oiseaux des îles rouges et jaunes, lorsqu'il s'immobilise. La caméra suit son regard et découvre, dans l'entrée, deux filles d'une beauté exceptionnelle et qui, visiblement, sont d'une classe à part. Un bracelet au poignet de la brune, un collier au cou de la blonde, suffisent à donner une idée de la situation financière de leurs parents. La brune, la plus jeune, a un visage triangulaire très pâle et des yeux clairs de chat sauvage. Elle porte une robe extrêmement ajustée qui paraît tenir toute seule. La blonde, un peu plus âgée, a des cheveux très courts. Elle est un peu plus grande et aussi sophistiquée que sa sœur.

La caméra revient sur Joe qui donne une tape affectueuse sur la joue de Scott dont il se dégage gentiment.

Joe : Réflexion faite, on va danser tout à l'heure.

On le voit alors s'éloigner, lentement, mais délibérément vers les deux filles. Dexter est en train de se porter à leur rencontre et Joe l'intercepte en le saisissant au passage par le bras.

Joe : Vous me présentez?

Plan de Dexter qui a une brève hésitation et se dégage de l'étreinte de Joe.

Dexter : Avec plaisir.

Dexter et Joe s'approchent des deux filles.

Dexter : Bonsoir Sylvia, bonsoir Lizbeth. *(Il désigne Joe.)* Joe Grant.

Joe s'incline et, immédiatement, enlace Sylvia, la brune, pour l'emmener danser. Le pick-up joue en ce moment une très jolie musique de slow due à la plume d'un talentueux compositeur (Georges Delerue). Plan américain de Joe et de Sylvia en train de danser.

Joe : Comment se fait-il qu'on ne vous voie jamais ici?

Sylvia : On me voit ici, la preuve.

Elle lève un peu la tête pour le regarder, il la dépasse de 20 bons centimètres dans le sens de la hauteur.

Joe : Je veux dire en ville.

Sylvia : Même si j'habitais ici, vous ne me verriez pas forcément.

Joe, *ironique* : Il y a trop d'amateurs?

Sylvia : Oh, il n'y a pas beaucoup de gens intéressants.

Joe : Alors, j'ai des chances?

Sylvia : Pourquoi? Vous êtes intéressant?

Joe : Vous voulez essayer?

Plan de Sylvia qui le regarde, pas du tout démontée.

Sylvia : Vous êtes cher?

Joe : Vous avez les moyens.

Ils passent en dansant près de Dexter qui danse avec Lizbeth, et Joe, lâchant Sylvia, tape sur l'épaule de Dexter, lui prend sa danseuse et lui repasse Sylvia d'une façon excessivement naturelle.

Joe, *à Dexter :* Permettez, vieux.

Plan de Dexter qui le suit du regard, plutôt intrigué que fâché. Joe serre Lizbeth tout contre lui, le nez dans ses cheveux.

Joe, *d'un ton idiot* : Hum, ça sent bon.

Lizbeth, *sourit* : Vous aimez ce parfum?

Joe, *pénétré* : Oui, ça sent l'argent. *(Elle se dégage et le regarde un peu étonnée.)* Quand est-ce que je peux vous revoir?

Lizbeth : Je ne suis pas encore partie... Vous avez toute la soirée devant vous.

Joe : C'est pas assez.

Lizbeth : Ça dépend de vous.

Joe se serre de nouveau contre elle et ils continuent à danser.

On voit maintenant un coin du bar où les camarades habituels de Joe ont l'air de s'embêter ferme. Joe s'approche, suivi de Sylvia, et il demande deux gins secs au domestique ; ils boivent en se regardant dans les yeux. Jicky flanque un coup de coude dans les côtes de Joe.

JICKY, *entre ses dents* : Alors, on chasse la poule de luxe !

Joe se retourne et la coince contre le bar.

JOE : C'est pas toi qui vas me reprocher d'aimer les jolies filles !

Il se détourne presque aussitôt et, s'adressant à Dick et à Jack :

JOE : Vous vous amusez ici, vous ?

JACK : Mortellement, mon pote.

DICK : Sinistre. C'est un vrai délire.

JOE : Alors, on prend des bouteilles et on va chez Dick.

JUDY : Ben, et Dexter ?

JOE, *geste désinvolte* : On s'en fout, de ce gars-là. *(A Scott :)* Éloigne Dexter cinq minutes, et tu nous retrouves à la bagnole.

SYLVIA : Si j'ai bien compris, on s'en va ?

JOE : On ne peut rien vous cacher.

JACK : La moyenne d'âge est trop élevée. Amenez-vous.

Jack entraîne Sylvia et fauche négligemment une bouteille de gin au passage ; Dick, avec le même naturel, embarque deux bouteilles de scotch que Judy et Jicky mettent aussitôt en lieu sûr, et ils se dirigent discrètement vers la sortie. Joe s'est éloigné à la recherche de Lizbeth, que l'on retrouve avec Dexter et un homme âgé, tous les trois ont un verre à la main.

JOE, *à Dexter :* Excusez-moi, j'ai un mot à dire à Mlle Shannon.

Il entraîne Lizbeth jusqu'au perron, on les voit discuter un peu, puis il finit par l'empoigner et lui fait descendre les marches pendant qu'une voiture démarre et s'éloigne, et qu'une seconde voiture, celle de Jack, s'arrête devant eux. Il y a, dedans, Jack, Scott et Judy.

JACK, *à Joe :* Monte, les autres sont avec Dick.

JOE : On y va.

Il pousse Lizbeth sur le siège avant, s'assoit, referme la portière et la voiture part. Lizbeth tient toujours son verre.

Fondu enchaîné sur le living-room chez Dick. Le pick-up est déchaîné. Ils sont une douzaine à danser et à boire, Sylvia commence à être un peu ivre. Joe danse avec Lizbeth et, le disque fini, se trouve près de Sylvia.

SYLVIA : Dites donc, c'est une exclusivité !

LIZBETH : Sylvia, ne sois pas gâteuse.

Joe entraîne Lizbeth dans une nouvelle danse. Sylvia, d'un trait, vide son verre et le remplit à nouveau de gin. Montage rapide de divers plans de la soirée qui s'anime de plus en plus.

Sylvia se livre à diverses excentricités, encouragée par les filles qui sont ravies de la voir un peu partie.

Gros plan de Joe et de Lizbeth, dans la pièce voisine. Ils s'embrassent. La lumière s'allume et, en contrechamp, on voit Sylvia, un peu échevelée, son verre à la main, sur le seuil de la pièce.

SYLVIA : Oh, pardon.

Joe se dégage et la regarde.

JOE : Faites comme chez vous.

Il se remet à embrasser Lizbeth. Sylvia, hors d'elle, lance son verre à travers la pièce et se jette sur sa sœur.

SYLVIA : Tu as fini, tu as fini, saleté ? Il te les faut tous alors ! Toujours toi !

Joe essaie de s'interposer, mais Sylvia est en proie à une crise de fureur.

Judy et Jicky, suivies de Dick, paraissent aux côtés de Joe et, moitié exprès, moitié involontairement, l'empêchent d'intervenir.

LIZBETH : Sylvia, arrête, tu es ridicule !

SYLVIA, *hystérique* : C'est toi qui es ridicule !

Joe se dégage de Jicky et Judy, empoigne Sylvia qui se débat, traverse les deux pièces et gagne la salle de bains dans laquelle il s'enferme avec elle. Écartant le rideau de la douche, il pousse Sylvia sous la douche et ouvre en grand le robinet. Sylvia, d'abord suffoquée, se dégrise peu à peu et se met à rire. Posément, sous la douche qui jaillit, elle commence à se dégager de sa robe.

Plan de Lizbeth, entourée de Dick et de Jack, qui lui font boire un verre.

Plan de Scott en train de danser avec un autre garçon, un autre couple danse également dans la pièce. On entend, brutale, une sonnerie dans l'entrée. Jack, suivi de Dick et des autres, se dirige vers l'entrée.

JACK : Qui c'est ?

JICKY : Je parie que c'est le Père Noël.

JUDY : C'est pas le Père Noël, c'est le laitier.

DICK : Moi, je parie que c'est la mobilisation.

JACK : Combien tu paries ?

Pendant qu'ils se rendent vers l'entrée, Lizbeth se dirige vers la salle de bains et frappe à la porte. Plan de Dexter dans l'entrée.

DEXTER : Où est Joe ?

JUDY : Oh, c'est Dexter ! Ah, quelle chance, viens boire un coup ! On a un scotch formidable, il vient de chez toi.

JICKY : Peut-être que tu préfères un peu de gin ? Il vient de chez toi aussi.

DEXTER : Fermez ça, bande de crétins.

Tous l'entourent et le poussent vers le bar qu'ils ont improvisé.

DICK, *à Jack* : Tu as perdu ton pari !

JACK : Toi aussi !

Dɪᴄᴋ : Je te dois 1 dollar.

Jᴀᴄᴋ : Moi aussi.

Cérémonieusement, ils échangent deux billets d'un dollar. Pendant ce temps-là, Judy prépare un verre pour Dexter, que Scott, Jicky et Nicholas font tomber dans un fauteuil. Avec une maladresse habilement concertée, ils réussissent à inonder de whisky le smoking blanc de Dexter.

Sᴄᴏᴛᴛ, *tombant à genoux* : Oh, doux Jésus, ton beau smoking neuf!

Dexter s'est levé et, furieux, commence à regarder dans les diverses pièces. Il arrive à l'escalier et voit Lizbeth descendre, en larmes.

Dᴇxᴛᴇʀ : Joe est là-haut?

Lizbeth renifle et hoche la tête. Dexter monte quatre à quatre. Il hésite devant plusieurs portes, et il va foncer sur la première quand elle s'ouvre, et Dexter voit sortir Sylvia, vêtue d'un peignoir de bain, les cheveux trempés, l'air un peu dans la vape.

Jᴏᴇ, *à Dexter* : Vous amenez une robe de rechange?

Dexter reste muet.

Plan de Dexter dans sa voiture, une grosse Cadillac blanche, Sylvia est à côté de lui et somnole sur son épaule; Lizbeth va monter, Joe est à côté d'elle. Avant de s'asseoir, Lizbeth lui pose sur les lèvres un baiser rapide. La portière se ferme, la Cadillac démarre rapidement. L'appareil cadre en gros plan le visage de Joe, qui a un léger sourire.

On enchaîne sur ce même regard, un ou deux jours plus tard. L'appareil recule et découvre Joe seul dans sa librairie, sa guitare entre les mains, en train d'égrener les accords du blues qui sert de leitmotiv au film. A côté de Joe, le téléphone. Un client entre et lance un vague bonjour, auquel Joe répond par un grognement non moins indistinct. Le client prend quelques journaux, pose quelques pièces sur les comptoirs, en habitué, et s'en va sans que Joe lui ait prêté la moindre attention.

Dans la rue, à 280 mètres du sol, passe un vol de petits canards, au nombre de douze, qui se précipite en direction d'un marécage situé à sept kilomètres de la ville. Deux personnes lèvent la tête avant d'entrer dans la boutique. Oh surprise, ce sont Judy et Jicky qui entrent. Jicky a l'air plus amoureuse que jamais et s'approche de Joe, se frotte contre lui avec toutes les manifestations extérieures d'une chatte en chaleur, à supposer que les chattes en chaleur marchent sur deux pattes, aient des cheveux blonds et mettent du rouge à lèvres. Joe ne lâche pas sa guitare et lui dit, d'un ton neutre :

Jᴏᴇ : Te fatigue pas, ça ne m'intéresse plus.

Jᴜᴅʏ *s'approche, à Jicky* : Tu vois, je te disais que tu finirais par le fatiguer. Maintenant, c'est mon tour.

Jᴏᴇ : Allez, barrez-vous toutes les deux.

Jᴜᴅʏ : T'as des angoisses métaphysiques? Fais attention, tu dois lire trop de livres.

Joe, *indifférent* : Foutez-moi la paix.

Jicky : T'es pas en forme à cette heure-là ?

Judy : Je te dis, il pense trop, ça lui réussit pas.

Joe : Foutez-moi le camp toutes les deux. C'est fini, je vous dis.

Jicky, *à Judy* : Je t'assure, il est devenu impuissant.

Joe : Généralement, ça dépend pas de l'homme.

Il se lève, pose sa guitare sur le comptoir et les pousse sans trop de gentillesse vers la porte. Judy se retourne.

Judy, *sèchement* : Alors, c'est par devoir que vous couchiez avec nous ?

Joe, *les pousse dehors* : C'est par hygiène. Mais maintenant, je suis en parfaite santé. Alors, j'ai plus besoin de l'ordonnance.

Elles ont fini par comprendre et s'éloignent.

Plan de Joe debout sur le seuil de sa librairie, les mains aux hanches, qui les regarde. On entend une voiture s'immobiliser le long du trottoir, hors du champ. Joe regarde dans cette direction. Puis Dexter entre dans le champ, de profil. Il est élégamment vêtu d'une veste de tweed de chez le bon faiseur, d'un pantalon gris anthracite, de chaussures de crocodile de fabrication italienne, et d'accessoires à l'avenant, comme la poire.

Dexter : Je peux vous parler ?

Joe continue à barrer l'entrée de sa boutique de toute sa largeur.

Joe : De quoi ?

Dexter : De diverses choses dont je n'ai pas envie de discuter dans la rue.

Joe, *avec un léger sourire* : Une importante conversation d'affaires ? *(Il se détourne, s'efface.)* Entrez.

Plan de la porte qui se referme doucement sur Dexter. On enchaîne sur l'intérieur de la boutique. Dexter et Joe sont installés dans la chambre de ce dernier, et Joe verse deux verres de whisky.

Joe : Asseyez-vous.

Dexter : Merci.

Il s'installe dans un fauteuil d'osier datant de la guerre de Sécession qui a été légué au libraire Hansen par son arrière-grand-mère, Altamira Wilson, une femme brune de 1,80 m qui occupait 62 esclaves noirs dans sa plantation de gomme à chiquer. Éventuellement, on pourra le remplacer par un fauteuil ordinaire, mais l'effet produit sur le spectateur risque de ne pas être le même.

Dexter regarde Joe, boit un peu de whisky, regarde Joe de nouveau.

Dexter : Qu'est-ce que vous avez contre moi ?

Joe : Ça veut dire ?

Dexter : Que vous ne pouvez pas me sentir.

Joe : Y a des gens qui peuvent?

Dexter : Écoutez, si on faisait la paix, tous les deux?

Joe : On peut pas faire la paix sans guerre.

Dexter, *hausse les épaules* : Vous avez tort de lire les livres de votre boutique. Pourquoi est-ce que vous me faites toujours une gueule comme ça?

Joe, *complètement fermé* : Je suis incapable de dissimuler mes sentiments.

Dexter se lève, verre en main. Joe est debout, accoudé à la commode, et boit une gorgée distraite. Dexter s'approche de lui.

Dexter : Écoutez, on vit tous les deux dans la même ville, on connaît les mêmes gens, on se retrouve dans les mêmes endroits, je trouve ça complètement grotesque d'être en mauvais termes avec vous. Vous attendez beaucoup de clients aujourd'hui?

Joe, *un peu surpris* : Comment ça? J'en sais rien, moi.

Dexter : Écoutez, fermez votre boutique, vous venez avec moi, on va faire une virée ensemble et je vous garantis qu'on reviendra bons copains.

Joe : Pourquoi est-ce que vous tenez tellement à sortir avec moi?

Dexter : Rassurez-vous, c'est pas pour vos beaux yeux. *(Un silence.)* Redonnez-moi un peu de whisky. *(Joe lui verse à boire.)*

Joe : Je ne peux pas quitter la boutique aujourd'hui. J'attends un coup de fil important.

Dexter : Ah, je vois.

Joe : Qu'est-ce que vous voyez?

Dexter, *regarde à travers son verre comme si c'était une boule de cristal et fait quelques passes magnétiques* : Je vois une femme brune et une femme blonde qui sont en train de se battre pour arriver la première au téléphone. *(Il se marre.)* Au fond, vous êtes un grand sentimental.

Joe : C'est formidable ce que vous me connaissez bien.

Un temps. Joe va chercher un peu de glace qu'il met dans son verre.

Dexter : Vous les avez tombées comme un champion, ça je dois dire. Vous savez que ce sont les filles les plus riches de tout le coin?

Joe : C'est ma spécialité, tombeur de comptes en banque.

Dexter : Ah, c'est embêtant, vous prenez tout sur le ton de la plaisanterie.

Joe : Je ne suis pas exhibitionniste.

Dexter : Le fait est que c'est difficile d'arriver à savoir quelque chose sur vous.

Joe va à la radio et la met en marche en sourdine.

Dexter : Je vous embête, hein, avec mes questions.

Joe : J'irai même jusqu'à dire que vous m'emmerdez.

Il allume une cigarette, et la caméra le suit tandis qu'il passe dans le magasin, prend sa guitare, s'arrête près du téléphone, le regarde, et va rejoindre Dexter.

JOE : Réflexion faite, je vais avec vous.

DEXTER, *surpris* : Mais si elles téléphonent?

JOE : Qui?

Il raccroche sa guitare au mur à sa place habituelle, rince les deux verres, range la bouteille à côté d'un vieux morceau de fromage Borden enveloppé de cellophane qu'il a acheté l'avant-veille au crémier du coin de la rue, baisse les manches de sa chemise (est-il besoin de préciser qu'elles étaient roulées jusqu'aux coudes), prend son veston et suit Dexter qui s'est levé et passe près du téléphone.

DEXTER : Vous pourriez les appeler.

JOE, *le regarde bien en face* : Vous en faites pas, elles rappelleront.

Dexter sort de la boutique, Joe aussi. Dexter sort du champ pour regagner sa voiture. Joe ferme sa porte à clé. Un client, un jeune étudiant à lunettes, s'approche, visiblement pour entrer.

ÉTUDIANT : Vous fermez déjà?

JOE : Ben oui, quoi, il est 6 heures.

Gros plan de l'étudiant qui regarde son bracelet-montre, il est 14 h 30. Il secoue la tête, l'air très surpris et s'éloigne.

Fondu enchaîné sur le living-room de la somptueuse résidence des sœurs Shannon. Un téléphone rose sur une table basse. Lizbeth est en train de tenir le combiné contre son oreille. On entend la tonalité pas libre.

Plan de Sylvia dans sa chambre, qui décroche le combiné d'un téléphone blanc et le repose avec agacement en constatant que la ligne est occupée. Elle se lève et court jusqu'au living-room. Elle est, aujourd'hui, vêtue de blue-jeans et d'un cardigan de sport du bon faiseur. Ce qu'il y a dedans vient également de chez le bon faiseur. Elle descend l'escalier rapidement et se précipite dans le living-room où elle voit sa sœur reposer l'appareil.

SYLVIA : Tu vas garder la ligne toute la journée?

LIZBETH : Laisse-moi tranquille.

SYLVIA : Et peut-on savoir qui tu appelles?

LIZBETH : Non.

Sylvia, pour la provoquer, décroche l'appareil et compose un numéro qu'elle épelle à mi-voix en guettant Lizbeth qui ne sourcille pas.

LIZBETH : C'est pas la peine, il n'y a personne.

SYLVIA, *furieuse* : Tu crois peut-être que tu as le monopole?

LIZBETH : Tu es ridicule.

SYLVIA : Je sais très bien que tu n'as rien fait avec lui.

LIZBETH : Mais toi, tu as fait quelque chose avec lui.

SYLVIA, *sarcastique* : Tu as deviné. Et j'ai l'intention de recommencer.

Lɪᴢʙᴇᴛʜ : Mais qu'est-ce que ça prouve. *(Sylvia est un peu interdite et ne répond pas.)* Ça prouve que tu n'es bonne qu'à ça, un point c'est tout.

Sʏʟᴠɪᴀ : Et toi, c'est pas ça que tu cherches?

Lizbeth ne répond pas et redécroche l'appareil.

La caméra montre maintenant Dexter et Joe, en plusieurs plans, qui sont en train de fignoler une tournée des grands ducs.

Dᴇxᴛᴇʀ, *devant son verre* : A vos amours! *(Joe sourit et boit sans quitter Dexter des yeux.)* On remet ça?

Jᴏᴇ : Si on changeait de crémerie?

Plan d'un autre bar, le barman est Noir.

Dᴇxᴛᴇʀ : Allez, Bamboula, deux scotchs.

Jᴏᴇ, *sarcastique, à Dexter* : C'est un de vos amis?

Dᴇxᴛᴇʀ, *il est gêné* : Ouais.

Plan de Joe aidant Dexter à se réinstaller au volant de la Cadillac blanche.

Jᴏᴇ : Ça va aller, oui?

Dᴇxᴛᴇʀ, *pâteux* : Il m'en faut plus que ça.

Il manque de se casser la figure en montant dans la voiture. Joe s'installe, démarrage en trombe. Posément, Joe coupe le contact. Dexter freine.

Dᴇxᴛᴇʀ : Vous avez raison, je crois que je vais vous laisser conduire.

Plan de Joe au volant, qui semble éprouver de la satisfaction à conduire cette voiture de luxe. Il ne sait pas que dans la malle arrière se trouve le cadavre de la petite fille assassinée en janvier 1924 près des chutes du Niagara. D'ailleurs, personne ne le sait et personne ne s'en doutera jusqu'à la fin du film.

Jᴏᴇ : Où va-t-on?

Dᴇxᴛᴇʀ : Je vais vous montrer un truc formidable. Tournez à la prochaine à droite.

Maintenant, il fait nuit.

Plan de Dexter et de Joe qui descendent de la voiture arrêtée aux abords d'une petite ruelle obscure. Pauvres jardins autour de maisons lépreuses, rebuts divers. Sous une pile de vieilles boîtes de conserve, le manuscrit original du *Vieil Homme et la mer* d'Hemingway, que celui-ci a caché là pour faire une farce à son éditeur, et qu'il a dû récrire complètement ayant oublié l'endroit. Le manuscrit est actuellement illisible et ressemble presque à un vieux journal.

Jᴏᴇ : Où m'emmenez-vous donc?

Dᴇxᴛᴇʀ, *lui donne une grande claque sur l'épaule* : Je vais vous faire subir un test, mon vieux. *(Sans être complètement ivre, il a déjà quelques difficultés d'élocution.)*

Jᴏᴇ, *ne voulant pas le contrarier* : Ah, très bien, très bien.

Finalement, ils parviennent devant une baraque de deux étages dont la description complète sera donnée dans une livraison ultérieure, et Dexter grimpe les deux marches sans hésiter. Il sonne.

La porte s'ouvre, on aperçoit, dans la faible lumière de l'intérieur de la maison, une grosse mulâtresse qui s'efface pour les laisser passer. Ils montent un escalier sale et parviennent dans une sorte de studio miteux baigné d'une lumière tamisée. Mobilier genre Levitan américain. Dans un coin, un divan. Sur une table basse, une bouteille de whisky et des verres.

Joe, très à l'aise, regarde le tout avec une parfaite indifférence pendant que Dexter, poussé par une lourde hérédité alcoolique, verse deux whiskies, et en porte un à Joe.

JOE : Charmante, votre garçonnière.

La caméra le prend en plan moyen et on voit son expression changer. En contrechamp, on voit deux jeunes Négresses entrer dans la chambre, poussées par la tenancière.

Plan de Joe qui réussit à se maîtriser.

Plan de Dexter qui paraît soudain moins ivre et l'observe avec une attention aiguë. Dexter repose son verre, retire sa veste.

DEXTER : La couleur ne vous gêne pas, j'espère ?

Joe ne dit rien, regarde Dexter qui enchaîne, très à l'aise.

DEXTER : J'ai pensé que ça vous ferait plaisir, après toutes ces petites Blanches.

JOE : Ça veut dire ?

DEXTER : Ben, ça va vous changer, et puis ça vous rappellera votre pays. Vous venez du Sud, non ?

JOE : C'est pas un mystère.

DEXTER, *très affable* : Choisissez, mon vieux, je prendrai l'autre.

Joe ne bouge pas, Dexter sourit d'un sourire fielleux.

DEXTER : Vous vous dégonflez ?

Joe retire sa veste à son tour et défait les deux premiers boutons de sa chemise.

JOE : Je me dégonfle rarement.

Il s'assied sur une chaise et tend son pied droit à une des filles.

JOE : Enlevez-moi ça.

On enchaîne sur la rue de Trenton où se trouve la boutique de Joe. C'est le lendemain matin, un dimanche, il fait beau. Toutes les boutiques sont fermées, y compris la librairie. On ne tarde pas à voir Joe sortir. Son visage est encore plus sombre que d'habitude. Il se dirige vers sa voiture, qui est stationnée un peu plus loin. Il jette un regard autour de lui, comme s'il voulait s'assurer que nul ne prête attention à ce qu'il va faire. Quelques personnes passent.

Joe met le moteur en marche. La voiture démarre. Elle disparaît au bout de Broad Street.

Cependant, l'appareil reste à la même place et découvre Dexter qui se tenait dissimulé dans le square. Dexter se met à courir vers sa voiture qui se trouve dans une petite rue annexe. La Cadillac manœuvre rapidement et prend le même chemin que la voiture de Joe. De toute évidence, Dexter veut suivre Joe sans se laisser voir de lui.

La voiture de Joe sort de Trenton et se met à rouler à vive allure, droit devant elle. Celle de Dexter la suit à une distance telle que Joe ne peut absolument pas se douter, s'il la voit, que c'est ce dernier qui le suit.

La voiture de Joe s'arrête bientôt à un poste d'essence. Pendant que le pompiste fait le plein, Joe interroge :

Joe : La prochaine ville, c'est loin ?

Pompiste : Wood-City... non, à 60 miles.

Joe paie, remonte en voiture et repart de plus belle. Cependant, la voiture de Dexter suit toujours.

De loin, on voit la voiture de Joe qui se dirige vers les quartiers pauvres de la ville. Finalement, elle s'immobilise devant une grande baraque misérable, à l'intérieur de laquelle on le voit entrer.

Dexter, qui a stoppé à une distance respectable de la voiture de Joe, s'approche à pied de la grande baraque. Au fur et à mesure qu'il avance, on entend, de plus en plus distinctement, le chant d'une chorale religieuse qu'accompagne un harmonium. Il n'y a plus de doute, c'est de l'intérieur de cette baraque que vient le chant. Et ce chant, c'est un gospel très pur, rythmé et très émouvant... Dexter esquisse un sourire et se met en devoir de surveiller la porte du temple...

A l'intérieur, Joe se glisse parmi les Noirs qui, surpris, s'écartent pour lui faire une place. Le visage de Joe fait un contraste saisissant avec celui plus sombre de tous les fidèles.

On assiste alors avec Joe à la fin de l'office. Le chant s'enfle majestueusement. Tous les fidèles y participent avec recueillement.

Joe baisse la tête, absorbé.

Mais bientôt, le cantique cesse. C'est la fin de l'office. Joe sort de son rêve, comme si quelqu'un le touchait à l'épaule. Au passage, certains Noirs le dévisagent, avec curiosité et sans hostilité.

Dehors, Dexter assiste à la sortie de la messe. Le visage de Dexter trahit une satisfaction évidente. Cette fois, Joe est catalogué, c'est un Noir !

Mais le flot des fidèles s'éclaircit, et bientôt personne ne sort plus du temple dont les portes restent béantes.

A l'intérieur, Joe est toujours à la même place. Il est seul maintenant. Une grande angoisse semble l'agiter. Timidement d'abord, puis hardiment, il se dirige vers la petite porte de la sacristie. A ce moment, apparaît le pasteur... C'est un Noir.

Sans manifester d'étonnement, il s'arrête.

Pasteur : Que puis-je faire pour vous ?

Joe hésite une seconde, évitant de répondre à la question, sort de sa poche une liasse de dollars qu'il tend au pasteur, en disant :

Joe : Pour les enfants de votre ville.

Le pasteur prend la liasse et la feuillette, les yeux baissés, étonné.

PASTEUR, *un peu durement* : D'ordinaire, les Blancs s'occupent plutôt de la misère des leurs...

JOE : C'est exact...

Le pasteur considère l'homme qu'il a en face de lui, puis dit simplement :

PASTEUR : Je vous prie de m'excuser.

Joe va s'éloigner, mais le pasteur le retient légèrement par le bras.

PASTEUR : Vraiment, vous êtes sûr que je ne peux rien pour vous ?

JOE : Rien de plus...

Plan de Dexter qui regarde sa montre, puis allume une cigarette.

Plan du porche du temple. Dexter voit apparaître sous le porche Joe et le pasteur. Ce dernier pose sa main sur l'épaule de Joe, et Joe s'éloigne.

Devant ce spectacle, Dexter ne peut réprimer un sourire de satisfaction. On le voit réfléchir un instant au meilleur parti qu'il va pouvoir tirer de sa découverte. Puis, profitant de ce que les deux hommes lui tournent le dos, il s'éclipse rapidement en direction de sa voiture.

Enchaîné sur la librairie à Trenton. Arrivée de la voiture de Joe. Devant la librairie stationne déjà une voiture. C'est la voiture de Lizbeth. Joe est visiblement contrarié de se trouver en présence de la jeune femme qui est pourtant plutôt bandante.

LIZBETH : Bonjour.

JOE : Qu'est-ce que vous faites ici ?

LIZBETH : Vous avez l'air ravi de me voir.

JOE : C'est une bonne surprise.

Il tire de sa poche la clé de la porte, une belle clé en acier nickelé d'une longueur approximative de 3 inches (7 cm 62), l'introduit dans le trou de la serrure et ouvre la porte de sa boutique dans laquelle il pénètre suivi de Lizbeth.

LIZBETH : Je veux vous parler.

JOE : Parlez-moi si ça vous amuse.

Il se met à vaquer à des besognes variées, arrangeant des livres, préparant ses vitrines pour le lendemain, tandis que Lizbeth continue à le suivre en essayant visiblement d'être gentille avec lui.

LIZBETH : Pourquoi est-ce que vous ne répondez jamais au téléphone ?

JOE : Je ne peux pas répondre quand je ne suis pas là.

LIZBETH : Pourquoi n'êtes-vous jamais là ?

JOE : Probablement parce que je suis ailleurs.

Il passe dans sa chambre et commence à ramasser du linge qui traîne, des verres, etc. Lizbeth est venue s'asseoir sur son lit.

LIZBETH : C'est tout de même pas moi qui vous ai couru après.

Joe : Alors, qu'est-ce que vous êtes en train de faire ?

Lizbeth : J'avais plutôt l'impression que je vous plaisais.

Joe s'arrête, la regarde, et rigole de façon assez odieuse, puis continue son rangement.

Lizbeth : Vous savez ce que vous voulez ?

Joe : Oui, aujourd'hui je veux être tranquille.

Lizbeth : Joe, vous n'êtes pas pareil aux autres.

Joe, *ricane* : Ça alors, vous ne pouvez pas savoir à quel point vous avez raison.

Il flanque brutalement trois chemises dans la corbeille à linge de la salle de bains, décroche sa guitare et va s'installer à sa place favorite sur le comptoir près de la caisse enregistreuse.

Plan de coupe sur Dexter qui est en train de téléphoner de sa chambre. Il est allongé sur son lit, le téléphone sur une table basse à son chevet. Ameublement de luxe, ça sent le pognon que ça en est une horreur.

Dexter : Je m'en fous que ce soit dimanche, je vous paie suffisamment pour avoir le droit de vous appeler le dimanche. Qu'est-ce que vous savez ?

Plan d'un petit homme chafouin, en pantalon, chemise et savates, dans une miteuse chambre d'hôtel. C'est un détective privé de bas étage, ça se voit à la marque des cigarettes qu'il fume.

Détective : Comment voulez-vous que je trouve quelque chose de sérieux en si peu de temps ?

Bruit furieux de la voix de Dexter dans le récepteur que l'homme éloigne de son oreille comme si c'était une guêpe ou même un frelon gros modèle.

Détective : Je vous ai dit ce que vous vouliez savoir, non ?

Dans le récepteur, voix de Dexter qui hurle « *Je veux des détails* » et qui raccroche. Le détective raccroche à son tour en haussant les épaules.

Détective : Des détails, des détails... Des détails, il me fait marrer.

Plan de Dexter qui bondit de son lit et empoigne sa veste pour sortir.

Plan de Joe. Il pose sa guitare, se lève.

Lizbeth : Joe, je vous en prie, écoutez-moi.

Joe : J'écoute.

Lizbeth : Qu'est-ce qui vous tourmente ?

Joe : Des vieilles histoires. Qu'est-ce que ça peut vous faire ?

Lizbeth : Ce n'est pas à propos de Sylvia.

Joe, *durement* : Vous avez envie de me faire une scène parce que j'ai couché avec votre sœur ?

Lizbeth se détourne et hausse les épaules, parfaitement détendue.

Lizbeth : Vous êtes complètement idiot.

Joe : Et vous, vous êtes complètement cinglée. Allez-vous-en d'ici, pendant qu'il est encore temps.

Le téléphone sonne, Joe va au comptoir et décroche.

Joe : Joe Grant à l'appareil... Oui. Votre sœur? Oui, elle est ici, ça vous dérange? Venez lui dire vous-même. *(Il raccroche.)*

On découvre maintenant Dexter qui s'approche à pied de la librairie. Tout à coup, son regard est attiré par une voiture en stationnement qu'il croit connaître. Il s'approche de cette voiture. Pas de doute, c'est bien celle de Lizbeth. Dexter n'en revient pas. Machinalement, il lève les yeux vers le premier étage de la librairie. Il ne voit rien et n'entend rien. Il est intrigué. Il vient tout près de la porte. Il hésite un peu, puis se décide à sonner. Timidement d'abord, de plus en plus hardiment ensuite. On entend le bruit persistant de la sonnette à l'intérieur. La porte ne s'ouvre pas. Pourtant, Dexter est bien sûr que Lizbeth est là, et si elle est là c'est que Joe y est aussi. Dexter abandonne la sonnette et se met à cogner dans la porte à coups redoublés, en appelant Joe d'une voix persistante.

Dexter : Joe, venez voir... Joe, j'ai une surprise pour vous...

A ce moment, la porte s'ouvre violemment, découvrant Joe le visage furieux. Avant même que Dexter ait pu ouvrir la bouche, Joe lui décoche à la mâchoire un direct bien placé. Dexter vacille sur ses jambes, puis va s'écrouler, sonné, sur la voiture de Lizbeth.

On entend le bruit de la porte qui se referme.

L'appareil reste un instant sur Dexter qui s'assied sur le bord du trottoir, tout hébété, se frottant le menton comme s'il cherchait à comprendre ce qui lui est arrivé...

On entend le bruit d'une voiture qui freine à quelques mètres de là. C'est la voiture de Sylvia. Cette dernière sent la fureur redoubler quand elle voit la voiture de sa sœur ostensiblement arrêtée devant la librairie. Cette fureur devient de la stupeur quand elle découvre Dexter dans sa position ridicule.

Sylvia : Qu'est-ce que vous faites là?

Dexter : Aidez-moi à me relever.

Sylvia s'approche de Dexter et lui tend la main pour l'aider à se mettre debout.

Dexter : Venez.

Sylvia : Je veux voir Joe.

Dexter : Venez.

Après un rapide regard sur la boutique, Sylvia se décide à suivre Dexter.

Cependant, l'appareil reste quelques instants sur la façade de la librairie.

On enchaîne sur Dexter et Sylvia qui arrivent chez ce dernier. Il fait monter Sylvia dans sa chambre. Il s'examine le visage dans une glace.

Dexter : Vous savez qui c'est, Joe Grant?

Sylvia : Non... Dites toujours...

DEXTER : C'est un Noir...

A la grande surprise de Dexter, Sylvia ne semble pas réaliser. Elle finit par hausser les épaules, visiblement incrédule. Mais Dexter revient à la charge.

DEXTER : Vous avez couché avec lui oui ou non?

SYLVIA : Qu'est-ce que ça peut vous faire?

DEXTER : Ça vous fait plaisir, d'avoir couché avec un Noir... Et de savoir que votre sœur est en train d'en faire autant?

SYLVIA : Vous êtes fou.

DEXTER : C'est tout l'effet que ça vous fait?

SYLVIA : Qu'est-ce que vous voulez que ça me fasse? C'est idiot.

Elle parle les dents serrées, toute à sa jalousie.

DEXTER : Vous ne comprenez pas ce que je vous dis.

SYLVIA : Si, je comprends... et j'ai eu tort... vous me dégoûtez.

DEXTER : Vous avez couché avec un Noir, Sylvia. Il a passé la ligne, mais c'est un Noir. Un vrai.

SYLVIA, *hurle* : Je m'en fous! Je m'en fous!

Dexter la gifle brutalement.

DEXTER : Un peu de calme.

Sylvia est médusée que Dexter ait osé la gifler.

SYLVIA : Vous regretterez ça...

Il lui tient les poignets, car il sait que s'il la lâche, elle va lui sauter au visage comme un chat en colère.

DEXTER : Écoutez-moi, crétine. Joe Grant est un sang-mêlé. Il y en a des dizaines de milliers comme ça. Est-ce que vous vous êtes demandé pourquoi il essaie de vous avoir toutes les deux?

Sylvia a réussi à se dégager et se rue sur lui, complètement enragée. Dexter recule; sa main cherche un tiroir. Elle le frappe au visage.

SYLVIA : Salaud! Vous tapez sur les femmes, maintenant?

La main de Dexter a trouvé un revolver dans la commode. Il le saisit tandis que Sylvia lui martèle le visage. D'un geste sec, il assomme Sylvia d'un coup de crosse.

Elle tombe. Il la retient, fourre machinalement le revolver dans sa poche, la pose sur le lit, va chercher un pot d'eau pour le lui vider sur le visage. Puis il se ravise, repose le pot d'eau sur la table de nuit et commence à déshabiller Sylvia qui ne bouge pas. Mais il se ressaisit, passe sa main sur sa joue griffée, hausse les épaules, vide le pot d'eau sur Sylvia et sort. Le soir tombe.

Devant la librairie, la voiture de Lizbeth. Elle y est assise, seule. Dexter arrive et ne se montre pas. La porte de la librairie est ouverte. Profitant de ce que Lizbeth se remaquille, Dexter se glisse à l'intérieur. Il fait sombre. De la lumière vient de la cave. Dexter s'y dirige.

Joe est seul. Il vient d'ouvrir un placard où se trouvent une corde, une pioche, une pelle et un sac. Il reste immobile. Il saisit la pioche, la repose. Il saisit la corde.

Plan de coupe brutal sur le cou cassé de son jeune frère, avec la corde de la scène du début. Joe laisse tomber la corde. Il va refermer le placard.

C'est à ce moment que Dexter arrive.

DEXTER, *à mi-voix* : Alors, salaud de Nègre... Tu te préparais...

Il a le revolver à la main, braqué sur Joe. Ce dernier n'a pas bougé.

DEXTER : Tu lui joues la comédie de l'amour, et tu lui prépares un beau petit collier...

JOE, *très calme* : Laisse tomber.

DEXTER : Tu penses bien qu'elle s'en doute. T'es pas le seul à avoir des talents d'acteur. Elle se fout de toi, en ce moment.

(Joe ne bouge pas.)

JOE : Lâche ça, tu vas te blesser.

Puis, usant d'un truc bien classique, il feint de voir quelqu'un entrer :

JOE : Tiens... Sylvia...

Dexter s'est retourné et déjà, le pied de Joe a envoyé valser le revolver ; mais Dexter est décidé à la bagarre, ce coup-ci. Il réussit à empoigner une bouteille qui traîne sur une table et casse le goulot pour le planter dans la figure de Joe. Ce dernier attrape la table et l'envoie dans les pattes de Dexter qui s'effondre. Joe se rue sur lui et lui bourre la figure de coups terribles. Il souffle et se relève enfin. Les dents serrées, il empoigne la pioche, la pelle et la corde, les fourre dans le sac et remonte l'escalier sans un regard pour Dexter.

Sans que Lizbeth le voie faire, il jette le sac dans le coffre arrière et s'installe au volant.

JOE : Allons...

Plan du salon dans la maison d'un juge de province. Assis à son bureau, le juge est en train de remplir la licence de mariage. Derrière lui, immobiles, Lizbeth et Joe. Le juge se lève et tend la main à Lizbeth.

JUGE : Je vous félicite.

Plan de l'intérieur de la voiture de Lizbeth, qui fonce à toute vitesse le long d'une route rectiligne bordée de champs et de forêts. Il est déjà tard dans l'après-midi. Le soleil, à l'ouest, est dans l'axe de la route et éblouit Joe qui conduit. Lizbeth, très détendue, a la tête appuyée sur l'épaule de Joe. La radio de la voiture fait entendre le thème du film. Le paysage défile à toute vitesse. On n'entend plus que le ronron du moteur mêlé au fond sonore qui va s'amplifiant.

Soudain, Joe débraie, freine. La voiture s'arrête. C'est la pleine campagne. La route est déserte. De chaque côté, de grands bois.

Joe met pied à terre.

Joe : Descends, on va marcher un peu.

Pendant que Lizbeth ouvre la portière et sort de la voiture, Joe prend le sac à l'arrière... Il le dissimule sous son imperméable et rejoint Lizbeth.

Les voilà qui s'enfoncent maintenant dans les bois. Lizbeth a pris la main de Joe. Elle marche à côté de lui, confiante.

Lizbeth : Tu vas m'embrasser, un jour, oui ou non?

Joe s'arrête. Il semble embarrassé. Il lâche le sac qui tombe à terre.

Joe : Tu as vraiment envie que je t'embrasse?

Lizbeth : C'est surprenant, hein?

Elle lui passe ses bras autour du cou.

Lizbeth : Dis-moi ce qui te tracasse.

Joe : C'est difficile.

Lizbeth : Je peux t'aider... Assieds-toi près de moi...

Ils s'assoient, Joe adossé à un arbre, Lizbeth près de lui, sur l'imperméable. Lizbeth fouille dans son sac, en tire une enveloppe épaisse, la tend à Joe.

Lizbeth : Tiens...

Joe : Qu'est-ce que c'est que ça?

Il ouvre l'enveloppe. Il y a, dedans, quelques pages dactylographiées et des photographies. La photo, que l'on voit en gros plan, du frère mort de Joe.

Joe, *pâlit :* Qu'est-ce que c'est que ça?

Lizbeth : Le résumé de l'enquête que Dexter a fait faire par une agence. Il m'a envoyé un double.

Joe va pour parler, elle l'arrête.

Lizbeth : Non, Joe... ça n'est pas la peine... je sais... et ça m'est complètement égal que tu sois Noir, Blanc, Chinois ou Esquimau...

Il y a un silence, Lizbeth a un léger sourire et le regarde; Joe baisse les yeux, décontenancé.

Lizbeth : Tu m'as épousée pour me déshonorer... pour te venger... pour me faire payer la mort d'un gosse qui n'avait rien fait.

Joe, *froid :* Continue.

Lizbeth : C'est tout.

Elle lui prend la main et la passe gentiment sur son visage.

Lizbeth : Et tu ne feras rien de tout ça... parce que je t'aime et parce que, bientôt, tu m'aimeras aussi.

Joe, *la regarde égaré :* Tu te moques de moi?

Il y a un peu de sauvagerie dans sa voix, et d'inquiétude.

Lizbeth : Non. *(Elle se lève.)* Viens... j'ai froid... cherchons un endroit où dormir... Retournons chez toi...

Elle l'entraîne. Joe ramasse son imperméable. Le sac reste au pied de l'arbre.

Ils remontent en voiture et repartent pour Trenton en faisant un grand demi-tour.

Plan de la cave où Joe a assommé Dexter. Ce dernier s'est relevé. Il ramasse son revolver, nettoie son visage ensanglanté et tuméfié en se regardant dans un vieux miroir de rebut cloué au mur par quatre clous.

Il remonte au rez-de-chaussée, sort de la librairie dont il tire la porte derrière lui sans la fermer complètement.

Il regagne son appartement où il a laissé Sylvia.

Elle est assise sur le lit et ne bouge pas quand il entre.

DEXTER : Sylvia... Venez... C'est urgent...

Il a conçu, en un instant, un plan horrible.

Il entraîne Sylvia jusqu'à la librairie de Joe, la fait descendre à la cave.

Et là, posément, soigneusement, il l'abat d'une balle dans la nuque.

Dexter a terminé sa mise en scène. Sylvia est couchée sur la table, les jupes relevées, comme si elle avait été victime d'un sadique. Sa tête pend à l'autre bout de la table.

Dexter essuie soigneusement le revolver et va le déposer dans le tiroir de la table de nuit de Joe.

Plan de la voiture qui ramène Joe et Lizbeth et qui arrive très vite à Trenton.

Puis plan de Dexter chez le shérif.

DEXTER : Je vous dis qu'il a tué la cadette des filles Shannon!

Le shérif le regarde.

SHÉRIF : Vous vous êtes battu, monsieur?

DEXTER : Ne vous occupez pas de ça.

SHÉRIF : C'est pas un homme qui vous a fait ça...

DEXTER : Si vous ne voulez pas bouger quand un salaud de Nègre met la ville à feu et à sang, je trouverai bien des hommes pour m'aider.

SHÉRIF : Vous excitez pas comme ça, on y va.

Joe est entré dans la librairie. La porte est ouverte, c'est bizarre. Il voit de la lumière dans la cave et descend. Lizbeth va le suivre. Joe la repousse gentiment.

JOE : Retourne dans la voiture... On va aller ailleurs...

Quand il remonte de la cave, il est très pâle.

JOE : Viens, on repart.

Lizbeth, un peu ahurie, ne comprend pas. Joe, gentiment, l'enlace, l'embrasse, puis démarre à toute vitesse. De l'autre direction, apparaît une voiture de police qui stoppe. Dexter est descendu. Joe, les dents serrées, accélère à fond et le cueille à quatre-vingts à l'heure.

On entend des coups de feu. La voiture de Joe disparaît dans la nuit.

On enchaîne sur la voiture arrêtée à un poste d'essence. La radio du bord joue en sourdine un air de danse. Joe est au volant, chapeau baissé sur les yeux. Lizbeth interroge le pompiste, qui passe une éponge sur le pare-brise.

LIZBETH : Combien de temps, jusqu'à la frontière?

POMPISTE : Oh, une heure...

C'est un gros homme jovial.

POMPISTE : Voyage de noces?

Lizbeth lui fait un joli sourire. Le pompiste vérifie la pression des pneus. Au moment où il arrive à l'arrière, la radio s'interrompt.

RADIO, *voix de police* : « Appel à toutes les polices d'État. Arrêtez par tous les moyens voiture Packard 9537 gris clair. Dangereux assassin à bord, peut-être accompagné d'une femme. »

Plan du pompiste. Il lève le nez sur la plaque d'immatriculation de la voiture, qui fonce d'un coup, le laissant son tuyau d'air comprimé à la main.

Il se précipite vers sa cabine. Suit une série de flashes qui montrent les routes où l'on voit des barrages de police prêts à faire front et à stopper toute tentative de force de la voiture. C'est alors l'attente anxieuse qui commence, tous feux éteints, projecteurs en batterie et prêts à fonctionner à la moindre alerte.

La musique est irréelle et détendue.

On découvre maintenant la voiture roulant dans un très mauvais chemin de traverse. Bientôt, elle s'arrête. Joe et Lizbeth en descendent. Comme la voiture est arrêtée au bord d'une profonde déclivité de terrain, Joe et Lizbeth n'ont pas un très gros effort à faire pour la précipiter dans le ravin.

Commence alors pour les deux fugitifs une marche épuisante vers la frontière qui, d'après leurs calculs, ne doit plus être très loin. Lizbeth soutient Joe de son mieux, l'encourage. Il faut se hâter, car leur seule chance, c'est de profiter de la nuit.

Finalement, ils parviennent au sommet d'une éminence au pied de laquelle s'étend un vaste espace découvert. La nuit pâlit. Le jour va poindre. Joe et Lizbeth s'étreignent, ils ont compris qu'au-delà de cet espace c'est le salut. Ils commencent à descendre la pente. Mais Joe trébuche, soudain une pierre se détache et se met à dévaler. Le résultat ne se fait pas attendre. Des projecteurs éclatent aussitôt derrière eux, vers le haut. Ils sont pris maintenant dans le faisceau. On entend des voix, puis un ordre.

VOIX : Rendez-vous...

Joe ne peut plus reculer, car Lizbeth l'entraîne. Ils bondissent, se mettent à courir.

Aussitôt, des coups de feu claquent. Joe et Lizbeth courent toujours. Encore vingt mètres, et ils sont arrivés...

Mais soudain, Lizbeth s'écroule. Joe s'arrête, la soulève dans ses bras et continue.

Joe a franchi la frontière.

Mais il faut à Lizbeth les soins d'un docteur. Joe sait que sans cela elle mourra.

LIZBETH : Restons ici, mon chéri.

Elle respire à peine, étendue sur l'herbe d'un champ. L'aube s'est levée. Joe est à genoux près d'elle.

LIZBETH : Ce n'est rien, reste avec moi.

Sur la route, un paysan mexicain s'approche, avec deux mules. Il les regarde, indifférent.

JOE : Un docteur, un docteur.

PAYSAN : Là-bas!

D'un geste vague, il désigne la direction d'où ils sont venus.

PAYSAN : La Casa bianca...

Joe est résigné.

Il prend Lizbeth dans ses bras avec une infinie tendresse.

Il marche, il marche. Il se dissimule de son mieux.

Voici la maison blanche, le grand arbre. Il sonne.

On vient ouvrir. Une femme d'une cinquantaine d'années, solide. Elle prend Lizbeth dans ses bras.

JOE : Merci.

Il se retourne. Il est cerné. Dans le jour levant, des canons de fusils brillent.

Et la première balle le frappe en plein cœur.

FIN

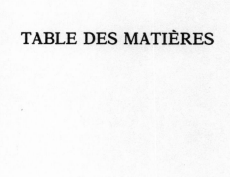

TABLE DES MATIÈRES

Cet ouvrage a été réalisé sur
Système Cameron
par la SOCIÉTÉ NOUVELLE FIRMIN-DIDOT
Mesnil-sur-l'Estrée
pour le compte des Éditions Bourgois
le 8 juin 1989

Imprimé en France
Dépôt légal : juillet 1989
No d'édition : 882 – No d'impression : 11981